A VENDA
NÃO-MANIPULATIVA

A VENDA
NÃO-MANIPULATIVA

Tony Alessandra, Ph.D.
Phil Wexler
Rick Barrera

A VENDA NÃO-MANIPULATIVA

Baseado na versão original de *A Venda Não-Manipulativa*, de
Tony Alessandra, Phil Wexler e Jerry D. Deen

Tradução
PAULO SALLES

EDITORA CULTRIX
São Paulo

Título original: *Non-Manipulative Selling.*

Copyright © 1987 Tony Alessandra e Phil Wexler.

Todos os direitos reservados. Nenhuma parte deste livro pode ser reproduzida ou usada de qualquer forma ou por qualquer meio, eletrônico ou mecânico, inclusive fotocópias, gravações ou sistema de armazenamento em banco de dados, sem permissão por escrito, exceto nos casos de trechos curtos citados em resenhas críticas ou artigos de revistas.

Dados Internacionais de Catalogação na Publicação (CIP)
(Câmara Brasileira do Livro, SP, Brasil)

Alessandra, Anthony J.
    A venda não-manipulativa / Tony Alessandra,
Phil Wexler, Rick Barrera ; tradução Paulo
Salles. — São Paulo : Cultrix, 2004.

    Título original: Non-manipulative selling
    "Baseado na versão original de A venda
não-manipulativa, de Tony Alessandra, Phil Wexler e
Jerry D. Deen"
    ISBN 85-316-0862-7

    1. Administração de vendas 2. Clientes —
Contatos 3. Clientes — Satisfação 4. Negociação em
vendas 5. Sucesso em negócios 6. Vendas e
vendedores I. Wexler, Phillip S. . II. Barrera,
Rick.

04-7541   CDD-658.85

Índices para catálogo sistemático:
1. Sucesso em vendas : Administração de
marketing 658.85
2. Vendas não-manipulativa : Administração
de marketing 658.85
3. Vendas e vendedores : Administração de
marketing 658.85

O primeiro número à esquerda indica a edição, ou reedição, desta obra. A primeira dezena à direita indica o ano em que esta edição, ou reedição, foi publicada.

Edição	Ano
1-2-3-4-5-6-7-8-9-10-11	05-06-07-08-09-10-11

Direitos de tradução para o Brasil
adquiridos com exclusividade pela
EDITORA PENSAMENTO-CULTRIX LTDA.
Rua Dr. Mário Vicente, 368 — 04270-000 — São Paulo, SP
Fone: 6166-9000 — Fax: 6166-9008
E-mail: pensamento@cultrix.com.br
http://www.pensamento-cultrix.com.br
que se reserva a propriedade literária desta tradução.

Impresso em nossas oficinas gráficas.

Este livro é dedicado a
Sue Alessandra *e a* **Mercedes Barrera**

AGRADECIMENTOS

*Os autores gostariam de agradecer a **Garry Schaeffer** pela ajuda inestimável; a **Lynn Cablk**, pela contribuição organizacional; a **Serena Vackert** e **Trish Waynick**, pela digitação e pela paciência; e a **Rick Roark, Lara Steinel, Steve Marx** e **Larry Rochon**, pela leitura do original e pelo* feedback.

*Um obrigado especial a **Ashok Deshmukh**, da Tom James Clothiers, a **Barry Woolf**, da Walsworth Publishing Company, e a **Roy Cammarano**, do* International Business Times, *pelas idéias e experiências em forma de entrevistas. Para nós, é fundamental que grandes gerentes de vendas e de programação tenham sido grandes vendedores. É esse o caso de todas essas pessoas — cuja bem-sucedida aplicação de práticas de venda não-manipulativa foi um fator significativo para suas promoções à gerência.*

SUMÁRIO

PREFÁCIO 11

1. A FILOSOFIA DA VENDA NÃO-MANIPULATIVA 15

2. ESTRATÉGIAS DE RELACIONAMENTO 26

3. ADMINISTRAÇÃO DAS TENSÕES 45

4. A ARTE DE FAZER PERGUNTAS 51

5. O PODER DE OUVIR, DE OBSERVAR E DO *FEEDBACK* 67

6. PLANEJAMENTO 83

7. PRIMEIRO CONTATO COM O *PROSPECT* 104

8. ESTUDO 128

9. PROPOSTA 142

10. CONFIRMAÇÃO 158

11. MANUTENÇÃO DA SATISFAÇÃO DO CLIENTE —
O PROCESSO DA PÓS-VENDA 185

12. VENDA POR ESTILO 200

13. A IMAGEM DA EXCELÊNCIA 215

14. A ADMINISTRAÇÃO DE SI MESMO 232

15. TRÊS CHAVES PARA O SUCESSO 245

PREFÁCIO

Em meados de 1975, foi impressa a primeira versão de *A Venda Não-Manipulativa*, sob forma de apostila para um seminário. Testamos o conceito em programas de treinamento e fomos revisando o material com base no *feedback* que recebemos. Depois de três anos e meio testando os conceitos com milhares de vendedores de todos os Estados Unidos, em dezenas de ramos diferentes, o livro *A Venda Não-Manipulativa* foi lançado em 1979 pela Courseware e relançado pela Reston, em 1981.

Quando escrevemos *A Venda Não-Manipulativa*, pouca gente no país defendia filosofias semelhantes. Além de nós, pessoas como Larry Wilson, com seu Counselor Selling Program, e Mack Hanan, com seu Consultative Selling Program, iam contra o pensamento da época na área de vendas. Hoje as coisas mudaram muito. Milhares de pessoas ensinam conceitos semelhantes aos de A *Venda Não-Manipulativa*.

Palestrantes e consultores também entraram na onda, pregando a venda com valor agregado, a venda participativa e outras variantes do tema da não-manipulação. No entanto, a um exame mais atento, muitos "especialistas" se revelam incoerentes em suas publicações e trabalhos de consultoria. Advogam a filosofia da boca para fora — mas continuam ensinando práticas e técnicas que não passam de versões modificadas da *hard sell* tradicional. São os famosos lobos em pele de cordeiro.

Essa incoerência se deve, em parte, ao fato dos consultores não gostarem de abalar a rotina dos clientes. O método não-manipulativo pode ser problemático para os vendedores tradicionais que, para fazer uma venda, se ancoram sobretudo em "malhos de venda", técnicas de fechamento e práticas para vencer as objeções. Os gerentes de vendas que ensinam práticas manipulativas também resistem às mudanças filosóficas. Por isso, vários consultores diluem seus conceitos para torná-los mais aceitáveis para um número maior de clientes.

Por que uma nova edição de *A Venda Não-Manipulativa*? Já faz mais de oito anos que a primeira edição foi publicada. Nesse período, nós apresentamos, ao todo, mais de 1.500 programas, para mais de um quarto de milhão de pessoas no mundo inteiro. Além disso, mais de 100 mil pessoas compraram o livro. Os leitores e participantes de seminários nos deram muitas idéias novas. Sua contribuição coletiva e suas sugestões específicas fizeram com que o livro evoluísse muito. A imensa contribuição de Rick Barrera para *A Venda Não-Manipulativa*, sob a forma de práticas e técnicas específicas, reenergizaram o conceito e renderam a ele uma co-autoria. A filosofia da venda não-manipulativa não mudou — mas apenas as atividades e os passos concretos. Nosso colega e amigo Jim Cathcart proporcionou uma inestimável contribuição criativa e desenvolveu os nomes dos seis passos da VNM: planejamento, primeiro contato, estudo, proposta, confirmação e manutenção pós-venda. Vários conceitos usados no capítulo 2, "Estratégias de Relacionamento", tiveram origem na coleção de fitas cassete de Jim Cathcart e Tony Alessandra (Nightingale-Co., 1985). Esta edição do livro foi substancialmente alterada e ampliada de modo a incluir sugestões de vendedores "nas trincheiras", que tiveram a bondade de nos dizer como funciona para eles a venda não-manipulativa e como poderia funcionar melhor para todos.

Nos últimos doze anos, a venda não-manipulativa teve tanto sucesso que foi transformada em filme pela Walt Disney Productions, foi adaptada para um vídeo de treinamento de vendas produzido em cinco partes pela Coronet/MIT (Simon & Schuster Communications) e foi gravada em fitas de áudio pela Nightingale-Conant. Vários de nossos outros programas de treinamento — como "Estratégias de Relacionamento", "Marketing como Filosofia e não como Departamento" e "A Arte de Gerenciar Pessoas" — se desenvolveram a partir da base filosófica da venda não-manipulativa.

A venda não-manipulativa se tornou a filosofia de vendas preferida por várias das 500 maiores empresas, segundo a revista *Fortune* — entre elas, IBM, Ford, IDS/American Express, Wedkin Laboratories, Arthur Andersen & Co., Xerox, Loews Hotels, American City Business Journals, AT&T, Union Bank, Hewlett Packard, Independent Insurance Agents of America, Day Inns of America, Telecheck, Snelling & Snelling, Memorex Corporation, Tom James Clothiers, Dictograph Security Systems e centenas de outras que adotaram nossos conceitos sob forma de seminários, livros, fitas de áudio e vídeo.

Esta nova edição de *A Venda Não-Manipulativa* foi escrita para pessoas que desejam vender com profissionalismo. Adotando e praticando os métodos deste livro, você vai ingressar no grupo de vendedores, uma elite de cinco por cento que tem controle sobre a própria renda e pode escolher a área geográfica, o ramo de atividade, a empresa e o estilo de vida que prefere. São vendedores que ganham mais dinheiro do que muitos presidentes de empresa. Não é fácil estar entre os cinco por cento melhores do que quer que seja. No entanto, o conhecimento que este livro oferece, somado à sua dedicação e ao seu trabalho, o levará até lá. Mas antes de mais nada você precisa querer.

Todos nós sabemos que o número de mulheres vendedoras vem aumentando constantemente ao longo dos anos. Para refletir essa mudança e solucionar a questão lingüística do gênero, vamos alternar, neste livro, o uso de "ele" e "ela". Esperamos que isso não ofenda nem atrapalhe ninguém.

— *A. J. A.*

1

A Filosofia da Venda Não-Manipulativa

QUANDO VOCÊ OUVE a palavra *vendedor*, que adjetivos lhe vêm à mente? "Agressivo", "arrogante" e "insistente" são algumas das respostas mais típicas para essa pergunta. O denominador comum de todas elas é sempre a negatividade, mesmo entre o pessoal de vendas e marketing. Se tantos vendedores profissionais encaram negativamente seus próprios colegas, não é de se esperar que as pessoas de fora da profissão tenham um conceito ainda mais negativo?

Os vendedores estão entre os profissionais mais bem pagos da sociedade americana e são importantíssimos para a economia. Se é assim, por que tão pouca gente respeita essa carreira? Em vendas, a rotatividade dos funcionários é maior do que na maioria das outras ocupações. Pergunte a estudantes universitários se querem ser vendedores: a resposta vai ser um sonoro "não!"

ORIGENS DA IMAGEM NEGATIVA DOS VENDEDORES

A maioria dos estereótipos negativos que as pessoas têm dos vendedores é conseqüência da má condução dos treinamentos de vendas. Existem três problemas nos atuais treinamentos: insuficiência, concentração excessiva no produto e inadequação.

Treinamento Insuficiente

Muitas empresas proporcionam — quando proporcionam — um treinamento pobre para suas equipes de vendas, embora o treinamento, considerado isoladamente, seja a função mais importante do departamento de vendas. Uma das razões para essa negligência é que os gerentes de vendas, que são em geral antigos vendedores, não foram "treinados" para treinar vendedores.

Apesar da onipresente falta de treinamento, a maioria dos vendedores acaba aprendendo, mais cedo ou mais tarde, os rudimentos da profissão. Alguns são vendedores natos e se sobressaem, aparentemente, com pouco esforço. Outros aprendem com a prática, através de tentativas, erros e correções. Recebendo o treinamento e o suporte adequados, porém, um número maior de pessoas vai se transformar em comunicadores e solucionadores de problemas capacitados — ou seja, em melhores vendedores.

Quando os vendedores entram em campo sem treinamento, os problemas vão se acumulando. Sem saber o que fazer, eles se atêm ao que *acham* que um vendedor deve fazer. Sua concepção pode ser baseada em modelos como Willy Loman, da peça de Arthur Miller, *A Morte do Caixeiro-viajante*, ou Herb Tarlick, do programa de TV "WKRP in Cincinnati" — em outras palavras, aquele vendedor insistente, espalhafatoso e bajulador, que não agrada a ninguém. Não é à toa que há tanta tensão no primeiro contato do vendedor com um *prospect*.

Tony: Minha primeira experiência em vendas reforçou essa noção do vendedor nato. Fiz o curso primário numa escola católica. Era um bom campo de treinamento — especialmente para um jovem vendedor em formação.

Naquela época, as escolas paroquiais angariavam dinheiro vendendo diversos produtos para os pais, parentes e amigos dos alunos. Todo mês a escola incumbia os alunos dessas vendas. Num mês competíamos com as Bandeirantes na venda de doces. Noutro mês vendíamos aquelas barras de chocolate grandes, com recheio de amêndoas. A cada mês era uma novidade, que eu chamava "carinhosamente" de "malho do mês"!

Para motivar os estudantes a vender o máximo possível, havia um prêmio para o melhor vendedor de cada turma. Felizmente, como vinha de uma grande família católica italiana de Nova York, eu sempre vendia mais do que meus colegas.

Todo mês, eu ganhava a competição e as pessoas me diziam: "Você vai ser um vendedor incrível quando crescer porque tem talento para enrolar". "Você é um vendedor nato — consegue vender qualquer coisa para qualquer um!" Ano após ano eu ouvia as mesmas coisas: "vendedor nato", "talento para enrolar", "convencer as pessoas", "consegue vender qualquer coisa para qualquer um". Depois de um tempo, comecei a acreditar. Eu não precisava de treinamento: era um vendedor nato. Bastava falar, falar e falar!

Infelizmente, minhas habilidades "naturais" eram as do vendedor tradicional: falar, convencer, controlar, persuadir, usar artifícios e ser agressivo.

A verdade é que pouquíssimas pessoas têm a capacidade natural de se abrir para os outros sendo, ao mesmo tempo, suscetíveis às suas necessidades. Os bons vendedores, portanto, não são natos, são feitos. As técnicas de venda podem ser aprendidas.

Concentração Excessiva no Produto

A verba destinada ao treinamento se concentra, em grande parte, em um único aspecto da questão: o conhecimento do produto. Muitas empresas gastam de 75 a 100 por cento de suas verbas de treinamento exclusivamente para desenvolver esse conhecimento. No ato da venda, os novos vendedores, treinados apenas no conhecimento do produto, só sabem falar sobre esse assunto. Demonstram "arrogância tecnológica" — ou seja, falam tanto da tecnologia que acabam ignorando as necessidades do *prospect*.

Um exemplo clássico da ênfase no conhecimento do produto é o do vendedor de loja de informática:

Phil: Eu estava com medo de entrar na loja porque achava que não ia aprender a trabalhar com um computador. Como não cresci usando computadores, eles me pareciam técnicos e complicados demais, além do alcance da minha compreensão. Mas, apesar do medo, eu queria entrar e ver os computadores de perto.

As lojas de informática entendem, sem dúvida, de *merchandising* no ponto de venda. Havia um computador incrível instalado no meio da loja, com monitor colorido e rodando um programa que gerava ótimas imagens em cores e um ótimo som. Fiquei fascinado! De repente, um vendedor apareceu atrás de mim e me disse uma coisa que estou acostumado a ouvir em feiras de carros usados: "É uma beleza, não é?"

Apesar da abordagem incrivelmente estereotipada, eu estava tão intimidado diante daquele computador que respondi: "É inacreditável. Muito mais impressionante do que eu imaginava". O vendedor respondeu: "E sabe o que mais? É 64K." Eu disse: "Meu Deus, é tão caro assim?" E o rapaz rugiu: "Não, não. Estou falando da memória".

Ele prosseguiu explicando o produto em detalhes — quantos *bytes*, *bits*, *rams* e *roms*, capacidade de armazenamento, *chips* e placas adicionais a máquina continha. Em seguida, retirou a parte de trás do computador e mostrou como era por dentro. Foi demais. Fiquei petrificado. Eu não estava interessado nem mesmo na diferença entre um *chip* de computador e uma batata *chip*! Pedi desculpas educadamente e saí da loja ainda mais convencido de que jamais entenderia de computadores.

Se o conhecimento do produto fosse o ingrediente mais importante das vendas, os engenheiros, os técnicos e as equipes de pesquisa e desenvolvimento seriam encarregados de vendê-lo. Mas essa não seria uma boa idéia. Eles passariam mais tempo falando sobre a concepção, o projeto e a fabricação do produto do que sobre os benefícios que ele proporciona ao consumidor. Em geral, os clientes não querem saber como o produto é fabricado: só lhes interessa saber *o que aquele produto é capaz de fazer por eles*, ou seja, suas características e benefícios.

Treinamento de Vendas Inadequado

O problema mais sério dos treinamentos de vendas é a inadequação. Vinte anos atrás, três tópicos dominavam o treinamento tradicional de vendas:

- Como dar um bom *malho* de vendas.

- Mil e um métodos para *fechar* uma venda.

- Técnicas imbatíveis para vencer *objeções*.

O interessante é que, até hoje, no treinamento tradicional, esses temas continuam em foco. As técnicas erradas são por demais enfatizadas. Os vendedores aprendem a usar truques e artifícios para produzir efeitos *nas* pessoas, o que simplesmente reforça sua imagem negativa. Se você é vendedor há algum tempo, é provável que já tenha tido a experiência de terminar uma venda com um cheque numa das mãos e um contrato na outra — e, em vez de satisfação, uma culpa terrível pelo que fez para fechar aquela venda.

Tony: No meu primeiro emprego, eu vendia utensílios de cozinha — panelas e frigideiras. Aprendi todas as técnicas de guerra da venda manipulativa. Em 1966, eu vendia um jogo de dez peças de aço inoxidável por quase 300 dólares. Dessas dez peças, quatro eram tampas. Havia apenas seis panelas! Isso sim era uma venda difícil! Imagine só: você chega em casa e vê em cima da mesa um jogo de cozinha de dez peças. Interessado, você pergunta à sua mulher: "Nossa, que bonito. Quanto custou?" E ela responde: "Trezentos dólares". O que você diria?

Nas minhas primeiras nove semanas vendendo utensílios de cozinha, vendi o equivalente a 11 mil dólares empregando técnicas de vendas tradicionais. Não há dúvida de que a venda tradicional funciona — uma vez. Nem sei lhe dizer quantas clientes quiseram o dinheiro de volta. Elas me perseguiram durante semanas a fio atrás de um reembolso. Mas naquele negócio não havia reembolso. Assinado o pedido, a venda estava definitivamente encerrada. Eu não conseguia mais andar pelas ruas da minha cidade e olhar de frente as minhas clientes.

O que eu podia fazer? Estava entre a empresa e os clientes. Eu me sentia culpado, mas achava que era assim que se fazia uma venda, que estava agindo como todo mundo. Eu agia como qualquer vendedor tradicional: mostrava, persuadia, hipnotizava, argumentava, vencia as objeções — e fechava, fechava, fechava.

Às vezes eu passava horas numa só venda — até a cliente se cansar e comprar só para se ver livre de mim. Eu havia sido orientado a malhar os clientes até torná-los submissos. Era uma situação ganhar-ou-perder. Se eu fizesse a venda, eu ganhava e a cliente perdia.

Eu ainda me lembro das reuniões semanais de vendas, com aquele gerente cheio de manhas. Hoje aquelas reuniões me parecem absolutamente repugnantes. No início de cada reunião, por melhor que tivesse sido nosso desempenho na semana, ele ficava andando para lá e para cá, feito um tigre na jaula, nos olhando de lado, sem dizer uma palavra. Por fim, berrava a plenos pulmões: "Eu não entendo o que há de errado com vocês! Não estão vendendo nada. Estão deixando os *prospects* escapar. Há uma batalha lá fora. É guerra! Vocês contra eles. Quando não voltam com um contrato, vocês perderam. Quando voltam com um contrato, vocês ganharam e eles perderam".

Demorei para perceber como esse método era doentio. Não estamos jogando para vender uma vez só, sem preocupação com a satisfação do cliente. Nossa preocupação é a longo prazo — mesmo quando vendemos só uma vez para o cliente. Há valores, há uma ética e há um bom senso profissional que temos que respeitar para nos sentir em paz.

Sinto dizer que nos três anos em que vendi utensílios de cozinha e nos dois anos seguintes, em que vendi seguros de vida, fotos de bebês, alarmes contra roubos e túmulos, aprendi e adotei todas as técnicas tradicionais de vendas. Consegui vender, mas não fiz clientes — e certamente não fiz amigos.

Valer-se de artifícios e truques, fingir sinceridade ou frustração — não é assim que se vende e não é esse o modo ético de se fazer negócios.

VENDA TRADICIONAL VS. VENDA NÃO-MANIPULATIVA

Todas as situações de vendas são semelhantes, mas as técnicas adotadas distinguem o vendedor não-manipulativo do vendedor tradicional.

Na figura 1.1, você percebe que a venda não-manipulativa dá ênfase aos passos iniciais da venda, enquanto a venda tradicional destaca o fechamento. Você percebe também que existem diferenças entre os termos que cada uma delas utiliza. Na venda não-manipulativa, as palavras do vendedor não têm conotação de manipulação ou de superficialidade. Expressam interesse, preparo, cooperação e intenção de manter a relação depois da venda.

Na figura 1.1, a ênfase que se dá a cada fase da venda está representada pela extensão da área sombreada. O vendedor tradicional leva tempo demais tentando convencer o cliente a comprar. O vendedor não-manipulativo, porém, demora-se mais no início, dedicando mais tempo ao planejamento, ao primeiro contato e ao estudo, de modo a ser útil ao cliente. A seguir, na seqüência de passos, você poderá comparar os dois processos de venda.

	VENDA TRADICIONAL	VENDA NÃO-MANIPULATIVA
COLETA DE INFORMAÇÕES	PROSPECÇÃO CONVERSA FIADA APURAÇÃO DE FATOS	PLANEJAMENTO PRIMEIRO CONTATO ESTUDO
APRESENTAÇÃO	MALHO (ARGUMENTAÇÃO)	PROPOSTA
COMPROMETIMENTO	FECHAMENTO/ SUPERAÇÃO DE OBJEÇÕES	CONFIRMAÇÃO
CONTINUIDADE DO ATENDIMENTO	NOVA VENDA	MANUTENÇÃO PÓS-VENDA

FIGURA 1.1 *O Processo de Venda*
COMPARAÇÃO DO TEMPO GASTO COM
CADA FASE DO PROCESSO DE VENDA

Passo 1: Planejamento vs. Prospecção

Uma das principais diferenças entre os dois processos está no tempo dedicado às fases iniciais da venda. O vendedor não-manipulativo dedica bastante tempo ao planejamento do território e à administração do tempo e das contas. O vendedor tradicional acha que prospecção é atirar para todos os lados, o que, infelizmente, não é muito eficaz a longo prazo. Fazer contato com *prospects certos* é mais producente do que fazer contato com um grande número deles. A melhor combinação é fazer contato com um grande número de *prospects certos*.

Passo 2: Primeiro Contato vs. Conversa Fiada

A finalidade do primeiro contato com o *prospect* é começar a formar uma relação de negócios. O vendedor profissional sabe que uma relação sólida vai além do produto ou serviço imediato que está sendo oferecido. A relação — e, portanto, a venda — exige que se estabeleça confiança e credibilidade. Quando o *prospect* percebe que o vendedor visa sinceramente a sua satisfação, o resto do processo de vendas fica mais fácil. Hoje em dia, os compradores gostam de vendedores que mostram interesse por eles, por seu trabalho ou por sua família.

Passo 3: Estudo vs Apuração de Fatos

O vendedor tradicional dedica um tempo mínimo ao estudo da situação do cliente potencial. Ele parte do pressuposto de que existe uma necessidade baseando-se no mercado-alvo em que se encaixa o *prospect*.

O vendedor não-manipulativo dedica um bom tempo ao estudo da situação do *prospect*. Ele procura não apenas necessidades, mas oportunidades. Quem procura apenas necessidades pressupõe que os clientes não têm nada além de problemas a serem resolvidos. Já o vendedor que procura ou cria oportunidades fica numa posição de consultor, capaz de observar a situação e torná-la melhor.

A venda não-manipulativa é análoga à medicina holística. Ao estudar os sintomas do paciente, o médico holístico leva em conta praticamente todos os aspectos de sua vida. Sua prescrição inclui recomendações para o paciente buscar ativamente a melhora. O médico tradicional trata os sintomas sem dar muita atenção ao quadro geral. Perceba como esse método é semelhante ao da venda tradicional.

Na venda não-manipulativa, você estimula o *prospect* a se envolver no processo de venda. Formulando perguntas bem estruturadas, oferecendo possibilidades instigantes e estudando os diversos aspectos da atividade do *prospect*, você favorece a cooperação.

Passo 4: Proposta vs. Malho (Argumentação)

Depois de fazer o primeiro contato com o *prospect* e estudar seu problema, o passo seguinte do vendedor não-manipulativo é propor uma solução. A venda tradicional e a venda não-manipulativa dedicam mais ou menos o mesmo tempo à apresentação. Mas, excetuando o fator tempo, as semelhanças desaparecem.

Os vendedores tradicionais fazem uma apresentação idêntica para todos os *prospects* e clientes, sejam quais forem suas necessidades. Usam até mesmo apresentações "enlatadas", ignorando a individualidade do *prospect*.

Na metodologia da venda não-manipulativa, ao contrário, a apresentação é feita sob medida para as necessidades do *prospect*. Os benefícios são discutidos conforme sua aplicação a problemas específicos. Isso é possível por meio de discussões abrangentes entre o vendedor e o cliente potencial.

Passo 5: Confirmação vs. Fechamento da Venda

Para o vendedor não-manipulativo, a confirmação da venda é a conclusão lógica da comunicação e do entendimento com o *prospect*. Como, desde o início, os dois trabalharam juntos com um objetivo comum, não há motivo para o *prospect* levantar objeções nesse momento. Talvez haja detalhes a esclarecer, mas isso não vai obstruir a venda.

O vendedor tradicional dedica a maior parte do seu tempo e do seu treinamento ao fechamento. Na verdade, vencer objeções é motivo de orgulho para alguns vendedores, que se gabam dessa habilidade como os lutadores de sumô que se gabam de seu peso. Isso é um exagero, claro: a questão é que as objeções são uma fonte de informações que a vendedora deve descobrir logo no início. Quando ela o faz, não há objeções, mas somente a confirmação da venda.

Quando Phil Wexler era um inexperiente vendedor de alarmes contra roubos, sua empresa lhe deu um folheto que trazia, em cada página, uma possível objeção do cliente e a resposta do vendedor. Seu objetivo era dar ao vendedor toda a munição necessária para vencer as objeções.

Phil: Um dia, na casa de um cliente, percebi o quanto era absurdo usar aquela técnica. Eu estava jogando um jogo com o cliente. Ele opôs uma objeção, eu me lembrei da página e dei a resposta. Quando ele opôs uma segunda objeção, eu olhei para ele e disse: "Sr. Jones, a empresa me deu este folheto. Ele é feito para responder a todas as objeções que o senhor levantou. Que tal se eu lhe der o folheto? O senhor dá uma olhada em todas as páginas, lê as respostas a todas as objeções e, depois, vamos tentar descobrir por que o senhor resiste tanto a comprar este alarme contra roubos. Se o senhor achar que deve comprá-lo, compre. Se achar que não, eu deixo o senhor em paz. Vou deixar o folheto com o senhor e esperar na outra sala. O senhor decide se quer ou não o alarme".

Os vendedores precisam entender que a resistência demonstrada por muitos clientes não é uma resistência ao produto, mas ao vendedor. Os *prospects* muitas vezes criam objeções para suprir a ausência de uma relação de negócios. A venda tradicional é um anacronismo que dava certo (a curto prazo) como um jogo de gato e rato: "Será que você consegue levantar alguma objeção que eu não consiga contestar?"

Na venda não-manipulativa, a confirmação se torna uma questão de "quando", e não de "se". A resistência indica apenas que há necessidade de maiores informações ou de esclarecimento de alguns detalhes. As falhas de comunicação não constituem problema para a venda profissional, já que o vendedor está disposto a dedicar seu tempo ao cliente, até que tudo fique esclarecido.

Passo 6: Manutenção Pós-Venda vs. Novas Vendas

O problema da venda tradicional é que, muitas vezes, o cliente é pressionado a comprar, o que pode ter conseqüências indesejáveis. Depois de um tempo, ele pode se arrepender da compra. Quando isso acontece, é preciso refazer a venda para que o negócio não fracasse. Desnecessário dizer que isso é perda de tempo e que, quando não dá certo, gera muita má vontade.

Muitas vezes, os métodos de venda tradicional causam um outro problema. Quando a venda é fechada e o comprador não fica à vontade com a sua decisão, o vendedor precisa reiniciar do zero a relação no contato seguinte. Se outro vendedor ficar com a conta, ele vai ter que vencer a má vontade do cliente. A venda não-manipulativa evita esses problemas mantendo a satisfação do cliente depois da venda.

O vendedor não-manipulativo quer que os clientes fiquem satisfeitos e sabe que eles são seu patrimônio! Depois da venda, o vendedor mantém a satisfação do cliente passando a ser um controlador de qualidade. Ele providencia para que o cliente receba a encomenda certa no dia certo e o ajuda a identificar os resultados e a analisar a eficiência do produto ou serviço em relação ao(s) problema(s) específico(s) a que se destina. Em geral, esse vendedor fica sempre em contato com o cliente e acaba se transformando em uma pessoa que o cliente também considera como patrimônio seu.

Ao manter a satisfação de cada cliente, o vendedor não-manipulativo forma uma clientela, que vai garantir vendas futuras e se transformar em fonte de renda permanente.

Na literatura, toda grande história tem uma premissa. Nos negócios, toda grande filosofia tem seus princípios básicos. A venda não-manipulativa não é exceção. Os seis princípios básicos que refletem o nível de profissionalismo e integridade da VNM são:

1. O profissional não se torna conhecido pelo ramo em que trabalha, mas pela maneira de trabalhar. Em vendas, a especialidade se perde quando você muda de ramo. Mas o profissionalismo vai com você — não importa para quem trabalhe.

2. Quando duas pessoas querem fazer negócio, os detalhes não as impedem. Por outro lado, quando duas pessoas não se dão muito bem e não querem fazer negócio, nenhum detalhe vai consertar a situação.

3. O processo de venda deve ser construído sobre uma base de confiança e de entendimento mútuo. Relações abertas, honestas e livres de tensão geram associações duradouras, que trazem recompensas de vários tipos durante muitos anos.

4. Em vendas, como em medicina, prescrever antes de diagnosticar é imperícia. O vendedor não-manipulativo não oferece soluções antes de entender por completo a situação do cliente.

5. As pessoas compram quando se sentem compreendidas e valorizadas pelo vendedor e não porque entenderam o produto ou serviço que está sendo vendido.

6. As pessoas gostam de tomar as próprias decisões — sejam elas sábias ou insensatas. Quando você impõe soluções aos clientes, eles acabam ficando ressentidos com você e com a solução. O vendedor pode ajudar o cliente a resolver um problema, mas fazendo dele um parceiro na solução.

Esses princípios básicos, juntamente com a filosofia e os seis passos da VNM, já fizeram maravilhas pela carreira de muita gente. Roy Cammarano é um excelente exemplo do que a venda não-manipulativa pode fazer por uma carreira. Ex-cliente e agora amigo dos autores, Roy começou ganhando US$ 18 mil por ano, em 1983, vendendo títulos de um clube esportivo. Ele participou de um seminário sobre venda não-manipulativa (VNM) e leu a primeira edição deste livro. Três anos depois, era vice-presidente executivo da California Business Times, subsidiária da American City Business Journals. Em 1986, Roy estava ganhando mais de US$ 100 mil, além de opções de ações, bônus e ajuda de custo. Ele atribui a maior parte de seu sucesso à venda não-manipulativa e relata algumas de suas experiências neste livro.

Roy: Depois de adotar a venda não-manipulativa, parei de "dar malhos" e comecei a ser útil. Antes da VNM, eu pressionava as pessoas, manipulando-as com perguntas que permitiam apenas uma ou duas respostas. Qualquer que fosse a resposta, eu ia em frente com minhas perguntas planejadas. Achava que, como estavam falando comigo, queriam fazer o negócio.

Hoje, com a VNM, percebo que meus clientes e eu tomamos juntos as decisões. Com isso, eles se sentem muito melhor e o procedimento pósvenda se tornou muito mais agradável para mim. No passado, eu ficava reconfirmando a venda o tempo todo porque meus clientes sentiam que tinham sido forçados. Como resultado, eles eram menos abertos e honestos comigo nas transações seguintes, achando que eu ia tirar mais alguma coisa deles. Hoje em dia meus clientes sentem que eu lhes dou mais do que pedem. As relações são mais abertas e mais honestas. Não sou mais aquele que apenas recebe: eu dou de mim. Percebo que, quando é para o bem de todos, o negócio é feito. Conquistei a reputação de ser alguém capaz de dar mais às pessoas, e isso me fez crescer na carreira.

Acredito que a parte mais importante da venda não-manipulativa é a fase da coleta de informações. Durante essa fase, você oferece às pessoas mais do que ninguém, especialmente outros vendedores. Você lhes dá idéias que podem não lhes ter ocorrido. Você faz com que elas pensem na possibilidade de ter mais sucesso em seus negócios. E, por isso, elas retêm na memória uma imagem muito melhor de você. E você faz isso tudo deixando-as sempre à vontade. As estratégias de relacionamento são muito importantes. É uma questão de fazer perguntas num tom que facilite as respostas.

Depois que adotei a VNM, passei a me dedicar de tal modo à coleta de informações e à preocupação com o estilo de personalidade de cada um que, quando percebi, estava recebendo um volume de informações muito maior. Com isso, aprendi a enxergar oportunidades para ajudar ainda mais as pessoas, que passaram a reagir de maneira diferente: elas também queriam me ajudar. Minha carreira decolou. Eu passei a desenvolver melhor as contas, a conseguir mais indicações e a repetir as vendas.

Em parte, meu sucesso pode ser atribuído ao compromisso que firmei comigo mesmo — o compromisso de ser uma pessoa melhor e mais versátil. Com isso, tudo ficou mais divertido porque minha atuação melhorou. Quando trabalho e lazer são divertidos, você quer mais e tem mais sucesso.

2

Estratégias de Relacionamento

NO TRATO COM outras pessoas, você já sentiu alguma vez um conflito de personalidades? Quase todos nós já tivemos essa experiência. Por outro lado, você já teve a impressão de conhecer há muitos anos uma pessoa que conheceu há poucos minutos?

Como vendedor não-manipulativo, a capacidade de desenvolver esse tipo de química positiva com todos os seus *prospects* e clientes é essencial para o sucesso nas vendas. Em vendas, a *primeira* coisa que você tem que vender é *você mesmo* — e faça isso todas as vezes.

Em geral, os vendedores procuram criar uma química positiva nas relações de vendas praticando a Regra de Ouro: "Faça para os outros aquilo que gostaria que fizessem para você". O problema é que, tomada ao pé da letra, essa regra aumenta suas chances de criar mais conflito do que harmonia com *prospects* e clientes. Interpretada literalmente, a Regra de Ouro recomenda que cada pessoa trate as outras segundo o próprio ponto de vista, fale com as outras como gostaria que falassem com ela, oriente como gostaria de ser orientada — e, acima de tudo, que *venda* como gostaria que vendessem a ela. Os autores discordam. Vejamos o exemplo da mãe de Tony.

Tony: Minha mãe é tão extrovertida que Richard Simmons, o professor de aeróbica da televisão, parece tímido comparado a ela! Ela é aquele tipo de pessoa que entra em um restaurante e, a caminho da mesa, vai se apresentando para totais estranhos. É inacreditável. Ela se aproxima das pessoas e diz: "Olá, eu me chamo Margie Alessandra. Qual é o seu nome? Betty? Prazer em conhecê-la. Você é italiana? Não? Oh, me desculpe. O que está comendo? Você recomenda?"

Ela é bem-intencionada, mas nem todo mundo gosta de ter sua refeição interrompida por alguém que nunca viu antes. Há pessoas, porém, que olham para ela e a acham o máximo. Gostariam que suas mães fossem como ela. Mas, gostem os outros ou não, minha mãe não se importa: ela lhes impõe seu jeito de fazer as coisas. Não por malícia ou egoísmo mas porque acredita que todos gostam de ser tratados como ela gosta de ser tratada.

Os autores sugerem que você aprenda a praticar a intenção, ou espírito, da Regra de Ouro: "Trate as pessoas como elas gostam de ser tratadas". Ou, para os fins deste livro: "Venda para as pessoas do jeito que elas gostam". Podemos chamá-la de Regra de Platina.

ESTILOS DE COMPORTAMENTO

Para praticar com eficácia a Regra de Platina, você tem que aprender a *interpretar* os outros. Para se comunicar com uma pessoa na sintonia dela, você precisa, antes de mais nada, saber em que freqüência ela está.

Ao longo da história, as pessoas se classificaram umas às outras de diferentes maneiras na tentativa de entender o comportamento humano. Os antigos astrólogos, por exemplo, recorriam à natureza para elaborar explicações da personalidade. Desenvolveram um sistema de doze signos divididos em quatro grupos caracterizados como água, fogo, ar e terra.

Ao longo dos séculos, filósofos e cientistas, de Hipócrates a Jung, elaboraram teorias da personalidade. É interessante notar que essas teorias têm uma coisa em comum: como na astrologia, as pessoas são divididas em quatro estilos diferentes. A maior parte das teorias modernas segue a mesma linha.

É importante ter em mente que nenhum estilo é melhor do que o outro. Todos eles têm aspectos positivos e negativos. O que irrita uma pessoa talvez seja atraente para outra.

As estratégias de relacionamento, fundamentadas nas pesquisas e observações dos autores, constituem um sistema atualizado que proporciona um modo prático de reconhecer os estilos de comunicação preferidos por cada um. Os quatro estilos se baseiam em duas dimensões do comportamento: o grau de abertura e o grau de objetividade. Isso está representado graficamente na figura 2.1. Os conceitos são fáceis de entender quando se examina um eixo de cada vez.

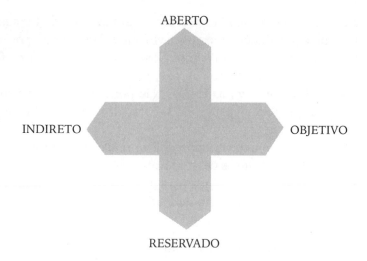

FIGURA 2.1 *As Duas Dimensões do Comportamento*

COMPORTAMENTO ABERTO VS. COMPORTAMENTO RESERVADO

A abertura é a facilidade com que uma pessoa demonstra suas emoções e reage aos outros. Quem é muito aberto está sempre disposto a compartilhar pensamentos e a iniciar novas relações, ao passo que uma pessoa reservada permanece à distância. As pessoas reservadas não se ressentem de ficar sozinhas — em geral até preferem. Para as pessoas abertas, a prioridade são as pessoas, para as reservadas a prioridade é a tarefa.

Na figura 2.1, a gama de comportamentos, entre o aberto e o reservado, é representada pelo eixo vertical, sendo que a parte de cima corresponde aos comportamentos abertos e a de baixo aos comportamentos reservados.

Comportamentos Abertos

No topo do eixo vertical estão as pessoas abertas, que normalmente exibem os seguintes comportamentos:

- Elas são emocionalmente abertas e o demonstram por meio de gestos e expressões faciais animadas. Expressam com naturalidade, para quase todo mundo, sua alegria, sua tristeza, sua confusão e outras emoções.

- As pessoas abertas se aproximam, física e mentalmente, das outras. Durante uma conversa, chegam bem perto do interlocutor; gostam de abraçar, apertar a mão e tocar. São mais extrovertidas e desenvolvem relações rapidamente.

- As pessoas abertas são informais e gostam de derrubar rapidamente as barreiras da formalidade. Chamam os outros pelo primeiro nome e gostam que as chamem assim. Preferem relações descomplicadas e afetuosas.

- As pessoas abertas adoram conversas soltas e divertidas. Preferem divagar e ouvir você falar da cirurgia do seu irmão a discutir o assunto em pauta. A interação na conversa é mais importante do que o conteúdo.

- As pessoas abertas não gostam de estruturar o próprio tempo e não se aborrecem quando alguém o desperdiça. Na verdade, fogem das programações e dos cronogramas, preferindo seguir o fluxo das coisas.

- As pessoas abertas baseiam suas decisões nos sentimentos. Dão valor às próprias intuições e aos sentimentos dos outros. Para decidir, usam mais a compreensão do que a cogitação.

Comportamentos Reservados

O outro extremo do eixo vertical representa as pessoas reservadas, que normalmente exibem os seguintes comportamentos:

- Elas não revelam imediatamente suas emoções, dando uma impressão de impenetrabilidade. Fisicamente, são mais rígidas e menos expressivas do que as pessoas abertas. São cuidadosas, bem-comportadas e nunca têm atitudes rudes ou briguentas. Um comediante odiaria uma platéia cheia de pessoas reservadas: elas riem mais para dentro do que para fora.

- As pessoas reservadas guardam distância — física e psicológica. Não é tão fácil conhecê-las quanto as do tipo aberto mas, depois que você as conhece, são iguais a todo mundo. No início, tendem a ficar ainda mais distantes, valorizando a própria privacidade. Seus escritórios são arrumados formalmente, garantindo uma distância confortável das pessoas que acabam de conhecer. Com estranhos, preferem manter tudo no nível profissional.

- As pessoas reservadas se concentram na tarefa. Com elas, a conversa raramente se afasta do assunto que deu início ao contato. Elas não gostam de se desviar da programação.

- As pessoas reservadas tomam decisões com base nos fatos. Pedem estatísticas e outras provas materiais. No local de trabalho, preferem trabalhar sozinhas, dando pouco valor a opiniões e sentimentos. Externamente, parecem funcionar de maneira intelectual e não emocional.

- As pessoas reservadas são craques em administrar o tempo. São especialistas em eficiência, elaborando e seguindo planejamentos e cronogramas rígidos. Imploram às outras pessoas que respeitem seu tempo e não o desperdicem.

COMPORTAMENTO OBJETIVO VS COMPORTAMENTO INDIRETO

A objetividade se refere ao grau de controle que se tenta exercer sobre pessoas e situações. O esforço que a pessoa faz para ter o controle reflete também suas atitudes com relação ao risco e à mudança. O comportamento objetivo é medido no eixo horizontal da figura 2.1.

Comportamentos Objetivos

As pessoas objetivas ocupam a extremidade direita do eixo horizontal e exibem normalmente os seguintes comportamentos:

- As pessoas objetivas — tomando emprestada uma metáfora de Wall Street — são *bulls* (touros). São personalidades vigorosas, do Tipo A, que enfrentam de cabeça o conflito, a mudança, o risco e a tomada de decisões.

- As pessoas objetivas se expressam com franqueza e geralmente dominam as reuniões de negócios. Dão suas opiniões mesmo quando ninguém quer ouvi-las e, quando pedem sua opinião, sugerem o que você deve dizer.

- As pessoas objetivas são competitivas, impacientes e dadas a confrontações. Abrem caminho à força e discutem por discutir. Olham no olho por mais tempo do que a média e têm um ar de confiança. Apertam a mão com firmeza.

- As pessoas objetivas primam pelas realizações e não se preocupam muito com regras e políticas. Não aceitam obstáculos, preferindo lançar mão de expedientes para atingir seus fins. A ambigüidade não as detém, mas as encoraja. Sua atitude é: "É mais fácil pedir perdão do que permissão".

Comportamentos Indiretos

No lado esquerdo do eixo horizontal estão as pessoas indiretas, que exibem os seguintes comportamentos:

- As pessoas indiretas são *bears* (ursos), para usar novamente a metáfora de Wall Street. Encaram o risco, a tomada de decisões e a mudança com cautela. São os mansos que herdarão a Terra. São personalidades do Tipo B, lentas e pouco intensas.

- As pessoas indiretas se expressam com cautela e discrição e não intervêm nas reuniões. Quando alguém lhes pergunta o que pensam, prefaciam suas afirmações com atenuantes como "eu não tenho certeza, mas..." ou "de acordo com as minhas fontes..."

- As pessoas indiretas evitam conflitos sempre que possível. São diplomáticas, pacientes e cooperativas. Em questões pouco importantes, preferem se conformar em vez de discutir. Quando têm convicções fortes sobre alguma coisa, porém, defendem sua posição. Quando não estão muito convencidas, comparam com cuidado o grau de importância do assunto com o incômodo da confrontação.

- Numa situação *estress*ante, há duas reações básicas: lutar ou fugir. As pessoas indiretas preferem fugir, o que não quer dizer que sejam covardes: é possível evitar conflitos com fala macia, diplomacia e sutileza.

- As pessoas indiretas são discretas, circunspectas e delicadas. Seu aperto de mão, por exemplo, tende a ser suave e elas falam com mais lentidão e em tom mais baixo do que as pessoas objetivas. Em ocasiões sociais, não tomam a iniciativa, mas esperam ser abordadas pelos outros.

Avalie seu Grau de Abertura e de Objetividade

Ao ler as descrições acima, você fez, sem dúvida, o que todo mundo faz: você se comparou com as características descritas. Muito bem. Agora, volte às descrições para descobrir em que ponto dos dois eixos você se situa.

Pense em uma pessoa "difícil", com quem você gostaria de ter uma relação melhor. Determine a posição dessa pessoa nos dois eixos e faça um sinal nesses pontos. Vai descobrir que, em geral, você entra em conflito com pessoas que têm estilos pessoais diferentes do seu.

Ao determinar seu estilo pessoal, ou o de outra pessoa, procure padrões gerais. Como você age a maior parte do tempo? Com quais descrições você se identificou primeiro, antes de começar a pensar: "Sim, mas..."?

As pessoas não são simples, são infinitamente complexas. Embora todo mundo tenha um estilo pessoal predominante, cada um possui características de todos os estilos. É possível que você faça algumas coisas de modo indireto e outras de modo objetivo, que em algumas situações seja aberto

32 A VENDA NÃO-MANIPULATIVA

e em outras, reservado. Quanto mais à vontade você se sente, porém, mais você age conforme seu estilo predominante.

QUATRO ESTILOS DE COMPORTAMENTO

Os quatro estilos de comportamento, quando combinados graficamente (figura 2.1), formam quatro quadrantes. Esses quadrantes e suas combinações específicas identificam quatro estilos de relação com o mundo. A figura 2.2 mostra onde se situam o *socializador*, o *diretor*, o *pensador* e o *relacionador*.

O Socializador

Os socializadores têm um estilo de comportamento objetivo e aberto em alto grau, exibindo de imediato características como animação e uso da

FIGURA 2.2 *Os Quatro Estilos de Comportamento*

intuição. Mas podem ser considerados manipuladores, impetuosos e irritadiços quando o comportamento é inadequado à situação.

Os socializadores são pessoas de ritmo rápido, de ações e decisões espontâneas. Raramente se preocupam com fatos e detalhes, procurando evitá-los ao máximo. O socializador favorito dos autores, Phil Wexler, tem um lema: "Não me sobrecarregue com detalhes". Às vezes, essa atitude leva os socializadores a exagerar e a generalizar fatos e números. Mas isso lhes fornece também uma desculpa pronta quando cometem algum erro: "Eu não tinha todas as informações!" Sentem-se mais à vontade com "chutes" do que com dados exatos, de base empírica. São do tipo que entra apressado no banco, chama um funcionário, mostra a ele um cheque devolvido e diz: "Não é possível que minha conta esteja sem fundos! Eu ainda tenho cheques!"

Socializadores são pessoas de idéias. Muito criativos, têm uma capacidade dinâmica de pensar rápido, de improviso. Parecem estar sempre perseguindo sonhos e conseguem envolver os outros nesses sonhos, graças a seus fortes dons persuasivos. Sua ênfase está em influenciar os outros e em moldar o ambiente, juntando os outros de modo a atingir resultados. Parecem estar sempre buscando aprovação e reconhecimento para suas realizações e conquistas.

Os socializadores são verdadeiros *entertainers*. Adoram uma platéia e seu forte é o envolvimento com as pessoas. Tendem a trabalhar com os outros com rapidez e entusiasmo. Um bom lema para descrever seu comportamento é o seguinte: "Quando se é bom como eu, é difícil ser modesto".

Os socializadores são estimulantes, loquazes e gregários. Tendem a funcionar por intuição e a correr riscos. São entusiasmados e otimistas, emotivos e amistosos. Gostam de envolvimento e o que mais os irrita é realizar tarefas chatas, ficar sozinhos e não ter acesso ao telefone.

Os principais pontos fortes dos socializadores são o entusiasmo, o poder de persuasão e a encantadora sociabilidade. Suas principais fraquezas são a tendência a se envolver com coisas demais, a impaciência e a incapacidade de prestar atenção por muito tempo, o que faz com que se entediem com facilidade. Em geral, escolhem profissões como relações-públicas, apresentador de *talk show*, advogado, diretor social de navio-cruzeiro, funcionário de hotel e outras carreiras fascinantes e vistosas.

No ambiente profissional, gostam de pessoas que não temem os riscos e que agem de modo rápido e decidido. No ambiente social, gostam de pessoas desinibidas, espontâneas e divertidas. Alguns famosos que exemplificam este estilo são figuras do *show business* como Carol Burnett,

Lucille Ball, Burt Reynolds, Dom Deluise e Tom Selleck, o boxeador profissional Mohammad Ali e o presidente norte-americano Ronald Reagan.

Se os socializadores tivessem músicas-tema que refletissem sua personalidade, elas seriam "Celebration!", "Let the Good Times Roll", "All Night Long" ou "Don't Rain on My Parade".

Certos indícios ambientais e proxêmicos indicam a presença de socializadores. (A proxêmica é o estudo do espaço pessoal e da movimentação das pessoas dentro dele.) Os socializadores planejam e usam o espaço de maneira desorganizada e confusa — mas sabem quando alguma coisa está faltando. As paredes do escritório exibem prêmios, pôsteres, lembretes de estímulo e *slogans* pessoais motivadores. A decoração é aberta, arejada e amistosa. A disposição dos móveis denota calor, abertura e desejo de fazer contato com os outros. Os socializadores gostam de contato e muitas vezes mudam a disposição das cadeiras e poltronas para conversar com as visitas. Gostam de tocar, de tapinhas nas costas e de apertos de mão calorosos. Não se incomodam quando os outros se aproximam demais ou brincam com os objetos de sua mesa.

Para aumentar a flexibilidade e o equilíbrio, os socializadores precisam controlar seu tempo e suas emoções; desenvolver uma atitude mais objetiva; ter mais disposição para verificar, especificar e organizar; dar prioridade à tarefa; abordar projetos e tópicos de maneira mais lógica.

O Diretor

Os diretores são reservados e controlados. São firmes em suas relações com os outros, concentram-se na produtividade, nas metas e nos resultados finais. Intimamente ligados a esses traços positivos, estão os traços negativos da teimosia, da impaciência e da rigidez. Os diretores tendem a controlar pessoas e situações, são resolutos em suas ações e objetivos em suas decisões. Sempre com pressa, gostam de agir com rapidez e ficam impacientes com atrasos. Não é raro um diretor telefonar e, sem dizer alô, mergulhar diretamente na conversa: "Você deve estar brincando! Esse carregamento de Hong Kong vai acabar com a gente... Falando nisso, aqui é o Jack". Quando as outras pessoas não conseguem acompanhar sua velocidade, os diretores as consideram incompetentes. Um bom lema para o diretor seria: "Eu quero bem-feito e quero para já" — ou "Eu quero para ontem!"

Os diretores são grandes realizadores e demonstram ótimos dons administrativos. Eles literalmente fazem e acontecem. São como os ilusionistas, manipulando diversos projetos ao mesmo tempo. Começam o malabarismo com três coisas e, quando se acostumam, arranjam uma quarta. E vão acrescentando mais, até que a pressão os faça virar as costas e abandonar tudo. Para eles, isso é "reavaliar as prioridades". Mas, reduzido o *stress*, reiniciam imediatamente o processo. O tema do diretor parece ser: "Vejam minhas realizações".

Os diretores são motivados por grandes conquistas e tendem a se viciar em trabalho. Por isso, os médicos diriam que são um grupo altamente propenso a ataques cardíacos. As personalidades impacientes do Tipo A são também as principais vítimas de úlcera. Os diretores, porém, vão além: eles causam úlcera nos outros!

Os diretores são especialistas quando se trata de controlar. Tendem a ser independentes, enérgicos, precisos, objetivos, frios e competitivos, especialmente no ambiente profissional. Aceitam os desafios, chamam para si a autoridade e tomam a dianteira na solução dos problemas. Têm, em geral, grandes dons administrativos e operacionais e tendem a trabalhar sozinhos, com rapidez e competência. Procuram moldar o ambiente para superar obstáculos e realizar seus planos. Exigem o máximo de liberdade para administrar a si mesmos e aos outros. Os diretores têm pouca tolerância pelos sentimentos, atitudes e imperfeições de seus colegas e subordinados. Usam seus dons de liderança para serem vencedores.

Os principais pontos fortes dos diretores são: liderança, capacidade de fazer as coisas e de tomar decisões. Suas fraquezas tendem a ser a inflexibilidade, a impaciência, a incapacidade de ouvir e a negligência quando se trata de relaxar. Na verdade, eles são tão competitivos que, se finalmente saem para "cheirar as flores", voltam perguntando: "Hoje eu cheirei uma dúzia. E vocês?"

No ambiente profissional, os diretores gostam de quem é resoluto, eficiente, receptivo e inteligente. No ambiente social, gostam de pessoas corretas, assertivas e argutas. As profissões ideais para um diretor são, por exemplo, as de repórter investigativo, corretor de títulos, consultor independente, CEO de empresa ou sargento-instrutor.

Algumas pessoas famosas com estilo de diretor são os atores Telly Savalas como Kojak, William Shatner como o Capitão Kirk da série "Jornada nas Estrelas", Bea Arthur como a Dorothy do seriado "Super Gatas", Ed Asner como Lou Grant, Clint Eastwood, a âncora de TV Barbara Walters e a primeira-ministra britânica Margaret Thatcher.

A música-tema de um diretor seria "My Way".

A mesa dos diretores vive cheia de papelada, projetos e materiais separados em pilhas, sugerindo muita atividade. A decoração do escritório indica poder — com uma machadinha incrustada na parede, por exemplo. Muitas vezes há grandes calendários de planejamento. Os diretores são formais e mantêm distância física e psicológica. A disposição das cadeiras e poltronas é formal: em geral, uma mesa grande, símbolo de poder, separa os diretores de suas visitas. Eles não gostam de pessoas falando perto do seu nariz e a amizade não é um pré-requisito para os negócios.

Para atingir um maior equilíbrio, os diretores precisam praticar a arte de ouvir; projetar uma imagem mais relaxada; desenvolver paciência, humildade e sensibilidade. Precisam mostrar mais interesse pelos outros, ter mais cautela, verbalizar os motivos de suas conclusões, portar-se como membro da equipe e tomar consciência das regras e convenções existentes.

O Pensador

Os pensadores são indiretos e reservados. Parecem dar muita importância a processos analíticos, sendo persistentes e sistemáticos na solução dos problemas. Há quem os considere distantes, detalhistas e críticos. Os pensadores se preocupam muito com segurança e precisam sempre ter certeza, o que os leva a depender demais dos dados. Ao buscar informações, fazem muitas perguntas sobre detalhes e são cautelosos em suas ações e decisões. São grandes solucionadores de problemas mas deixam a desejar quando se trata de decisões. São lentos para chegar a uma decisão mas, quando têm um prazo, raramente deixam de cumpri-lo.

Os pensadores são sérios e ordeiros, com inclinação para o perfeccionismo. Concentram-se nos detalhes e no processo de trabalho, irritando-se com surpresas e pequenas falhas. Seu tema é: "Vejam minha eficiência". Sua ênfase está na conformidade e no trabalho segundo as normas já existentes, para promover a qualidade nos produtos ou serviços.

Os pensadores gostam de organização e estrutura e não gostam de se envolver demais com os outros. Trabalham sozinhos, devagar e com precisão, preferindo ambientes de trabalho objetivos e intelectualizados. São precisos, detalhistas, disciplinados em questões de tempo e críticos consigo mesmos. Tendem a ser céticos e gostam das coisas por escrito. Gostam de atividades que envolvam a solução de problemas e trabalham melhor em circunstâncias controladas.

Os principais pontos fortes dos pensadores são: precisão, confiabilidade, independência, persistência e organização. Sua principal fraqueza é o caráter procrastinador e conservador, que alimenta a tendência ao excesso de detalhismo e cautela. Adotam, em geral, profissões como contabilidade, engenharia, programação de computadores, ciências exatas (química, física, matemática), análise de sistemas e arquitetura.

O que mais os irrita são pessoas desorganizadas e ilógicas. Em ambientes profissionais, preferem os tipos confiáveis, profissionais, sinceros e corteses. Em ambientes sociais, gostam de pessoas agradáveis e sinceras.

Algumas pessoas famosas que exemplificam esse estilo são os atores de TV Leonard Nimoy como o Spock de "Jornada nas Estrelas", Jack Webb como o sargento Friday de "Dragnet" e o detetive de ficção britânico Sherlock Holmes.

Em geral, os pensadores têm escritórios com mesas altamente organizadas e, nas paredes, tabelas, gráficos, quadros ou imagens relativas ao trabalho. São pessoas de pouco contato e não gostam de abraços e toques, preferindo um aperto de mão frio ou um telefonema breve. Essa preferência se reflete na disposição funcional, mas pouco convidativa, de suas mesas e poltronas.

A canção-tema dos pensadores poderia ser "Step by Step" e seu tipo de música é a clássica — quanto mais complexa, melhor.

Para aumentar a flexibilidade, os pensadores precisam demonstrar abertamente seu interesse e estima pelos outros. De vez em quando, precisam experimentar atalhos e simplificações, tentando se ajustar mais prontamente à mudança e à desorganização. Devem trabalhar no sentido de tomar decisões mais rápidas; melhorar a capacidade de iniciar novos projetos; fazer concessões a seus opositores; expor decisões impopulares; usar diretrizes mais como orientações do que como decretos rígidos.

O Relacionador

Os relacionadores são abertos e indiretos, não muito assertivos, calorosos, compreensivos e confiáveis. Mas há quem os considere complacentes, compassivos e condescendentes.

Os relacionadores buscam segurança e, como os pensadores, são lentos para agir e tomar decisões. Esse ritmo vem do desejo de evitar situações arriscadas e desconhecidas. Antes de agir ou decidir, os relacionadores precisam saber o que as outras pessoas sentem a respeito da situação.

Dos quatro estilos, os relacionadores são os que dão mais importância às pessoas. Relacionar-se com os outros de forma amistosa, pessoal e informal é um de seus objetivos mais importantes. Como odeiam conflitos interpessoais, dizem às vezes o que acham que os outros querem ouvir. Eles têm um talento enorme para dar conselhos e são extremamente compreensivos. Os outros se sentem bem só por estar em sua companhia. São excelentes ouvintes e costumam se relacionar com pessoas que também são boas ouvintes. Como resultado, formam sólidas redes de pessoas dispostas a se ajudar mutuamente.

A prioridade dos relacionadores é conhecer o outro e criar uma relação de confiança. Irritam-se com o comportamento insistente e agressivo. Seu tema é: "Vejam como os outros gostam de mim". Diante de qualquer proposta, eles se perguntam: "Como isso vai afetar minha condição pessoal e o companheirismo do grupo?" Trabalham muito bem em equipe, são cooperativos e constantes.

O ponto forte dos relacionadores é a capacidade de se interessar pelos outros e de gostar deles. Suas principais fraquezas são a falta de positividade, o excesso de sensibilidade e a facilidade com que se deixam intimidar. Suas ocupações ideais envolvem a disposição para ajudar: aconselhamento, ensino, serviço social, sacerdócio, psicologia, enfermagem e desenvolvimento de recursos humanos. São bons pais e boas mães.

No ambiente profissional, gostam de pessoas corteses e amáveis, capazes de dividir as responsabilidades. No ambiente social, gostam de quem é autêntico e amável.

Entre os relacionadores famosos estão algumas personalidades da TV, como Mary Tyler Moore, Jean Stapleton como a Edith de "Tudo em Família", David Hartman do "Good Morning, America", Jane Pauley do "Today Show" e Mr. Rogers do programa infantil "Mr. Rogers' Neighborhood".

As canções que refletem a personalidade dos relacionadores seriam "Feelings", "People", "Getting to Know You", "You've Got a Friend" e "We Are the World".

Quanto às pistas reveladas pelo ambiente, as mesas dos relacionadores contêm fotos da família e outros itens pessoais. As paredes do escritório exibem *slogans* pessoais, fotos da família ou do grupo, quadros relaxantes ou suvenires. Os relacionadores são ilhas de contato pessoal em um mundo *high-tech*. Dão ao escritório uma ambiência receptiva e calorosa e dispõem as cadeiras e poltronas lado a lado, sugerindo cooperação.

Para ter mais flexibilidade, os relacionadores precisam dizer "não" de vez em quando, executar tarefas sem tanta consideração pelos sentimentos dos outros, aprender a delegar e sair da zona de conforto para estabelecer metas que envolvam tensão e risco.

Esta é uma anedota que vai ajudá-lo a memorizar os quatro estilos de comportamento: quatro nobres franceses do século XVIII, cada um com um estilo de comportamento, foram condenados por um crime e receberam pena de morte por decapitação. No dia da execução, subiram juntos os degraus do cadafalso e foram colocados numa guilhotina especial, de quatro lugares. O carrasco cortou a corda e a lâmina desceu — mas parou a alguns centímetros do pescoço dos condenados. O incidente foi interpretado como sinal de inocência e eles foram libertados. Ficaram muito felizes. O diretor se virou para os outros e disse: "Estão vendo? Eu disse que era inocente!" O socializador deu um grito: "Vamos COMEMORAR!" O relacionador abraçou o carrasco e disse: "Quero que você saiba que não levei isso tudo para o lado pessoal. Você é uma pessoa de bom coração. Por que não aparece para jantar um dia desses?" O pensador ficou observando o mecanismo da guilhotina. Depois coçou o queixo e disse: "Hmmm, acho que já sei qual é o problema".

ESTILOS DE COMPORTAMENTO E PROBLEMAS INTERPESSOAIS

Ter consciência dos estilos de comportamento é importante quando pessoas de estilos diferentes se encontram. Quando cada um se comporta conforme o próprio estilo, pode surgir uma tensão negativa, capaz de retardar ou destruir a relação de venda.

Além das diferenças relacionadas à abertura e à objetividade, os estilos diferem quanto ao ritmo e às prioridades. Os diretores e socializadores são rápidos, os pensadores e relacionadores são lentos. Os diretores e pensadores priorizam a tarefa, os relacionadores e socializadores priorizam as pessoas.

Para evitar relações improdutivas, você tem que satisfazer as necessidades das pessoas com quem entra em contato, em especial as necessidades ditadas pelos estilos de comportamento. Em suma: você tem que tratá-las como querem ser tratadas — vender da maneira que elas esperam. Se a pessoa é rápida, você tem que ser rápido. Se gosta de ir devagar e quer conhecê-lo melhor, reserve mais tempo para o contato. Atendendo às necessidades ditadas pelo estilo de comportamento do outro, você cria um clima de confiança mútua. À medida que a confiança se estabelece, o outro começa a revelar o que realmente precisa. Em vez de competição, desenvolve-se uma relação produtiva — e, esperamos, uma venda e um cliente duradouro.

Rick: Tive um almoço de negócios com uma cliente importante: ela queria me conhecer para resolver se me contratava ou não para fazer uma palestra na reunião anual de sua empresa. Fui ao almoço com dois amigos que trabalhavam em uma das filiais dessa empresa e finalmente conheci a mulher do escritório central, encarregada da minha contratação.

Fomos apresentados e percebi imediatamente que minha situação era delicada. Ela fazia tudo em câmera lenta. Tive a impressão de que levou

40 A VENDA NÃO-MANIPULATIVA

uma hora para estender o braço, dar um semi-aperto de mão e dizer: "Como vai?" Percebi imediatamente que ela era contida, concentrada na tarefa e, julgando pelo ritmo, do tipo indireto. Isso fazia dela uma pensadora.

Durante o almoço, desacelerei deliberadamente meu ritmo e me ative ao tema profissional, deixando qualquer digressão por conta dela. Enquanto esperávamos a comida, eu disse: "Estamos aqui para discutir esses cinco pontos. Preciso de algumas informações. Depois, posso lhe fornecer os dados necessários e você pode me dizer o que acha". Foi o que fizemos e, no fim do almoço, ela me contratou. Ainda fez questão de me dizer: "Sabe, eu nunca tinha contratado alguém assim, na primeira reunião. Normalmente eu me reúno com as pessoas várias vezes antes de me sentir à vontade para assinar um contrato".

Os dois amigos que me acompanhavam e que me conhecem bem pensaram que eu estava doente ou que tinha tido um derrame e não sabia, de tão devagar que eu me mexia e falava. Além disso, eu não fui exageradamente amigável, como é o meu costume em circunstâncias normais. Funcionou. Agora eu tinha uma forte relação com aquela empresa.

COMO RECONHECER ESTILOS DE COMPORTAMENTO

Agora você já sabe alguma coisa sobre os quatro padrões de personalidade e sobre a importância de interagir de acordo com o estilo de comportamento de cada pessoa. Mas como identificar o estilo que seu *prospect* representa? E como identificá-lo rapidamente? Para isso, você tem que observar o que seu *prospect* faz, com sensibilidade para suas ações verbais e não-verbais. Há dois procedimentos que lhe permitem identificar o estilo de comportamento do *prospect* com rapidez, precisão e simplicidade: prestar atenção ao ambiente e observar seus atos.

O Ambiente do Prospect

Em primeiro lugar, observe o ambiente em que o *prospect* trabalha. Como está decorado e arrumado o escritório? O que há na mesa, nas paredes e nas prateleiras? Como estão dispostas as cadeiras — a sua e a dele? Se houver fotos da família na mesa e nas paredes, pôsteres da natureza, uma mesa redonda e uma área reservada às reuniões, com um sofá e duas cadeiras, qual é a sua primeira impressão do estilo de comportamento do *prospect*? Avaliando essas pistas do ambiente de acordo com o que discutimos, você descobre que está lidando com um relacionador — se não, relacionador é o decorador de interiores.

Os indicadores do ambiente, no entanto, são apenas um dos indícios do estilo de comportamento. Não os use como se fossem a única determinante. É possível que sua cliente tenha pouco controle sobre o ambiente ou que o tenha adaptado a outras necessidades: uma carga intensa de trabalho, um chefe ou um marido cabeça-dura ou limitações orçamentárias.

O Prospect em Ação

O segundo método para identificar um estilo de comportamento é observar a pessoa em ação. Esse é o método mais importante e mais preciso. Mas há um detalhe: para observar o estilo de comportamento de alguém, você precisa observar uma série de atitudes verbais e não-verbais. Isso exige que você estimule um maior número de comportamentos, fazendo perguntas e ouvindo "ativamente".

Entre os comportamentos *abertos* observáveis estão as expressões faciais vivazes, a movimentação das mãos e do corpo, a visão flexível do tempo, a facilidade para contar histórias e casos, a pouca ênfase aos fatos e detalhes, a rapidez para revelar sentimentos pessoais, a tendência ao contato físico e o *feedback* não-verbal imediato.

Entre os comportamentos *contidos* observáveis estão a falta de expressão facial, o movimento controlado das mãos e do corpo, a visão disciplinada do tempo, a conversa concentrada nas tarefas e nos temas imediatos, a ênfase em fatos e detalhes, a tendência a se esquivar de sentimentos pessoais e de contato físico, a lentidão do *feedback* não-verbal — quando existe.

Entre os comportamentos *indiretos* observáveis estão o aperto de mão fraco, o contato olho-no-olho intermitente, o baixo grau de comunicação verbal, a formulação de perguntas para fins de esclarecimento, suporte e informação, as afirmações cautelosas, o escasso uso de gestos para apoiar a conversa, o tom de voz baixo e vagaroso, a entonação vocal sem variações, a comunicação hesitante e os movimentos lentos.

Entre os comportamentos *objetivos* observáveis estão o aperto de mão forte, o contato olho-no-olho firme, a formulação de perguntas retóricas para enfatizar certos pontos ou extrair informações, as afirmações enfáticas, o uso de gestos ou de tom de desafio para ressaltar alguns pontos, o alto volume da voz, a rapidez da fala e dos movimentos.

Para identificar estilos de comportamento utilizando os eixos da abertura e da objetividade, localize mentalmente a posição do *prospect* no eixo da abertura e em seguida determine o grau de objetividade demonstrado. O resultado é a localização da pessoa num dos quatro quadrantes por meio de um simples processo de eliminação. Ao constatar, por exemplo, que o *prospect* tem atitudes objetivas, você elimina automaticamente os estilos de comportamento contidos — diretor e pensador. Da mesma forma, ao constatar que o *prospect* tem muita objetividade, você elimina automaticamente os estilos indiretos — relacionador e pensador. Assim, por eliminação, você conclui que o *prospect* é do estilo socializador.

As hipóteses a seguir ilustram diferentes estilos pessoais. Veja se você é capaz de identificar quais são:

- O seminário começaria às 8h30 da manhã, depois do café, que estava marcado para as 8h00. Quando cheguei, às 7h45, já havia um participante dentro da sala, com o bloco de anotações e os lápis arrumados à sua frente. Ele não disse nada até que me aproximei e trocamos um aperto de mão polido. Era muito reservado: fiz algumas perguntas e ele as respondeu com cortesia e exatidão.

- Por volta das 8h15, já com várias pessoas dentro da sala, uma mulher parou, hesitante, junto à porta e perguntou delicadamente: "Com licença, é aqui o seminário de treinamento de vendas?" Diante da resposta afirmativa, ela suspirou, entrou, pegou uma xícara de café e foi dizendo, enquanto isso, que aquele seminário seria valioso para os negócios e para o trabalho doméstico. Ela me fez algumas perguntas, ouviu atentamente minhas respostas e mostrou-se um tanto preocupada com a perspectiva de fazer uma dramatização na frente do grupo.

- Nessa altura, um outro participante entrou a passos largos, perguntando em voz alta: "Ei, é aqui o seminário de vendas?" Diante da resposta afirmativa, ele simulou uma falsa sensação de alívio e perguntou onde era o café, explicando que não funcionava sem seu "veneno preto". Como tinha ouvido por alto os comentários sobre dramatização, intrometeu-se na conversa dizendo que adorava aquele tipo de coisa. Em seguida, contou uma história, dizendo que ofuscara todo mundo na última dramatização de que participou.

Na sua opinião, qual é o estilo da primeira pessoa descrita? E da segunda? E da terceira?

O primeiro participante é claramente reservado, o que indica que é ou um pensador ou um diretor. A pouca conversa e os gestos contidos o caracterizam como indireto — é, portanto, um pensador.

A segunda participante ofereceu espontaneamente informações sobre seus sentimentos pessoais e um rápido *feedback*, dando um suspiro e fazendo comentários. Essas são características do comportamento aberto, o que sugere uma relacionadora ou socializadora. A voz suave, a pergunta para fins de esclarecimento e a hesitação sugerem baixa objetividade. É uma pessoa com estilo relacionador.

O terceiro participante conta histórias e dá respostas rápidas, demonstrando um alto grau de abertura. Tem também muita objetividade, que se manifesta na rapidez para responder, nos movimentos ligeiros, na disposição para conversar: os traços do socializador.

Observando o ambiente do *prospect* e localizando seu estilo de comportamento, você consegue identificar seu estilo. Não espere que o *prospect* se adapte a você: você é que tem que adaptar seu estilo de vender ao estilo de comprar do *prospect*. Isso exige flexibilidade de comportamento.

FLEXIBILIDADE DE COMPORTAMENTO

A flexibilidade de comportamento deve se aplicar às suas ações e não às dos outros. Ela consiste em abandonar a zona de conforto e as preferências com relação ao estilo para atender às necessidades de uma outra pessoa. É o que ocorre sempre que você desacelera um pouco o ritmo diante de um relacionador ou pensador ou o acelera diante de um diretor ou socializador. Ou quando um diretor ou pensador se dispõe a ouvir uma história de interesse humano ou familiar contada por um relacionador ou socializador.

Flexibilidade não depende de estilo de comportamento e varia muito dentro de cada estilo. Nenhum estilo é "naturalmente" mais flexível do que os outros. Você pode optar por ser flexível com uma pessoa hoje e inflexível com essa mesma pessoa amanhã. Administrar o próprio estilo para atender as necessidades do estilo do *prospect*, poupando-o de uma situação tensa e negativa, é algo que depende de uma decisão individual.

Praticar a flexibilidade de comportamento significa alterar as preferências do próprio estilo quando estas diferem das do *prospect*. Isso não significa ser falso ou manipulador para conseguir uma venda. Não se trata de mudar de cor como um camaleão. Ao contrário: a flexibilidade lhe permite aprender a se comunicar com as pessoas na língua delas. O que você faria se quisesse fazer negócios com uma pessoa que só falasse espanhol? Você continuaria falando em sua própria língua ou falaria no idioma dela? É claro que falaria espanhol ou contrataria um intérprete. Não há nisso nenhuma falsidade ou manipulação.

Ao lidar com diretores e pensadores, falar a mesma língua significa ir direto ao assunto. Com socializadores e relacionadores, significa se dispor a conhecê-los.

Rick: Viajei de avião a uma cidade do meio-oeste para falar com o vice-presidente executivo de uma empresa, que pretendia me contratar para um grande projeto de consultoria. Ele me pegou no aeroporto às 9h00 da manhã, me levou para comer e beber, fez um *tour* completo pela cidade e me levou de volta ao aeroporto para que eu pegasse o vôo das 5h00. Cinco minutos antes do meu vôo, sem ter mencionado uma palavra sequer sobre negócios o dia todo, ele disse: "Quanto à proposta que você fez, vou recomendá-la".

É evidente que algumas pessoas preferem antes se familiarizar com quem vão fazer negócios. Se tivesse forçado a situação e falado sobre negócios o dia inteiro, eu não teria conseguido o projeto de consultoria.

Vender é, por natureza, lidar com pessoas. Além de conhecer o produto, você precisa também conhecer pessoas. Tratar as pessoas como elas querem ser tratadas é um dos principais requisitos da venda não-manipulativa. Você vai descobrir que esse é um fator indispensável em qualquer tipo de relação, especialmente as de negócios, que podem se transformar em um patrimônio.

Individualmente, produtos e serviços podem não ter vida muito longa. E é provável que, durante sua carreira, você represente várias empresas. No entanto, a capacidade de criar e manter as relações de negócios será a base do seu sucesso — seja para quem for que esteja trabalhando. Procurar compreender os outros é o primeiro passo para se tornar um vendedor profissional e não-manipulativo. O outro grande requisito para a venda não-manipulativa — a administração das tensões — será discutido a seguir.

3

Administração das Tensões

TENSÃO É RUIM? A maioria das pessoas responderia enfaticamente que sim. Você talvez se surpreenda ao saber que, ao contrário do que diz a propaganda de certos medicamentos, a tensão, por si mesma, não é má. O que determina o efeito da tensão é sua quantidade. Todos nós temos um nível em que funcionamos melhor. Abaixo desse nível confortável, ficamos subestimulados e, acima dele, superestimulados. O nível ótimo é nossa "zona de conforto".

Há diversas fontes de tensão. Reduzidas ao essencial, elas se dividem em três grupos: tensão pessoal, tensão na relação e tensão da necessidade.

Tensão Pessoal e Venda Tradicional

A tensão pessoal é o nervosismo interno causado por pensamentos negativos, medos, antecipação e assim por diante. Os vendedores tradicionais e a natureza de suas técnicas de vendas causam tensão desnecessária em situações de vendas, por várias razões.

Despreparo. Opinar nos negócios do *prospect* sem ter feito a lição de casa é um bom motivo para tensão.

Pressão sobre os clientes. Os vendedores têm consciência: quando pressionam um cliente para que ele compre, podem se sentir culpados.

Falta de confiança nas próprias qualidades. A venda tradicional é um ramo que requer prática intensa. Um novato inseguro da própria capacidade para fazer uma apresentação ou para responder perguntas ou objeções vai gerar muito mais tensão do que o profissional veterano.

Pressão para fazer a venda na primeira visita. Os gerentes de vendas tradicionais passam a seus vendedores, de forma implícita ou explícita, uma mensagem que gera tensão: venda ou fracasse, produza ou pereça.

Phil: Em uma das empresas que tive como cliente, a idéia de vender na primeira visita era tão entranhada no sistema de vendas que a linguagem deles mudou, mas não sua filosofia. A análise revelava que a maioria das vendas era feita no segundo contato. Então, deram um novo nome ao primeiro contato: "pré-contato". Assim, o segundo contato passou a ser o "primeiro contato". A mudança na linguagem permitiu que continuassem fazendo o que sempre fizeram. Infelizmente, essa atitude da empresa gerava muita tensão entre os vendedores.

Cold call, o contato a frio. Esse tipo de contato — que você faz sem saber nada sobre o *prospect*, sendo obrigado a fazer uma apresentação enlatada para um possível cético pouco hospitaleiro — é o que os vendedores tradicionais mais temem, o que é compreensível.

Tensão Pessoal e Venda Não-Manipulativa

A boa notícia é que a venda não-manipulativa reduz as causas de tensão pessoal inerentes ao método de venda tradicional.

- Os vendedores não-manipulativos não pressionam seus clientes. O cliente é um parceiro, que discute com você cada passo do processo de vendas. O pedido, quando chega o momento, é uma conclusão previamente determinada e não um fechamento tático.

- Os vendedores não-manipulativos não duvidam da própria capacidade porque são profissionais preparados e experientes. Sua habilidade para se comunicar e a natureza de suas relações com os *prospects* lhes permite dizer: "Olhe, quero esclarecer algumas coisas porque acho que houve um mal-entendido".

- Os *cold calls* não são uma norma para os vendedores não-manipulativos. Há ocasiões, porém, em que se adota esse procedimento, especialmente para produtos com um ciclo de vendas curto. Mas os vendedores não-manipulativos fazem o *cold call* de modo diferente: limitam-se a *prospects* dentro de seu mercado-alvo; são mais sensíveis às suas necessidades; adotam uma atitude diferente, que fica clara desde o início. Eles dizem "Eu consigo ajudar algumas pessoas e outras não. Posso lhe fazer algumas perguntas? Assim, nós dois vamos descobrir se eu posso ser útil a você." Como essa visita não é feita com hora marcada, os vendedores não-manipulativos ficam atentos à possibilidade de terem escolhido um mau momento.

De modo geral, a natureza da venda não-manipulativa elimina a maior parte da tensão pessoal, tanto a sua quanto a do *prospect*. É importante, para os vendedores profissionais, reduzir a própria tensão para conseguir administrar a tensão do cliente. O resultado é uma relação de trabalho mais produtiva.

TENSÃO NA RELAÇÃO

A tensão na relação é a tensão normal que existe entre duas pessoas que interagem. A tensão pode ser construtiva ou destrutiva, mas está sempre presente. Ela é causada pelas diferenças na maneira de cada um lidar consigo mesmo e com os outros, no grau de retraimento ou de acessibilidade e outras fascinantes nuances do estilo pessoal.

Uma das técnicas para administrar a tensão na relação de maneira produtiva e profissional já foi discutida no capítulo anterior, quando falamos sobre estratégias de relacionamento.

Tensão e Produtividade

A relação entre tensão pessoal e produtividade já foi objeto de várias teorias, sendo que a mais notável é a de Yerkes e Dodson. Eles descobriram que as pessoas funcionam melhor dentro de uma faixa de tensão conhecida como "zona de conforto". A figura 3.1 representa graficamente a relação entre tensão e produtividade.

Como mostra a figura, quando não há tensão, não há produtividade. Conforme a tensão aumenta, o desempenho também aumenta — até certo ponto. Acima desse ponto, quando a tensão aumenta, a produtividade cai. Em outras palavras: a falta e o excesso de estímulo são igualmente prejudiciais ao desempenho. Entre esses dois extremos está a "zona de conforto", ou área de produtividade ótima, que é diferente para cada pessoa.

Relacionamento e Administração da Tensão

Tudo o que você faz para manter o cliente na zona de conforto melhora a relação. Tudo o que você faz para tirá-lo da zona de conforto piora a relação. O vendedor não-manipulativo mede constantemente o nível de tensão que há entre ele e as pessoas à sua volta. Aprenda a observar seus clientes e fique atento ao seu nível de tensão. Vejamos um exemplo hipotético.

Imagine a seguinte situação: seu cliente sai para trabalhar de manhã e dá tudo errado. O carro não pega, o outro carro está com o pneu murcho, ele chama um táxi e o táxi chega com uma hora de atraso. Tudo o que poderia acontecer de errado entre sua casa e o escritório, acontece. Finalmente ele chega, pálido, ao trabalho. Você chega para a reunião que marcaram e percebe que ele está tenso e sem vontade de conversar com você.

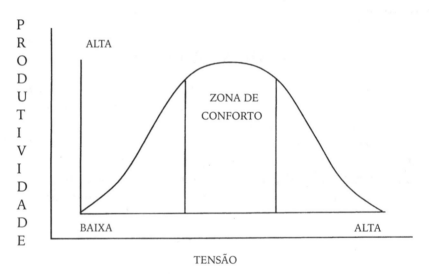

FIGURA 3.1 *Nível de Tensão e Produtividade*

Nessa situação, você pode achar que o cliente está de mau humor por sua causa: leva para o lado pessoal. Mas isso é um erro porque não é de você que ele não gosta — é da maneira como o dia começou. Você nada fez para alterar a relação: foi ele que mudou. O que você pode fazer?

Há duas maneiras de lidar com essa situação. Uma é dizer educadamente: "Puxa, Sr. Jones, parece que hoje está tudo muito agitado. Seria mais conveniente para o senhor marcar para um outro dia?" Isso demonstra sensibilidade e seu cliente vai apreciar.

Perceba as palavras usadas para lidar com a situação acima. O vendedor não diz: "Puxa, parece que o senhor está de mau humor". Em vez disso, ele diz: "Parece que hoje está tudo muito agitado". Há um bom motivo para isso: *jamais* diga a uma pessoa que ela está de mau humor. Isso a deixa na defensiva e ainda mais tensa. Ponha a culpa no ambiente, não na pessoa.

Diante da opção de remarcar a reunião, o cliente vai relaxar um pouco. Talvez ele até consiga falar com você, vendo que não é por culpa sua que as coisas deram errado naquela manhã. Ou talvez ele prefira remarcar. Em todo caso, sua consideração vai fazer com que o nível de tensão volte à zona de conforto e ele terá bons sentimentos com relação a você.

A segunda reação possível para um vendedor é se pôr no papel de ouvinte. Você diz, por exemplo: "Puxa, Sr. Jones, parece que está tudo meio agitado. O que aconteceu?" Se você fizer a pergunta de modo inofensivo, sem se intrometer, o cliente poderá até fazer uma pausa e lhe contar. Isso vai ter um efeito saudável e catártico. Descarregando o que sente, ele vai reduzir a tensão de modo significativo. Você verá a mudança na postura, na expressão facial e na voz. A partir desse instante, ele estará mais receptivo para trabalhar com você.

TENSÃO DA NECESSIDADE

A tensão da necessidade é o *stress* que uma pessoa sente quando a realidade não corresponde à situação desejada. Essa discrepância entre o real e o ideal gera o que se chama de vazio de necessidade.

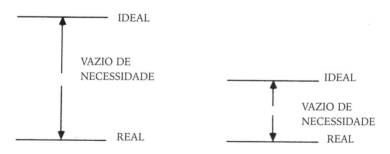

FIGURA 3.2

Como demonstra a figura 3.2, quanto maior a discrepância entre o que você quer e o que você tem, maior o vazio de necessidade. Quanto mais alinhados o ideal e o real, menor o vazio de necessidade. Essa fonte de tensão é baseada em expectativas, desejos e atitudes *versus* circunstâncias existentes. Na figura 3.2, quem você acha que vai comprar?

Sendo você um vendedor não-manipulativo, parte de seu trabalho consiste em descobrir qual é o vazio de necessidade de seu cliente. Muitos *prospects* sabem que têm um vazio de necessidade, embora não se refiram a ele desse modo. Mas outros precisam de muitas perguntas e muita discussão para tomar consciência de seu vazio de necessidade. Muitas vezes, o *prospect* vê as árvores mas não vê a floresta. Se ele não se der conta de seu vazio de necessidade, não terá motivação para conversar com você. Por isso, é importante fazer algumas perguntas — "Qual é a meta da sua empresa para os próximos cinco anos?" ou "Qual é a sua missão?" — e, em seguida, pedir ao *prospect* que compare a situação atual com o plano ou meta. Você pode perguntar também: "O que você acha que precisa acontecer para viabilizar essa meta?"

Quando você e seu cliente reconhecem um vazio de necessidade, você pode lhe propor uma solução que preencha o vazio e elimine essa fonte de tensão.

Manter a satisfação do cliente requer assistência periódica para verificar se o vazio ainda está sanado. A solução ideal para o problema do cliente é a que preenche em definitivo o vazio. Mas haverá ocasiões em que o vazio vai se reabrir na sua ausência. Nessas situações, é seu dever propor uma solução, que pode ser muito simples, como um treinamento adicional. No capítulo 11, discutiremos diversos métodos para o vendedor profissional manter a satisfação do cliente e administrar a tensão.

A administração das tensões, como as estratégias de relacionamento, é um recurso essencial — que influencia praticamente tudo o que você faz. Influencia cada aspecto de sua relação com os clientes. A vendedora não-manipulativa atinge um ponto em que é capaz de avaliar, de maneira rápida, a tensão numa situação. Ela então usa seus recursos de comunicação para manter a situação dentro da zona de conforto.

A seção seguinte versará sobre coleta de informações e recursos de comunicação que será o seu próximo passo. Conhecer as *necessidades* do cliente e o que *fazer* para supri-las.

4

A Arte de Fazer Perguntas

A ARTE DE FAZER PERGUNTAS é a base da coleta de informações. Durante a fase de estudo, a coleta de informações é, por sua vez, uma das marcas distintivas do vendedor não-manipulativo. Assim, a capacidade de fazer as perguntas certas do jeito certo é de suma importância para uma carreira de sucesso. Um exemplo é o de um vendedor que Rick conheceu em Buffalo, no Estado de Nova York. Sua história mostra que uma situação de venda pode de repente mudar para melhor com uma única pergunta inteligente.

Rick: Lembro-me de um vendedor das Páginas Amarelas, Mike Rucker, que me fez uma visita no início de minha carreira. Ele me fez diversas perguntas e parecia não estar chegando a lugar algum, até que perguntou: "Quem são seus concorrentes?"

"Não tenho nenhum concorrente", respondi.

"Nenhum?", perguntou ele, polidamente.

"Ninguém aqui na cidade faz exatamente o que eu faço", disse, "e a maioria das pessoas não entende o que eu faço."

"Parece uma bela vantagem competitiva", observou ele, "mas não serve para nada se as pessoas não sabem o que você faz."

"Esse é o problema", respondi.

"Deixe-me perguntar uma coisa", disse ele com solicitude. "Quem seus clientes e *prospects* consideram seu concorrente?"

"Esse é o outro problema", admiti. "Eles acham que eu sou como Dale Carnegie". Foi então que me ocorreu: eu poderia publicar um anúncio ao lado do anúncio de Dale Carnegie nas Páginas Amarelas. Assim, as pessoas telefonariam para mim para comparar os programas e os preços!

É o que se chama de "capitulação". O resto da venda foi, para ele, como tirar o doce de uma criança.

Fazer perguntas é uma técnica de comunicação tão importante que não apenas simplifica seu trabalho, mas o torna possível. Afinal, sem as informações fornecidas pelo *prospect*, você não pode operar como vendedor não-manipulativo. Perguntas bem formuladas permitem que o cliente revele o que está pensando e sentindo. E dão a você uma boa idéia das necessidades, das motivações, do clima profissional e dos medos de seus clientes. Toda essa informação serve para duas coisas: para ajudá-lo a servir os clientes da melhor forma possível e para aumentar suas vendas.

A conversa estimulada pelas perguntas pavimenta o caminho para o desenvolvimento da relação de negócios e o ajuda a atingir quatro objetivos importantes:

- Administrar a tensão.

- Gerar confiança.

- Descobrir as necessidades e oportunidades do *prospect*.

- Identificar o estilo de comportamento.

É óbvio que fazer perguntas é mais do que colher as informações básicas de que você precisa para adequar seu produto ou serviço às necessidades do cliente. Vale a pena mencionar, de passagem, a diferença entre necessidade e oportunidade. As necessidades são o vazio entre o que o cliente quer e o que ele tem. Elas não podem ser criadas: elas existem. As oportunidades, por sua vez, podem ser criadas. Existem fontes potenciais de novos mercados, possibilidades de distribuição, veículos promocionais e outras coisas que, com um pouco de astúcia, as pessoas de negócios podem desenvolver.

PERGUNTAS ABERTAS E FECHADAS

Fazer perguntas é como pintar um quadro. Se você fosse pintar uma linda paisagem, o que pintaria primeiro? Provavelmente pintaria primeiro o fundo, com um pincel grande. Depois do fundo, usaria um pincel menor para os detalhes e iria reduzindo o tamanho do pincel para pintar detalhes cada vez menores.

A Arte de Fazer Perguntas 53

Fazer perguntas é a mesma coisa. Você começa com um pincel maior, ou seja, com uma pergunta aberta. A pergunta aberta é a que exige uma narrativa como resposta. Essa pergunta faz com que o *prospect* se envolva imediatamente na conversa. A pergunta fechada é a que exige somente um sim ou não, ou uma resposta breve e factual, como um número.

Perguntas Abertas

As perguntas abertas têm as seguintes características e utilidades:

- Não podem ser respondidas com um mero sim ou não.

- Começam com "o que", "por que", "onde", "como", "quem" ou "quando".

- Não conduzem a uma direção específica.

- Favorecem o diálogo, fazendo com que o *prospect* se revele.

- Ajudam o *prospect* a fazer descobertas por conta própria.

- Podem ser usadas para estimular o *prospect* a pensar em seu produto ou serviço.

- Criam uma situação em que o *prospect* revela seu estilo de comportamento.

As perguntas com final aberto devem ser formuladas com cuidado. Não pergunte simplesmente "Como vão os negócios?" ou "Como vai?" Todo mundo tem respostas prontas para essas perguntas. Faça perguntas abertas que exijam alguma reflexão e uma resposta sincera. Alguns exemplos de perguntas abertas:

1. De que modo você gostaria que seu escritório fosse mais eficiente?

2. Diga como é seu sistema de faturamento atual.

3. Existe algum projeto para informatizar algum aspecto das suas operações?

4. Você acha que o *seu* escritório comporta um computador?

5. Que funções você planeja informatizar?

Depois de pintar o fundo — ou seja, de coletar informações através de uma ou duas perguntas gerais e abertas — é hora de ser mais específico. Nesse ponto, faça perguntas mais objetivas, abertas ou fechadas.

Perguntas Fechadas

As perguntas fechadas permitem que seu cliente responda com rapidez e precisão. Elas têm diversas utilidades:

- Extraem fatos simples e específicos.

- Servem para dar *feedback* durante a conversa.

- Servem para obter comprometimento e colher informações específicas.

- Podem ser usadas para direcionar a conversa em um sentido específico.

Alguns exemplos de perguntas fechadas:

1. Você tem alguma experiência com computadores para pequenas empresas?
2. Seu escritório produz muita papelada?
3. Alguém no seu escritório sabe usar computador?
4. Você prefere que a entrega seja feita no fim de semana ou durante a semana?

AS DIVERSAS UTILIDADES DAS PERGUNTAS

Além de conhecer as duas formas básicas que as perguntas podem ter, você tem que estar familiarizado com seus usos. As perguntas podem ser eficientemente usadas para extrair de seus *prospects* as informações que você busca. O uso dos diferentes tipos de pergunta vai ajudá-lo a diagnosticar a situação do *prospect*.

Perguntas de Esclarecimento

As perguntas de esclarecimento reformulam observações feitas pelo cliente ou se referem diretamente a elas. São uma espécie de *feedback* acompanhado de uma inflexão ascendente na voz, que implica uma pergunta mesmo que esta não tenha sido diretamente formulada. "Então você vai estar aqui na terça-feira" é uma afirmação, mas com uma inflexão ascendente que implica o complemento, "não é mesmo?" Alguns exemplos dessas perguntas:

1. Se entendi direito, você precisa de pelo menos uma cópia para cada secretária.
2. Você está se referindo aos periféricos ou apenas à CPU?

As perguntas de esclarecimento podem ser usadas com sucesso para os seguintes fins:

- Expressar com outras palavras o que o cliente acabou de dizer.
- Convidar o cliente a expandir ou dar clareza a uma idéia expressa anteriormente.
- Ajudar a reduzir ambigüidades e generalizações.
- Revelar o que o cliente tem em mente.

Perguntas de Detalhamento

Essas perguntas pedem maiores detalhes sobre temas específicos. Quando há uma palavra indefinida ou uma generalização, a pergunta de detalhamento pede ao *prospect* melhor definição no quadro que está sendo pintado. Por exemplo: "Há diversos programas no mercado. Para localizar um cliente no computador, você prefere procurar pelo nome, pelo endereço ou pelo número da conta?"

Perguntas de Direcionamento

Como indica a palavra, as perguntas de direcionamento encaminham a conversa para uma outra direção. Como consultor, você navega pela situação do cliente até descobrir suas necessidades e oportunidades.

As perguntas de direcionamento permitem que você passe de um tópico a outro. Considere os seguintes exemplos:

1. Você envia muitos formulários?
2. É comum você ter que consultar rapidamente os arquivos dos clientes — quando eles estão ao telefone, por exemplo?

Perguntas de direcionamento bem utilizadas são úteis nas seguintes situações:

- Orientam a conversa por etapas lógicas.
- Oferecem um meio de passar as informações necessárias ao *prospect*, como datas de entrega, dados financeiros e assim por diante.
- Dão ao *prospect* mais uma oportunidade de participar da troca de informações. Por exemplo: "Muitas pessoas do seu ramo de atividade já descobriram que o uso do computador representa uma economia em dinheiro. No seu caso, qual seria a maior economia?"

É preciso salientar, porém, que as perguntas de direcionamento, se usadas com descuido, podem ser detectadas pelo cliente ou pelo *prospect* como algo que os induz a responder o que não querem. Assim, essa prática pode ser considerada manipulativa. Não se esqueça, portanto, de usar as perguntas de direcionamento conforme as recomendações acima.

Perguntas-Teste

As perguntas-teste permitem que você determine a atitude da cliente diante de um assunto qualquer ou descubra se ela está acompanhando a conversa. Ao fim de um contato, as perguntas-teste dão à cliente uma oportunidade para expressar alguma idéia adicional que tenha surgido. Alguns exemplos de perguntas-teste:

* Na sua opinião, isso vai ajudá-la?

* Isso lhe parece razoável?

* Qual é o nosso próximo passo?

Perguntas Apoiadas em Opiniões de Terceiros

Estas perguntas combinam uma afirmação e uma pergunta. Elas perguntam de modo indireto, dizendo ao *prospect* o que pensam outras pessoas a respeito de um determinado assunto. Em seguida, pedem a ele que dê suas opiniões sobre o mesmo assunto. As pesquisas indicam que uma afirmação é mais aceita quando endossada por uma pessoa ou empresa famosa e respeitada, desde que a menção ao nome não pareça forçada. As perguntas apoiadas em opiniões de terceiros têm, portanto, os seguintes usos:

* Aumentam a confiança do *prospect* em uma determinada maneira de sanar uma necessidade ou um problema sugerindo que outras pessoas já sanaram necessidades semelhantes de maneira semelhante. Exemplo: "Os órgãos de defesa ao consumidor classificaram este produto como o melhor do mercado nessa faixa de preço. É essa a faixa de preço que o interessa?"

* Aumentam o orgulho do cliente pela decisão que tomou ou pela idéia que teve. "É uma boa escolha. O Sr. Jay, da Beech Manufacturing, presidente da associação nacional dos manufatureiros, usou este produto com sucesso, conseguindo reduzir o tempo ocioso em trinta por cento. O tempo ocioso é uma de suas preocupações?"

APURAÇÃO DE FATOS VS.
COLETA DE INFORMAÇÕES

Existe uma diferença importante, embora sutil, entre a apuração de fatos e a coleta de informações. Apurar fatos é o que fazem, em geral, os vendedores tradicionais. Eles pedem informações específicas para saber se o *prospect* tem necessidade daquele produto ou serviço. No entanto, a coleta de informações é um dos instrumentos da vendedora não-manipulativa. Ela faz perguntas para obter um quadro geral dos negócios do cliente. Com isso, ela atua como consultora em vez de pressionar o cliente. As perguntas feitas com o intuito de colher informações não revelam apenas necessidades, mas também oportunidades.

Essas perguntas podem ser abertas ou fechadas, mas devem começar como perguntas abertas. Alguns exemplos:

1. Qual é o objetivo geral da sua empresa?

2. Que tal investir em um novo sistema de computadores em vez de atualizar o velho?

3. Você tem algum plano para aumentar a produtividade do primeiro escalão da empresa?

4. Você tem problemas de segurança?

As perguntas que visam a apuração de fatos são úteis quando já se tem o quadro geral. São perguntas fechadas, como por exemplo:

1. O computador vai servir a quantos terminais?

2. A base de dados precisa ter capacidade para quantas contas?

A IMPORTÂNCIA DA FLEXIBILIDADE

Uma das maiores falhas dos vendedores é a falta de flexibilidade ao fazer perguntas. Partem do começo da lista e vão fazendo as perguntas, uma a uma e em ordem, sejam quais forem as respostas. Agem como se não ouvissem as respostas.

A maneira correta de fazer perguntas a um *prospect* é conduzir a entrevista à maneira de um repórter. Faça uma pergunta, veja para onde a resposta leva e retruque com uma pergunta relevante, que ajude o *prospect* a incrementar a informação que lhe forneceu. Esgotado o assunto, consulte a lista e faça outra pergunta. Deixar-se levar pela conversa dessa maneira é muito mais eficaz.

58 · A VENDA NÃO-MANIPULATIVA

É importante ser criativo na escolha das palavras. Evite ficar repetindo frases como "Fale sobre isso" ou "Fale sobre aquilo". Formule as perguntas como se estivesse pedindo informações a um amigo.

Um outro segredo para manter a flexibilidade ao fazer perguntas é chegar bem preparado, com uma lista *personalizada* de perguntas. A maioria dos vendedores utiliza as mesmas perguntas para todos os *prospects*, sejam quais forem seus ramos de atividade. Mas você quer fazer parte de uma minoria — ou seja, dos cinco por cento de que falamos no prefácio do livro.

Antes da reunião, prepare uma lista de perguntas com base na lição de casa que você fez sobre o ramo de atividade, o mercado e o negócio específico da cliente. A lista não precisa ter vinte perguntas: é simplesmente uma lista de tópicos gerais a abordar. A lista deve estar ligada ao objetivo da visita. Se for uma reunião para coletar informações, faça perguntas gerais e abertas. Se você estiver atrás de fatos, faça perguntas específicas.

A flexibilidade permite que você colha mais informações e tenha uma idéia melhor da utilidade que pode ter para a cliente. Mas não é esse seu único resultado: ela revela sua sensibilidade, favorecendo assim a relação.

COMO FORMULAR PERGUNTAS

Ao formular perguntas para colher informações e apurar fatos, tenha em mente as seguintes orientações:

Peça licença para fazer perguntas. Demonstre respeito para não intimidar nem incomodar as pessoas. Ajude o *prospect* a relaxar, explicando por que você quer fazer perguntas. É simples: "Você se importa se eu lhe fizer algumas perguntas para que possa entender melhor sua situação e suas necessidades?"

Comece com tópicos gerais e vá afunilando o tema nas perguntas seguintes. Um exemplo de pergunta geral e aberta: "Você poderia me dizer alguma coisa sobre seu ramo de atividade?" Tenha em mente que sua primeira pergunta é muito importante para criar uma boa impressão no cliente. Por isso, você precisa avaliá-lo o mais rápido possível para que a primeira pergunta combine com o estilo dele. Mais adiante, você vai aprender a fazer perguntas conforme o estilo.

Há diversas vantagens em se fazer uma pergunta geral como "Você poderia me dizer alguma coisa sobre seu ramo de atividade?" Uma pergunta como essa dá ao *prospect* total liberdade para responder como preferir. Isso tem um efeito relaxante. Além disso, revela a você o estilo de comportamento dele, ajudando-o a configurar as perguntas seguintes. Por fim, a resposta a essa pergunta pode revelar necessidades e oportunidades. Se isso não acontecer, elas se tornarão aparentes conforme você for elaborando as questões seguintes em torno dessa resposta.

Baseie-se nas respostas anteriores. O modo mais fácil e eficiente de montar um diálogo em torno das respostas dadas é pegar a palavra-chave da frase e criar uma pergunta baseada nela. Como exemplo, vamos imaginar duas pessoas que se conhecem em um avião:

"Olá, meu nome é Ellen. O que você faz?"

"Eu sou *escritor*."

"Escritor", prossegue Ellen. "E o que você escreve?"

"Basicamente *humor*. Às vezes escrevo algumas coisas sérias ou filosóficas — mas as pessoas riem do mesmo jeito."

"É muito interessante", diz Ellen. "Não entendo nada dessas coisas, muito menos de humor. Fale um pouco sobre isso."

"Bem, pegue uma porção de sarcasmo, acrescente duas porções de irreverência e uma de criatividade, agite violentamente e reze para que não estoure na sua cara."

Em um contexto de negócios, o uso da(s) palavra(s)-chave seria mais ou menos assim:

"Você poderia me falar um pouco sobre o seu ramo de atividade?"

"Eu sou distribuidor de *equipamento esportivo* para *faculdades* e *universidades*."

"Interessante. Que tipo de equipamento esportivo?"

"Tudo o que é usado dentro de um *ginásio*. Não trabalhamos com nada maior, como arquibancadas, traves, campos de futebol."

"Quais são as faculdades e universidades que você atende?" (Essa pergunta trabalha com a segunda palavra-chave da resposta original.)

"Nós vendemos para todas as escolas a *oeste do Mississipi* e com *mais de 5 mil alunos*."

"Existe algum motivo para você limitar sua atividade às escolas a oeste do Mississipi?"

"Sim, o acesso é mais fácil."

... E assim por diante. Você entendeu. Essa técnica é rápida e eficaz, tanto em situações sociais quanto em situações profissionais. Há uma ordem lógica embutida nesse método de fazer perguntas que mostra ao *prospect* que você está prestando atenção.

Esqueça os jargões, as palavras da moda ou o vocabulário técnico. Toda área tem seu jargão próprio e talvez você seja um especialista na sua. Seu cliente, porém, pode não ser tão versado assim. Evite perguntas que o deixem confuso — ou, pior, que façam com que ele se sinta inferiorizado. Em vez de perguntar "O seu sistema atual tem um *baud rate* satisfatório?", enuncie a pergunta de um modo que ele entenda — como, por exemplo, "A velocidade da transmissão de dados por telefone é suficiente?"

Faça perguntas simples. Aborde um tópico de cada vez para que o cliente se concentre em uma resposta que seja útil para você. Se incluir duas coisas na mesma questão, uma delas será respondida e a outra pode ser totalmente esquecida. Um exemplo de pergunta que contém idéias em excesso: "Daria para me falar um pouco sobre suas metas pessoais e profissionais e também sobre os fatores que, na sua opinião, favorecem ou impedem a realização dessas metas?" Se você sobrecarregar seu *prospect* com uma pergunta como essa, pode ser que ele diga: "Não, não dá". É melhor você separar essa pergunta em quatro e trabalhá-las separadamente.

Siga uma ordem lógica. Se você fizer uma série de perguntas sem relação entre si, o *prospect* pode ficar incomodado, com medo de que você esteja tentando manipulá-lo. Mas, quando a seqüência de perguntas acompanha as palavras-chave das respostas do *prospect*, ele enxerga sua lógica e percebe aonde as perguntas vão chegar. Isso reduz a tensão e aumenta a cooperação.

Não faça perguntas invasivas. No começo de uma relação de vendas, NUNCA pergunte a um *prospect*: "Quanto você pretende gastar?" Em 99 por cento dos casos, isso vai aumentar a tensão. Fale sobre outras coisas e evite tópicos sensíveis como finanças, estabilidade dos negócios, saúde pessoal, idade e política. Haverá tempo, mais tarde, para discutir os detalhes.

Se você tiver que fazer uma pergunta delicada, explique o motivo. Há momentos em que você precisa perguntar até que ponto o *prospect* é capaz de cumprir suas obrigações financeiras. Neste caso, seja direto — mas explique por que você precisa da informação. Os *prospects* vão respeitá-lo por sua candura e lhe dar a informação. Se o *prospect* não estiver disposto a lhe fornecer informações mais delicadas, é possível que você esteja perdendo seu tempo. Mas não se prenda a essa conclusão: concentre-se em reduzir o nível de tensão e retorne à pergunta mais tarde.

Formule perguntas delicadas com o máximo de diplomacia. Não pergunte "Quanto você ganha por ano?" Crie um contexto e pergunte como ele se relaciona à situação do cliente. Você pode dizer, por exemplo: "Nós exigimos que nossos clientes ganhem US\$ 50 mil por ano ou façam um depósito inicial de US\$ 5 mil. Isso é um problema para você?"

O gerente de empréstimos de um banco foi informado de que o banco estava com dificuldade para cobrar de clientes menores de idade e que por isso os formulários pediam agora a idade da pessoa. Diante de uma cliente de meia-idade, o gerente disse: "Sra. Jones, o banco está exigindo uma declaração de idade do cliente para saber se a pessoa tem a idade mínima para fazer um empréstimo. Alguns clientes preferem dizer: 'maior de vinte e um'. Tudo bem para a senhora?" Ela riu bastante — e ele suavizou um momento potencialmente desagradável com elegância.

Pergunte quais os benefícios gerais desejados. Muitos *prospects* não conhecem todos os benefícios do produto ou serviço. Portanto, não pergunte que benefícios estão procurando: diga-lhes que benefícios terão. Quando perguntar o que estão querendo, faça com que falem genericamente sobre as melhorias que desejam. Perguntando a uma *prospect* "O que você espera que o computador modernize em seu escritório?", você pode fazer com que ela se sinta ignorante. Ela nunca teve um computador, de modo que provavelmente não faz idéia de todas as suas utilidades. Seria melhor perguntar quais as melhorias gerais que pretende, como na pergunta: "Que procedimentos costumam ser mais demorados?" Isso a liberta da necessidade de entender de computadores para responder à pergunta. Ela vai responder: "A folha de pagamento, as contas a receber, as contas a pagar" — e assim por diante. Assim você terá as informações necessárias para recomendar o *hardware* e o *software*.

Faça perguntas flexíveis. Os vendedores tradicionais perguntam: "Você prefere a reunião às 8 ou às 10 horas?" Isso é manipulativo e um tanto insultuoso para o cliente. Um modo melhor seria dar ao cliente total flexibilidade — como, por exemplo: "Como estão as suas manhãs para uma reunião na semana que vem?"

Mantenha um clima de consultoria. Lembre-se: você é o elo entre a sua empresa e seus clientes — você é um consultor. Como tal, faça perguntas ao *prospect* de modo a conseguir um máximo de informações com um mínimo de esforço. Para fazê-lo, tire a pressão das perguntas. Faça-as com um tom de voz calmo. Dê tempo para as respostas — mesmo que precise ficar em silêncio, esperando. Não se apresse para chegar ao compromisso seguinte. O investimento em tempo que você faz agora será generosamente recompensado quando o *prospect* se transformar em uma conta permanente.

Formule as perguntas de modo que as respostas sejam positivas. As pesquisas demonstram que as pessoas preferem concordar a fazer objeções. Você pode facilitar as coisas para sua *prospect* com a maneira de formular as perguntas. Se você sentir que sua cliente tem preferência por alguma coisa, pergunte de modo que ela possa dizer sim. Diga, por exemplo: "Esse computador roda programas de contabilidade, controle de estoque e mala-direta. Pelos seus comentários, imagino que sua prioridade são os programas de contabilidade. Estou certo?"

Perguntas assim poupam tempo e funcionam como *feedback* para a cliente e para você, permitindo que entrem em sintonia.

Essas dicas todas vão lhe permitir evoluir bastante na elaboração de perguntas e na condução de entrevistas como consultor. A melhor dica, porém, diz respeito à capacidade de ajustar suas perguntas ao estilo de comportamento da pessoa.

PERGUNTAS POR ESTILO DE COMPORTAMENTO

O modo de formular suas perguntas deve ser determinado pelo estilo de comportamento dos *prospects*. Isso faz com que eles o "ouçam" e que suas respostas tenham mais utilidade para você.

Diretores

Você precisa tomar cuidado com os diretores. Eles põem a competência acima de qualquer outra coisa e não toleram ignorância de sua parte. Você precisa mostrar que está preparado: do contrário, sua reunião vai terminar antes do esperado. Ao começar a fazer perguntas a um diretor, faça uma afirmação que demonstre que você está bem informado e só depois formule uma pergunta. As perguntas podem ser sobre as tendências do mercado, o crescimento da empresa e o papel do diretor nesse crescimento, as diretrizes que a empresa poderá adotar no futuro e assim por diante. Exemplo: "Sr. Williams, a competição é feroz no segmento do *fast-food* e mesmo assim o senhor continua sendo líder de mercado. Na sua opinião, qual é a sua vantagem competitiva?" Os diretores adoram falar de si mesmos e de suas realizações profissionais. Tenha sempre em mente que eles são muito competitivos e objetivos.

As perguntas mais específicas devem abordar metas finais. "Que espécie de benefício final o senhor espera obter com nosso produto?" "Adquirindo nosso produto, o senhor espera reduzir o número de funcionários do escritório?"

Pensadores

Os pensadores esperam que você seja organizado e preciso ao fazer perguntas. Se você tiver seis perguntas a fazer, diga isso a eles. Se disser que pretende fazer "duas ou três" perguntas e fizer seis, pode deixá-los nervosos. Eles gostam de precisão. Você pode dizer: "Tenho algumas perguntas a fazer mas não vou levar mais de vinte e dois minutos". Isso dá a eles uma idéia das suas expectativas e dá a você uma certa margem de ação.

As perguntas devem se concentrar em fatos e detalhes. Formule-as com cuidado. Diga, por exemplo: "Quantos cheques por mês há em sua folha de pagamento?" "Qual é a verba que você tem para o novo sistema?" "Quais os parâmetros que você estabeleceu para comprar o computador?"

Relacionadores

Os relacionadores gostam de fazer amizade antes de fazer negócios. Organize-se para ficar algum tempo com eles. Perguntas do tipo "Conte como entrou nesse ramo", ou "Fale sobre o seu ramo de negócios", são bem recebidas. Elas têm como objetivo construir a relação e ajudam a colher informações.

Em geral, o relacionador é apenas um dos que decidem. Talvez valha a pena perguntar: "Eu fiquei imaginando quais são as outras pessoas envolvidas nessa decisão e quais são as funções dessas pessoas".

Socializadores

Os socializadores, como os relacionadores, gostam de construir a relação antes de mais nada. "Esse ramo é fascinante. Como você entrou nele?" Perguntas desse tipo dão bons resultados. Os socializadores gostam também de falar de conceitos e sonhos. Sabendo disso, faça perguntas que os estimulem, como por exemplo: "Como você se vê/como você vê seu negócio daqui a cinco anos?" Na verdade, se descobrir qual é o sonho ou missão de um socializador e conseguir realizá-lo com seu produto ou serviço, você será uma estrela.

Respostas e Indícios

O modo como as pessoas respondem às perguntas fornece a você indícios de seu estilo. Os relacionadores e socializadores tendem a dar respostas mais longas e gerais. Os pensadores e diretores dão respostas concisas e objetivas. Se você não conseguir determinar o estilo de comportamento antes de fazer a primeira pergunta, procure pistas no escritório, na maneira como você foi recebido e na disposição das cadeiras e poltronas.

Saber fazer perguntas e saber ouvir são duas técnicas afins, que estão entre as mais difíceis para os americanos. Pode parecer uma afirmação extremada, mas é verdade. Os americanos são essencialmente extrovertidos: adoram falar de si mesmos.

Rick: Em um vôo para Chicago, sentou-se ao meu lado um executivo japonês. Depois da decolagem, ele se virou para mim e perguntou educadamente: "O que você faz?" Disse a ele que faço palestras em empresas. Então ele disse: "Ah, que interessante! Não sei nada sobre essa atividade. Fale um pouco sobre ela". Durante a hora e meia que se seguiu, eu contei tudo para o sujeito. Contei tudo o que sei, todos os meus segredos profissionais, minha estratégia de marketing, os segredos que planejava pôr um dia em forma de livro — tudo.

Quando terminei minha palestra e me afundei exausto na poltrona, ele se virou para o outro homem, sentado do outro lado, e perguntou: "O que você faz?" O homem respondeu: "Sou engenheiro eletrônico". O japonês disse: "Ah, isso é muito interessante. Não sei nada sobre engenharia eletrônica. Fale um pouco sobre isso". Durante todo o resto do vôo — mais uma hora e meia —, o engenheiro falou ao nosso amigo em comum sobre sua nova invenção, os detalhes do *design*, os planos de marketing e promoção, os custos e assim por diante.

Quando aterrissamos, ficamos os três lado a lado esperando para desembarcar. Foi quando me dei conta de que não tinha perguntado ao japonês o que ele fazia. Perguntei e a resposta foi um choque: "Sou engenheiro". Perguntei-lhe o que ia fazer em Chicago. Ele respondeu: "Nesta semana vai haver uma demonstração de produtos eletrônicos para consumidores. Vou fazer uma palestra sobre marketing e desenvolvimento de novos produtos".

O engenheiro e eu nos sentimos um tanto usados. O engenheiro havia acabado de entregar a invenção a que dedicara sua vida inteira e eu havia me esgotado contando ao homem coisas que ele já sabia. Havia ali uma mensagem poderosa. Ao contrário dos japoneses, que são receptivos e introspectivos, nós, americanos, somos extrovertidos demais. Temos que aprender a receber mais — não de modo a fazer com que os outros se sintam usados, mas de um modo que seja útil para todos.

Saber fazer perguntas e saber ouvir são duas técnicas de comunicação absolutamente indispensáveis quando se trata de firmar relações de negócios, coletar informações e apurar fatos. Os melhores consultores não entram em uma empresa dizendo, logo de cara, o que deve ser feito. Eles fazem perguntas, ouvem, chegam a um diagnóstico e fazem recomendações. Pelo menos metade do trabalho de um consultor consiste em fazer as perguntas certas e em ouvir com cuidado as respostas.

A capacidade de fazer perguntas revela informações valiosas e mostra ao *prospect* que você está realmente interessado em seus negócios ou em suas necessidades. A capacidade de ouvir permite que você absorva o que está sendo dito. A arte de perguntar combina o que você aprendeu neste capítulo com o que você aprendeu no capítulo 2 sobre estratégias de relacionamento. Sem esse conhecimento, você pode incorrer no erro exemplificado na história a seguir.

Ash Deshmukh é gerente de vendas da Tom James Company, uma empresa que fabrica e vende roupas masculinas caras, sob medida, diretamente ao cliente. Todos os serviços são prestados no escritório do cliente. Ash supervisiona quinze vendedores há quatro anos. Antes de descobrir a Venda Não-Manipulativa, ele era um vendedor tradicional, insistente.

Ash: Eu achava que fazia um ótimo trabalho como vendedor — até que comecei a notar um padrão. Os ternos e as camisas caíam muito bem mas raramente eu conseguia marcar uma segunda visita. Não entendia por quê, até que encontrei socialmente um dos meus clientes. Depois de cumprimentá-lo, eu disse: "Eu quero saber se você está bravo comigo". Ele respondeu que não. Perguntei: "Eu achei que o terno e as camisas ficaram ótimos. Por que não consegui lhe vender mais nada?" Ele respondeu: "É verdade que o terno ficou ótimo. Para ser franco, de todos os meus ternos, é o que me cai melhor — mas a sua maneira de vender me deixou exausto. Quando você saiu, parecia que tinha me arrancado tudo!"

Ele continuou: "A única maneira de responder às perguntas que você faz é a seu favor. Eu me senti manipulado. Então, achei melhor vestir um produto inferior a ter que passar por aquilo de novo. Ao menos eu não seria torturado para comprar um terno".

Decidi desenvolver um método não-manipulativo, que permitisse ao cliente dizer como eu poderia lhe ser maximamente útil. Vender tornou-se muito mais fácil. Ao responder às minhas perguntas, o cliente acabava me dizendo como conduzir a venda, já que revelava o que era importante para ele. Isso me permitiu ajustar a apresentação às necessidades de cada um. Agora, depois de apresentar minha empresa, pergunto: "Se houver uma chance de você fazer negócio comigo hoje, o que quer que eu faça para deixá-lo satisfeito com meu desempenho?" O cliente me diz o que devo fazer para concluir a venda — e fica contente com isso.

Depois que adotei as técnicas da venda não-manipulativa, minhas vendas aumentaram e eu passei a conservar clientes que teria perdido depois da primeira venda se usasse as técnicas tradicionais. Não sou nenhum mágico: eu simplesmente li o livro e o apliquei.

5

O Poder de Ouvir, de Observar e do *Feedback*

PROCURE IMAGINAR QUE acabou de colher informações e está começando a apresentação para sua *prospect*. Você está prestes a dizer a ela o que recomenda para sanar as necessidades que acabaram de discutir. Mas, quando vai começar a apresentação, sua Fada-Madrinha aparece. A um movimento de sua varinha mágica, todas as pessoas presentes na sala ficam congeladas no tempo. Ela dá um tapinha no seu ombro e lhe diz para pegar uma folha de papel e fazer uma lista de tudo o que você sabe sobre essa *prospect*. Quando você termina, ela faz outro movimento com a varinha e, diante de cada informação de sua lista, aparece miraculosamente uma nova informação de igual importância. Quando ela termina, você sabe o dobro do que sabia — em quantidade e em qualidade — sobre sua *prospect*.

Você acha que, com o dobro de informações, seria mais fácil fazer a venda? Ninguém duvida de que suas chances aumentariam enormemente. Quanto mais você sabe sobre a *prospect*, mais chances tem de lhe fazer uma venda bem-sucedida.

Infelizmente, você não tem uma Fada-Madrinha brandindo uma varinha mágica. Como, então, vai realizar essa grande proeza? Aperfeiçoando a capacidade de ouvir!

Vender requer uma troca de informações que não pode ser unilateral. Ouvir faz, por definição, parte do processo. *Prospects* e clientes fornecem informações sobre problemas e oportunidades em troca das informações que você fornece sobre soluções potenciais. Mas, se você fosse um mau ouvinte, estaria em desvantagem: suas soluções seriam imperfeitas ou inadequadas e o cliente poderia virar a mesa e não prestar atenção em você. Ouvir ativamente, ao contrário, estimula a cooperação e a compreensão. Na verdade, ouvir ativamente é a chave para administrar tensões.

Roy: O mais importante é deixar o ego de fora. Esse é o grande problema. Você não pode ser um sabe-tudo: precisa deixar que as outras pessoas lhe digam o que pensam. Mesmo que já saiba o que elas vão dizer, contenha a língua e deixe que falem. Quando você as interrompe e continua a falar, elas não prestam atenção no que você diz porque ainda estão presas à vontade de dizer o que lhes passava pela cabeça. E então você as perde. A Venda Não-Manipulativa o transforma em uma caixa de ressonância. Você aprende a controlar seu ímpeto de interromper — o que é muito bom, já que interromper é deselegante.

Infelizmente, ouvir é uma habilidade muitas vezes ignorada, ou simplesmente esquecida, nos treinamentos de vendas. Embora se disponham a gastar dinheiro em cursos de venda para os executivos, as empresas raramente oferecem cursos que tenham como objetivo aperfeiçoar o hábito de ouvir — embora vendedores eficientes passem a maior parte do tempo ouvindo. Isso se deve à falsa idéia de que ouvir é o mesmo que escutar. Mas não é.

Ralph Nichols e Leonard Stevens, no livro *Are You Listening?* (McGraw Hill, 1957), observam que a maioria das pessoas ouve com 50 por cento de eficiência. Além disso, ocorre uma perda de informação quando a mensagem passa de uma pessoa a outra. Em outras palavras, mesmo quando ouvem integralmente as mensagens, as pessoas perdem ou distorcem seu conteúdo ao comunicá-las para as outras. É como a brincadeira do "telefone" da nossa infância, em que uma mensagem percorria o círculo, sussurrada por cada criança no ouvido da vizinha. A graça vinha quando a última criança dizia a mensagem em voz alta para compará-la com a mensagem original: as duas não eram sequer parecidas. Aprendemos, em idade bastante precoce, que a comunicação é inexata. O mesmo processo ocorre no mundo dos negócios. Imagine uma mensagem que vai do vendedor para o gerente de vendas, do gerente de vendas para o departamento de produção e do departamento de produção para o pessoal de entrega e instalação. Cada um tem que ouvir muito bem para que a mensagem continue a mesma durante todo o percurso.

É preciso fazer uma distinção entre ouvir e lembrar. Ouvir é receber a mensagem como o falante pretendia enviá-la. Lembrar é recordar depois de um tempo. O jeito de ouvir e o tempo têm efeitos profundos na memória. Em geral, um ouvinte não-treinado entende e retém cerca de 50 por cento de uma conversa. Depois de quarenta e oito horas, essa fixação relativamente pobre se reduz em 25 por cento. Pense nas conseqüências. A lembrança de uma conversa ocorrida há mais de dois dias será incompleta e imprecisa. Não é de admirar-se que as pessoas raramente concordem sobre o que foi discutido e, portanto, façam contratos por escrito.

Ouvir ativamente requer esforço. Exige concentração e provoca mudanças físicas perceptíveis: o ritmo cardíaco aumenta, a temperatura do corpo sobe ligeiramente e a circulação se acelera.

OS TRÊS NÍVEIS DO OUVIR

Quem ouve se põe em um dos três níveis básicos do ato de ouvir. Esses níveis exigem graus variados de concentração por parte do ouvinte. Do primeiro para o terceiro, a possibilidade de uma boa compreensão e de uma boa comunicação aumenta drasticamente.

Ouvir de Maneira Marginal

Ouvir marginalmente, o primeiro e mais baixo nível, envolve o mínimo de concentração e, em geral, o ouvinte se distrai com seus próprios pensamentos. Ele exibe um olhar vazio, maneirismos nervosos e gestos que tendem a aborrecer o *prospect* e a criar barreiras à comunicação. O vendedor ouve a mensagem mas não a assimila. É grande o risco de incompreensão quando o vendedor não se concentra no que está sendo dito. Além disso, o *prospect* percebe inevitavelmente o lapso de atenção, o que o insulta e reduz sua confiança. Numa comédia, é divertido quando os membros de uma família são condescendentes uns com os outros, dizendo sempre "sim, meu bem" para tudo o que é dito. Na vida real, porém, isso *não é* engraçado.

> **Prospect**: Preciso reduzir o tempo gasto com falhas de equipamento.
> **Vendedor**: Sim, tudo bem. Vejamos... a terceira característica do nosso produto é a variedade de tamanhos disponíveis.

Seja qual for seu nível de experiência, um vendedor pode incorrer no erro de ouvir marginalmente. Iniciantes com baixa confiança e experiência ficam tão concentrados no que devem dizer que deixam de ouvir. Os velhos profissionais, ao contrário, já ouviram tudo. Têm a apresentação memorizada e querem que o *prospect* seja rápido e termine logo, para que continuem com o que é "importante". Os vendedores tradicionais esquecem que a informação realmente importante está no que o cliente diz.

Ouvir de Maneira Avaliadora

Ouvir de maneira avaliadora, o segundo nível do ato de ouvir, exige mais concentração e atenção às palavras do interlocutor. Nesse nível, o ouvinte procura ouvir ativamente o que o *prospect* diz, mas não se esforça para compreender sua intenção. Em vez de aceitar e procurar compreender a mensagem, o ouvinte avaliador categoriza cada mensagem e se concentra na preparação da resposta.

Esse fenômeno — ouvir avaliando — resulta da enorme velocidade com que o ser humano é capaz de ouvir e pensar. O ritmo médio da fala é de 120 a 160 palavras por minuto, mas a mente consegue pensar em uma velocidade seis a oito vezes maior. É nesse nível que ouvimos a maior parte do tempo. Infelizmente, é muito difícil romper esse hábito — mas na prática é possível.

> **Prospect**: Preciso reduzir o tempo gasto com falhas de equipamento.
> **Vendedor** (na defensiva): Nossas máquinas foram testadas em campo e não quebram com freqüência.

Nesse exemplo, o vendedor reagiu a um único aspecto da afirmação do cliente. Se tivesse evitado qualquer julgamento até o cliente terminar o que pretendia dizer, ele poderia responder de modo mais objetivo e informativo.

Quando se ouve de modo avaliador, é fácil se distrair com palavras emocionalmente carregadas. Quando isso acontece, você não ouve o cliente: está obcecado com a palavra ofensiva e imaginando sua reação. Isso é perda de tempo, tanto para você quanto para o cliente, além de elevar a tensão pessoal e desviar a comunicação. Para evitar os problemas que decorrem do hábito de ouvir de maneira marginal e avaliadora, procure ouvir ativamente.

Ouvir de Maneira Ativa

Ouvir ativamente é o terceiro nível e o mais eficaz. O ouvinte ativo se abstém de avaliar a mensagem e procura enxergar o ponto de vista da outra pessoa. A atenção não é apenas às palavras ditas, mas aos pensamentos e sentimentos que elas transmitem. Ouvir desse modo significa pôr-se no lugar do outro. Exige que o ouvinte forneça ao interlocutor *feedback* verbal e não verbal, como será discutido mais adiante, neste capítulo.

> **Prospect**: Preciso reduzir o tempo gasto com falhas de equipamento.

Vendedora: Poderia me dizer quais são as falhas mais freqüentes?

No exemplo acima, a vendedora foi diretamente às preocupações do *prospect* em vez de rodeá-las. Postergou o desejo de fazer a apresentação para cumprir uma tarefa mais importante: comunicar-se efetivamente com o *prospect*.

Ouvir ativamente é uma habilidade que exige prática mas que depois de algum tempo se torna natural. A idéia por trás desse jeito de ouvir se baseia na cortesia e na concentração, como você verá nas orientações a seguir.

Ouça as Palavras e os Pensamentos

Isso pode parecer óbvio, mas quem fala está expressando pensamentos e emoções. A despeito da lógica dessa afirmação, a maioria ouve apenas as palavras que estão sendo ditas. A linguagem falada pode ser uma forma imprecisa de comunicação, mas é a melhor que temos neste estágio de nossa evolução. Quem voltar daqui a dois mil anos talvez possa se comunicar com os clientes por telepatia mental. Por ora, dadas as limitações de nossas palavras, você tem que ir além delas para ouvir a história completa.

Ouça *por trás* das palavras, buscando o conteúdo emocional da mensagem. Esse conteúdo é transmitido pelas nuances da voz e da linguagem corporal. Certas pessoas, como os diretores e os pensadores, vão lhe fornecer pouquíssimas informações emocionais. Mas não faz mal porque você vai lidar com elas em estilo bastante factual, limitado aos negócios. Os relacionadores e socializadores, por outro lado, vão revelar suas emoções, esperando que você as leve em conta. Neste caso, procure discutir os sentimentos deles e tratá-los mais como amigos do que como parceiros nos negócios.

Há vários modos de ouvir as emoções que estão por trás das palavras. Primeiro, procure identificar mudanças no contato visual. Estabelecido um nível confortável e natural de contato visual, qualquer desvio repentino da norma indica a presença de um conteúdo emocional na mensagem. As pessoas tendem a desviar o olhar ao tocar em algo embaraçoso. Quando isso acontecer, faça uma rápida anotação mental do assunto em questão e trate-o com delicadeza. Além disso, tenha a delicadeza de também desviar o olhar por um momento, como se dissesse: "Eu respeito a sua privacidade". A dinâmica da interpretação das características vocais será discutida mais adiante, neste capítulo, na seção "*Feedback*".

Ouça *entre* as palavras, buscando o que não é dito. Estranhamente, as pessoas revelam mais no que não dizem do que no que dizem. Isso se deve, em parte, ao conteúdo emocional da mensagem e, em parte, à informação que está sendo transmitida. Uma história poderá exemplificar esse ponto.

Rick: Eu estava conversando com o presidente de uma grande fábrica de papel. Em dado momento, perguntei a ele que espécie de treinamento oferecia aos vendedores e ele fez um discurso de duas horas e meia sobre os seminários, filmes de treinamento, fitas de vídeo e fitas cassete que recebia da matriz, dos fornecedores, das associações do setor e dos programas internos da empresa. Fiquei quieto, ouvi e tomei notas. Quando ele terminou, eu disse: "Percebi que você não mencionou administração do tempo quando falou desses treinamentos". Ele ergueu a voz e disse enfaticamente: "Sabe, hoje mesmo, de manhã, eu estava conversando com um sujeito e disse a ele que estamos precisando de um treinamento para melhorar a administração do tempo entre nossos vendedores".

A lição é a seguinte: faça com que o *prospect* fale e ouça-o ativamente. Tome notas, procure encontrar sinais de emoções e não interrompa nem comece a pensar na pergunta seguinte. Concentre-se.

Reduza o Ruído

Ruído é qualquer coisa que cause distrações durante a conversa. Se você for conversar com um *prospect* dentro da fábrica, haverá muito ruído à sua volta — em sentido literal e figurado. Mas o ruído pode estar presente em um ambiente silencioso. Se você ficar batendo nervosamente o lápis na mesa, vai distrair seu cliente.

O ruído interno é aquele que o distrai mas que não pode ser percebido pela outra pessoa. Uma dor de cabeça, por exemplo, é um ruído que só você percebe. Seus pensamentos sobre o *prospect* ou sobre as perguntas a fazer são uma outra fonte de ruído interno. A melhor maneira de interromper essa interferência é olhar diretamente para o cliente e ouvir com atenção.

É essencial reduzir ou eliminar ao máximo os ruídos ao se encontrar com um cliente. Se a sala dele estimula a distração, procure encontrar um local melhor para conversar. Uma das opções seria uma outra sala. Você pode também atravessar a rua e ir a um café, se houver. Os cafés são bons lugares para fazer uma reunião. Mas evite os horários de maior movimento e não se esqueça de pedir ao garçom para trazer o café e deixá-los em paz. Se não, você vai trocar um tipo de ruído por outro.

As reuniões nunca são cem por cento isentas de ruído: sempre haverá alguma fonte de interrupções a ser contornada. Por isso, faça o possível para não se perder. Providenciar o melhor ambiente possível para a reunião é importante para que você e seu cliente realizem suas missões.

Organize o que Você Ouve

Tomar notas aperfeiçoa a memória porque os blocos de anotações nunca se esquecem de nada. Peça permissão para tomar notas e o faça o mais discretamente possível. Muita gente toma notas como se estivesse gravando a reunião para alguém que não está presente. Não é preciso fazer isso. Você pode tomar notas em código e, mais tarde, retornar a elas e completá-las com os detalhes. Não enfie a cara no bloco de anotações, levantando apenas para respirar. Anote apenas as palavras e frases principais e mantenha o contato visual.

O ouvido para palavras-chave, discutido no capítulo sobre a arte de perguntar, vai lhe ser útil novamente. Ouça e escreva as palavras-chave. Ouça as principais idéias enunciadas pelo cliente. Faça perguntas-teste para obter *feedback* e ter a certeza de que está entendendo tudo.

HÁBITOS IRRITANTES QUE VOCÊ DEVE MUDAR

Ninguém é perfeito. Como ouvintes, todos nós temos alguns hábitos irritantes — que não têm muita importância nas conversas com a família e os amigos. Num contexto profissional, porém, você tem que deixar esses hábitos de lado e ouvir ativamente. Para que você tenha uma idéia dos hábitos que tem como ouvinte, fornecemos aqui uma lista dos casos mais comuns. Leia a lista inteira e seja honesto consigo mesmo: assinale os que se aplicam a você. Depois, consciente deles, comece a eliminá-los.

1. É só você quem fala.
2. Você interrompe as pessoas quando estão falando.
3. Você nunca olha para quem está falando nem indica que está prestando atenção.
4. Você passa a conversa inteira brincando com um lápis, um pedaço de papel ou algum outro objeto.
5. Sua expressão fria e enigmática não deixa que as pessoas saibam se você entendeu ou não.
6. Como nunca sorri, você parece sério demais.
7. Você altera o que o outro diz pondo palavras em sua boca.
8. Você deixa as pessoas na defensiva quando faz uma pergunta.
9. De vez em quando você pergunta o que o outro acabou de dizer, demonstrando que não prestou atenção.
10. Você começa a discutir antes que a outra pessoa conclua seu argumento.

74   A Venda Não-manipulativa

11. Tudo o que o outro diz faz você se lembrar de alguma experiência que teve, o que o leva a fazer digressões e a contar histórias.
12. Você termina as frases das pessoas quando elas fazem uma pausa longa demais.
13. Você fica nervoso quando alguém termina uma frase por você.
14. Você espera com impaciência que as pessoas terminem para inserir alguma coisa sua.
15. É muito difícil para você olhar nos olhos dos outros, o que incomoda as pessoas.
16. Quando é uma mulher que está falando, você a observa da cabeça aos pés, como se quisesse convidá-la para trabalhar como modelo.
17. Você avalia o tempo todo as palavras dos outros: elas podem ser "dignas de crédito" ou "indignas de crédito".
18. Você exagera nas reações — balança demais a cabeça ou faz "ã-hãs" demais.
19. Você fica muito perto ou muito longe das pessoas.
20. Você age como se soubesse tudo e costuma contar casos em que foi inteligente, astuto ou heróico.
21. Você julga as pessoas enquanto elas falam.
22. Você se sente obrigado a ouvir — não tem empatia nem interesse pelas pessoas.
23. Você se distrai com palavras emocionalmente carregadas e perde parte da mensagem.

A National Society of Sales Training Executives fez uma pesquisa entre compradores de empresas. A pergunta era: "Quais são os principais defeitos dos vendedores?" A resposta foi retumbante e unânime: ELES NÃO SABEM OUVIR.

Boas relações de negócios dependem da capacidade de ouvir ativamente. Enquanto ouvinte ativo, você vai desenvolver perguntas inteligentes e relevantes, revelando o consultor indispensável que você é.

FEEDBACK

Ouvir é como uma moeda que tem, do outro lado, o *feedback*. As três formas de *feedback* que você transmite e recebe são: mensagens verbais, inflexões de voz e atitude não-verbal, ou linguagem corporal. Essas três formas de *feedback* são bidirecionais. Para indicar que recebeu a mensagem do interlocutor, você *dá feedback*. Ocorre o inverso quando você, enquanto receptor, *observa* ou *ouve* o *feedback* que está recebendo. Essas três formas

O Poder de Ouvir, de Observar e do *Feedback* 75

de *feedback* são como três moedas, cada uma delas com dois lados — dar e receber ou observar.

Dar Feedback Verbal

Dar *feedback* verbal exige que você faça perguntas e afirmações, além de fornecer descrições e outros comentários. Você está pedindo que os pensamentos e os sentimentos sejam esclarecidos. Você pode também repetir seus pontos-chave para verificar se o cliente compreendeu o que você queria dizer.

O *feedback* verbal é especialmente útil para checar o ritmo e as prioridades fixadas na reunião. Você pode dizer, por exemplo: "Meu gerente me diz que às vezes eu me deixo levar pelo entusiasmo e avanço rápido demais. Não seria melhor se eu fosse mais devagar?" Isso não apenas demonstra sensibilidade às necessidades do cliente mas permite que ele o entenda melhor e que lhe peça para fazer a apresentação mais devagar — ou mais depressa.

Uma outra pergunta que você pode fazer é: "Posso passar aos detalhes da proposta ou você tem mais alguma pergunta?" Isso faz com que o cliente saiba que as preferências dele são muito importantes. As respostas vão lhe dar indícios de como ele gosta de fazer as coisas. Procure ou peça sempre alguma forma de *feedback* para que possa ajustar seu ritmo e sua prioridade.

O *feedback* verbal permite que você comunique como está interpretando as mensagens verbais, vocais e visuais do cliente. Por exemplo, com base nos comentários do cliente, você pode perguntar: "Vamos aprofundar este assunto?" Ou: "Você acha que vai funcionar?" Se o cliente apertar os olhos ou franzir a testa, você pode dizer o seguinte: "Tenho a impressão de que não estou sendo muito claro. Há alguma coisa que eu possa explicar melhor?"

O *feedback* deve se tornar uma parte natural da comunicação com qualquer pessoa. No caso de um contato de vendas dê e receba *feedback* verbal. Se não receber, peça. Eis como:

- Durante a apresentação, descreva para o cliente suas impressões para verificar se estão na mesma sintonia. Você pode dizer, por exemplo: "Você mencionou que está com vários problemas de produção. Deixe-me mostrar como este produto vai resolvê-los."

- Faça perguntas estimulantes para solicitar *feedback*. As perguntas podem ser formuladas criativamente, como por exemplo: "Quando eu digo que o computador é 'amigável', o que lhe vem à cabeça?"

76 A Venda Não-Manipulativa

- Reformule a mensagem da cliente com suas próprias palavras em vez de repeti-las ao pé da letra. Se você estiver vendendo, por exemplo, um *software* para uma cliente que precisa de um programa com atualização e treinamento permanentes, diga por exemplo: "Vamos ver se entendi direito: você quer se manter informada sobre todas as mudanças no programa e ser periodicamente treinada para usar os novos recursos?"

- Dê *feedback* verbal começando seus comentários com frases como estas:

  "Vamos ver se entendi quais são suas preocupações centrais."
  "Vamos resumir brevemente os pontos-chave que discutimos."
  "Eu ouvi você dizer que..."
  "Pelo que entendi, você está dizendo que..."
  "Eu entendi direito?"
  "Era isso mesmo que você queria dizer?"
  "São essas suas maiores preocupações?"
  "Em resumo é isso?"

Perceba o Feedback Verbal

Receber ou perceber o *feedback* verbal é ser um ouvinte ativo. Ouvir ativamente, perceber as características da voz e observar a linguagem corporal têm suas sutilezas, que serão discutidas mais adiante.

Dar Feedback com Inflexões de Voz

Como já mencionamos, a palavra falada não se limita ao seu significado no dicionário. As emoções por trás das palavras carregam boa parte do peso da mensagem. Para dar *feedback*, você deve usar a voz a seu favor. Controlar a entonação vocal melhora a qualidade do *feedback* e de sua comunicação em geral. Assim como você procura perceber os significados ocultos por trás das palavras de sua cliente, ela tem impressões que vêm das emoções que estão por trás das suas palavras. Consciente disso, você pode evitar que a dúvida, o medo, o tédio ou o cansaço destruam sua mensagem.

Vocalmente, você tem que comunicar as características que se espera de um profissional: entusiasmo, confiança e um sincero interesse. Para isso, varie o volume, a inflexão e o ritmo de sua fala. Transmite-se confiança, por exemplo, projetando uma voz forte e sonora. Falar com clareza e personalidade é sinal de inteligência. Demonstra-se sinceridade baixando o tom de voz e relaxando — e entusiasmo você sabe como transmitir.

A capacidade de relaxar e dar *feedback* vocal diminui a tensão e gera confiança em suas relações. O uso de variações vocais acrescenta impacto às palavras e aumenta, no cliente, a compreensão e a memorização do que você diz.

Reconheça as Inflexões de Voz

O uso de inflexões de voz tem, como contrapartida, a habilidade de percebêlas e interpretá-las. Uma única palavra pode ter inúmeros significados, dependendo da inflexão adotada. Um bom exemplo do fenômeno é a palavra *"ah"*. O dicionário diz que se trata de uma interjeição. Uma interjeição é uma parte do discurso e "ah" não tem significado algum sem uma inflexão de voz. Pense nisso. Dependendo da maneira de falar, "ah" pode comunicar surpresa, compreensão, sarcasmo, dúvida, medo ou expectativa. A única coisa que nos indica o sentido pretendido pelo falante é o seu tom de voz e, de vez em quando, sua linguagem corporal. Mesmo assim, a interpretação dessa inflexão de voz é natural para nós: não precisamos parar e analisar.

A percepção que você tem das inflexões de voz do cliente é natural mas, para assimilá-las, é preciso concentração. Como vendedor não-manipulativo, você sabe ouvir ativamente, dar e receber *feedback*. Mas precisa *afiar* seu poder de concentração e registrar mentalmente suas percepções.

O primeiro passo para entender a inflexão vocal de uma pessoa é perceber o que é normal. A velocidade e o volume normais da fala também lhe fornecem pistas do estilo de comportamento da pessoa, se você ainda não souber qual é. Os diretores e socializadores falam rápido e relativamente alto. Os relacionadores e pensadores falam com mais suavidade e lentidão. Além da velocidade e do volume, habitue-se à inflexão do cliente. Ele é normalmente expressivo ou fala sempre no mesmo tom?

Depois de ter uma boa idéia do que é normal em alguém, você já pode observar e interpretar as alterações da expressão vocal. A alteração é sempre significativa — não importa em que direção ou em que grau. Quando perceber uma alteração, manifeste-se. Faça uma pergunta de esclarecimento ou peça *feedback* de alguma outra maneira. Isso é ainda mais importante quando a mudança é para pior. Qualquer lapso na comunicação ou deterioração da confiança deve ser corrigido o quanto antes, se não imediatamente.

As mudanças na inflexão vocal raramente ocorrem sem mudanças no contato visual. Isso facilita sua tarefa, já que dois indícios se manifestam ao mesmo tempo. Se estiver com raiva, por exemplo, o cliente vai falar alto, depressa e com inflexão irregular. Ao mesmo tempo, vai tirar os olhos de você e ficar procurando alguma coisa para atirar no chão ou esmurrar. Esses indícios sutis são a sua deixa para sair correndo e se esconder. Mas vamos falar a sério: todos estão acostumados às inflexões vocais e ao con-

78 A VENDA NÃO-MANIPULATIVA

tato visual, mas não à percepção conjunta e ao uso desses dados para maximizar a comunicação.

Com tudo isso para lembrar enquanto conversa com um *prospect*, é razoável esquecer uma coisa ou outra. Quando ouve, você está mais acostumado a observar o contato visual da pessoa que fala. Portanto, quando notar alguma mudança nos olhos da pessoa, faça disso um lembrete para prestar atenção também nos indícios vocais.

Dar Feedback Não-Verbal

É incrível o quanto se pode expressar sem pronunciar uma só palavra. As sutilezas da linguagem do corpo são fascinantes. A arte de dar *feedback* não-verbal é muito importante para vendedores não-manipulativos. Afinal, ninguém gosta de ser interrompido.

O uso da linguagem corporal mantém o fluxo da conversa e permite que você indique, de maneira silenciosa, que está acompanhando o que é dito. Ao dar *feedback* não-verbal, tenha em mente as seguintes dicas:

- Balance a cabeça quando entender ou concordar, mas *com moderação*. Se não, você vai parecer um daqueles cachorrinhos de brinquedo com cabeça balançante que as pessoas põem na janela traseira do carro.

- Olhe de frente para o *prospect* e mantenha um bom contato visual, mostrando assim que está interessado e que tem confiança para olhá-lo nos olhos.

- Quando estiver sentado, incline-se para a frente. Com isso, você denota que está sinceramente interessado.

- Mantenha os braços abertos e abaixados. Braços cruzados indicam que você não está aberto ao que está acontecendo. A mão no queixo ou no rosto faz com que você pareça entediado.

- Você pode dar ênfase ao que fala brandindo os óculos ou a caneta — mas não na direção da pessoa, ou vai parecer um professor. Quando não estiver falando, não fique brincando com esses objetos.

- Como ouvinte ativo, evite julgar enquanto estiver ouvindo. Se você resvalar para o ouvir avaliador, suprima expressões faciais que revelem o que está pensando. Quando perceber que resvalou, recomece a ouvir ativamente aumentando sua concentração.

- Se estiver trabalhando com um relacionador ou socializador, um tapinha nas costas, para cumprimentar ou para se despedir, transmite calor e costuma ser bem aceito. O sorriso funciona com qualquer pessoa.

Há inúmeros gestos e comportamentos não-verbais que você pode usar. Mas é importante ter sempre em mente o efeito de sua linguagem corporal. Uma posição relaxada e aberta favorece a interação, a cooperação e a confiança, ao contrário de maneiras rígidas e nervosas.

Observe o Feedback Não-Verbal

O vendedor não-manipulativo está sempre consciente da tensão que existe em uma relação. Os indícios mais evidentes de tensão são dados pela linguagem corporal da outra pessoa. Posturas, gestos e movimentos sutis mas reveladores dizem mais, em geral, do que percebem os envolvidos na conversa. Na verdade, certos gestos são mais expressivos do que palavras. Imagine um homem dando um tapa na testa e suspirando. Você percebe imediatamente, sem perguntar, que ele acabou de se lembrar de alguma coisa importante. Imagine, agora, o mesmo homem dando um tapa na testa, depois no braço e depois na perna. Qual é a sua conclusão? Mosquitos! Tudo isso sem palavras.

A percepção e a interpretação da linguagem corporal são rápidas. A pesquisa demonstra que somos capazes de interpretar uma situação ou gesto em 1/24 de segundo — o tempo de exposição de cada fotograma de um filme. O segredo, como ocorre com a inflexao da voz, é registrar a percepção na mente para poder utilizá-la. Para isso, você precisa praticar essa percepção.

Como é um reflexo direto do inconsciente, a linguagem corporal costuma ser mais confiável do que as palavras. Na verdade, ela muitas vezes contradiz a mensagem verbal. Um observador experiente consegue ler, na linguagem corporal, o nível de sinceridade, confiança e interesse que a pessoa tem no momento. Isso lhe permite sentir o avanço da relação — e fazer mudanças para melhor se necessário.

Vários livros e artigos descrevem maneiras de interpretar movimentos das mãos, dos olhos, da boca e assim por diante. No entanto, a maneira mais fácil de compreender a linguagem corporal é observar uma grande quantidade de gestos e posturas. Dentro de um contexto e em combinação com a percepção da inflexão vocal e do *feedback* verbal, você não terá dificuldades para inferir a atitude de uma pessoa, usando as seguintes orientações:

Abertura. Neste caso, o cliente comunica sinceridade e cooperação: quer trabalhar com você para chegar a uma solução adequada. Ele mostra abertura deixando as mãos abertas, as pernas descruzadas, os braços soltos, o paletó desabotoado. Ele pode também tirar o paletó, chegar mais perto, inclinar-se para a frente, sorrir e manter um bom contato visual.

Entusiasmo. O entusiasmo se caracteriza por um sorriso interior, postura corporal ereta, mãos abertas e braços estendidos, olhos bem abertos, alertas e vivos, voz animada e bem modulada.

Boa Vontade. Uma pessoa demonstra esse estado positivo inclinando-se para a frente na cadeira, adotando uma posição aberta e uma expressão facial relaxada mas atenta. Se estiver em pé, fica com as mãos nos quadris e os pés ligeiramente afastados, concorda com a cabeça, mantém um bom contato visual e grande proximidade.

Aceitação. O cliente indica aceitação mostrando honestidade e sinceridade: ele leva as mãos ao peito, mantém as mãos e os braços abertos e um bom contato visual. Ele pode também se aproximar de você e tocá-lo.

Confiança e Autoridade. Aqui, os gestos são fáceis de reconhecer: dedos das mãos se tocando, apontando para cima (quanto mais altas ficarem as mãos, maior a confiança), pernas abertas, inclinar-se para trás na cadeira com ou sem mãos na nuca, contato visual contínuo, postura corporal ereta e altiva, ombros retos, polegares nos bolsos do paletó, mãos na lapela, poucos gestos com a mão no rosto, sorriso interior.

Avaliação. Quando o cliente está ouvindo atentamente suas palavras para julgar-lhes o mérito, sua atitude é de avaliação: senta-se na parte frontal da cadeira com o corpo projetado para a frente e a cabeça ligeiramente inclinada. Faz gestos com a mão no rosto, apóia a cabeça na mão, alisa o queixo ou puxa a barba.

Tédio ou Indiferença. Esses estados se revelam em atitudes como: postura desleixada, pálpebras abaixadas, pouco contato visual, bocejos, lábios frouxos, pernas cruzadas e pés dando chutes, dedos tamborilando na mesa ou fazendo rabiscos, olhar sem expressão, pouco *feedback* visual, olhar fixo nas mãos ou nos dedos, cabeça apoiada na mão, postura voltada para a saída.

Desejo de se tranqüilizar. Para se tranqüilizar, o cliente pode beliscar a parte carnuda da mão, alisar ou afagar delicadamente algum objeto pessoal, como um anel, um relógio ou um colar, morder as unhas ou examinar as cutículas.

Autocontrole. Os gestos de autocontrole aparecem quando o cliente está escondendo alguma coisa. São eles: pulsos entrelaçados nas costas, tornozelos cruzados e travados, punhos cerrados, pupilas contraídas e lábios fechados ou contraídos.

Atitude defensiva. Quando o cliente está psicologicamente na defensiva, seu comportamento tem as seguintes características: corpo rígido, pernas e/ou braços cruzados de maneira protetora, lábios contraídos, punhos cerrados, dedos apertando os braços cruzados, cabeça baixa com o queixo contra o peito, pouco movimento de cabeça, pescoço duro e contato visual mínimo, com rápidos olhares de esguelha.

Suspeita e Reserva. Esses sentimentos podem ser reconhecidos nas seguintes atitudes: resistência ao contato visual, olhar de lado virando ligeiramente o corpo, esfregar o nariz, apertar os olhos ou olhar por cima dos óculos. O primeiro sinal de suspeita e reserva pode ser o conflito entre o que sua cliente diz e o que o corpo dela projeta.

Nervosismo. O nervosismo tem alguns indícios bastante comuns: limpar a garganta, levar a mão à boca, cobrir a boca ao falar, puxar a orelha, torcer os lábios ou o rosto, brincar com objetos, ficar se remexendo, tamborilar na mesa com os dedos. Quando está de pé, a pessoa fica passando o peso do corpo de uma perna para a outra. Outros indícios: fazer movimentos circulares com o pé, mexer no pescoço ou no colar por dentro do colarinho da camisa, risos incongruentes, andar rígido, suspiros profundos, assobiar, fumar, roer as unhas, pouco contato visual, preocupação com a roupa e remexer o dinheiro no bolso.

Frustração. O cliente exibe frustração por meio dos seguintes gestos e atitudes: mãos cerradas, torcer as mãos, alisar a nuca, respiração controlada e superficial, olhar perdido, passar as mãos pelo cabelo, lábios cerrados, ficar batendo o pé ou andar de lá para cá.

Lembre-se: a linguagem corporal denota *o que* a pessoa está sentindo e não *por que* o sente. Por isso, você tem que fazer perguntas para determinar a razão da mudança na emoção.

Dar e receber *feedback* verbal e não-verbal é natural para a maioria das pessoas mas, como no caso de ouvir, nem sempre fazem isso muito bem. Como sempre, isso fica mais fácil com a prática. Lembre-se de usar *feedback* nas seguintes situações:

Para definir palavras. Quando sua *prospect* usa uma palavra ou frase que você não entende, peça a ela que a defina para você. Na mesma linha de raciocínio, quando você usa uma palavra difícil e o cliente parece confuso, reformule a idéia usando palavras comuns. Afinal, as

82   A VENDA NÃO-MANIPULATIVA

palavras valem por sua eficiência para comunicar as idéias com precisão. Uma palavra difícil que não é compreendida vale menos do que uma palavra simples que é entendida com clareza.

No lugar de suposições. As suposições, como a pólvora, não são seguras: quando manuseadas incorretamente, podem explodir na sua cara. Antes de agir com base em suposições, teste-as. Pergunte ao cliente o que ele quis dizer. Imagine uma situação em que o *prospect* sorriu bastante e respondeu às suas perguntas. Se você não procurou saber o que ele está pensando, vai atirar no escuro. Afinal, ele pode estar desinteressado, sorrindo por cortesia. Se não perguntar, você não vai saber. Portanto, faça perguntas, perguntas e, se necessário, mais perguntas.

Para fazer a transição entre as fases do processo de venda. Para passar de uma fase a outra de maneira conveniente e profissional, resuma o que foi abordado até então e pergunte à cliente se está tudo claro e se ela concorda. Você pode dizer, por exemplo: "Nós já falamos sobre uma porção de coisas. Deixe-me fazer um resumo de tudo". Depois do resumo, pergunte: "Pelo que entendi, X, Y e Z são os itens mais importantes para você. Acertei?"

São as Mudanças que Importam

Um ponto crucial nesta discussão é o seguinte: fique atento às *mudanças* no comportamento. Assim como todo experimento científico começa com a observação da norma, as inferências que você faz a partir do *feedback* que recebe se baseiam em mudanças no modo normal de expressão da pessoa. Antes de qualquer outra coisa, aprenda a perceber o momento em que o cliente perde o interesse. Fique atento ao sinal de alerta: diminuição do *feedback*, tanto verbal quando não-verbal. Quando isso acontecer, faça perguntas, mude o ritmo e/ou altere o tema da conversa. Se o *prospect* preferir, interrompa a apresentação para recomeçar em outro momento. Não canse o *prospect*. Você está ali para criar uma interação mutuamente satisfatória.

O conceito de seleção natural, ou sobrevivência do mais apto, se aplica ao mundo dos negócios tanto quanto ao mundo animal. No reino animal, os membros mais fracos de uma espécie simplesmente não sobrevivem. No mundo dos negócios, a força de sua capacidade de ouvir, observar, dar e receber *feedback* determina se você vai sobreviver ou não. Como não saber ouvir é o principal defeito dos vendedores americanos, quem tiver a habilidade para ouvir não apenas vai sobreviver, mas *crescer* e ingressar na elite dos cinco por cento.

6

Planejamento

A MAIORIA DOS VENDEDORES não analisa suas contas porque esse é um trabalho que demanda tempo, atenção e meticulosidade. Os autores lhe imploram: seja uma exceção a essa regra. Lembre-se: você está tentando subir a escada para chegar aos cinco por cento melhores. Para isso, é preciso avançar um degrau por vez e o degrau da análise das contas é muito importante.

Ganhar dinheiro custa dinheiro: suas despesas devem ser cuidadosamente planejadas e não tratadas com indiferença. O modo mais eficiente de minimizar o custo e maximizar os lucros de seu território de vendas é planejá-lo e administrá-lo de maneira profissional.

O plano que você delineia determina, em grande parte, sua capacidade de penetrar no mercado. Uma administração eficaz do território leva em conta a análise do mercado, a análise das contas, a prospecção e a preparação para o contato.

Lembre-se: como vendedor não-manipulativo, você trabalha por conta própria. Você é seu chefe imediato e seu funcionário favorito. Portanto, assuma um papel ativo no planejamento de cada aspecto do seu negócio, da definição do mercado-alvo à sua própria promoção. Planejar o sucesso é o único modo de obtê-lo.

O CONHECIMENTO DA EMPRESA E DO PRODUTO

Você, como vendedor profissional, representa a sua empresa. Na verdade, não é só isso. Você é a sua empresa. Quando você deixa uma boa impressão, ela é beneficiada. É absolutamente necessário, portanto, ter o conhecimento mais completo possível de sua empresa. Há momentos em que

84   A VENDA NÃO-MANIPULATIVA

você tem que vender a empresa, além do produto ou serviço. Compradores preferem comprar de empresas bem conceituadas, o que torna muito importante o conhecimento e a segurança que você demonstra, principalmente quando se trata de vender para pensadores ou diretores. Eles têm mais tendência a perguntar: "Qual é a sua empresa?" "Há quanto tempo ela existe?" "Qual é o histórico dela?"

Além de conhecer o histórico e o desenvolvimento da empresa, você precisa conhecer sua missão. Toda empresa tem alguma razão, além do dinheiro, para entrar no mercado. Descubra o que motivou a fundação da sua empresa.

Além de conhecer a empresa, você precisa, é claro, conhecer o produto. Conhecer o produto é tão importante que os vendedores que trabalham para empresas como a IBM ou a Xerox têm que conhecer cada aspecto dos seus produtos e dos produtos dos concorrentes. Eles são treinados e testados extensivamente, em programas que levam meses e até anos. Em certos casos, os vendedores não têm permissão para falar com *prospects* até que concluam os rigorosos programas de treinamento. Essas empresas são líderes dos seus mercados e os vendedores que as representam são seus reflexos perfeitos.

Certos ramos de atividade exigem que os vendedores tenham formação em áreas específicas. Por exemplo: a indústria farmacêutica e a de tecnologia médica exigem formação em biologia ou base teórica em medicina. Algumas empresas se dispõem até mesmo a mandar seus vendedores para a escola, como parte do treinamento. O raciocínio é consistente: como os representantes de vendas vão lidar com médicos e administradores hospitalares, é melhor que tenham uma compreensão total do produto e de seu funcionamento e que consigam falar e entender a linguagem do comprador.

É essencial que você conheça tudo sobre o seu produto e os de seus concorrentes. Ao falar com um *prospect*, você tem que saber comparar, sem esforço, as características e benefícios do seu produto com os dos seus concorrentes. Você tem que ser especialista em sua área. Na verdade, você tem que ter conhecimento bastante para trabalhar para o concorrente sem passar por muito treinamento.

A ADMINISTRAÇÃO DO SEU TERRITÓRIO DE VENDAS

O procedimento lógico para administrar um território de vendas começa pela análise das tendências, problemas e oportunidades do mercado.

O passo seguinte é analisar as contas, individualmente, para determinar a lucratividade e a alocação do seu tempo.

O plano que você vai elaborar será semelhante ao planejamento que a sua empresa adota para entrar em mercados potenciais. É claro que o seu plano terá uma abrangência menor, mas a estratégia geral deverá ser semelhante ao plano de *marketing* da sua empresa. Responda as perguntas a seguir para começar a ter uma idéia do seu próprio plano de *marketing*:

1. Que ramos de atividade — e, dentro deles, que negócios específicos — serão seu mercado-alvo?

2. Qual o modo mais eficiente, em termos de custos, de atingir tais *prospects*?

3. Quais são, potencialmente, as melhores contas e que fontes devem ser usadas para pesquisá-las? Se você trabalha para uma empresa grande, com departamento de *marketing*, pergunte se ele tem dados mercadológicos que você possa usar.

4. Qual o melhor momento para entrar em contato com esses *prospects*? Se o seu negócio é sazonal, é provável que precise planejar, estudar e visitar seus clientes em uma determinada época do ano.

5. Quais as tendências e condições do mercado que poderão afetar seus *prospects*? Como no mundo dos negócios as mudanças são rápidas, esteja sempre atento para evitar problemas e antever oportunidades para você mesmo e para seus *prospects*.

SEGMENTOS DE MERCADO

Há duas maneiras mais comuns para se administrar um território: geograficamente e por categorias ou segmentos de mercado. A primeira é uma forma óbvia de dividir seus *prospects*. A última pressupõe que, dentro do território, há diferentes tipos de negócios que utilizam o seu produto ou serviço. Sistemas de purificação de água, por exemplo, são produtos usados por restaurantes, hospitais, prédios de escritórios e residências particulares, para citar apenas alguns casos. Cada um desses tipos de negócio é um segmento de mercado.

Se for possível, escolha um número limitado de segmentos de mercado e se concentre neles. Isso vai lhe proporcionar duas grandes vantagens. Em primeiro lugar, você vai se tornar conhecido naquele ramo de atividade.

Em segundo lugar, você vai se tornar um especialista naquele ramo — o que é ainda mais importante. Lendo publicações especializadas e freqüentando reuniões de associações, você vai descobrir todos os detalhes necessários para se tornar um consultor eficiente.

Se você não tiver escolha, sendo obrigado a trabalhar com *prospects* de vários segmentos do mercado, divida-os em categorias. Assim, você vai se organizar melhor e será mais fácil descobrir que publicações deve ler para obter informações.

ANÁLISE DE MERCADO

Como dividir seu território em segmentos de mercado? É simples: basta arrolar todos os usos possíveis do seu produto ou serviço e imaginar todos os ramos de atividade relacionados a eles. Em seguida, determine o número de empresas em cada categoria, o porte e a localização de cada uma.

Vender para um número pequeno de segmentos de mercado tem uma vantagem: fica mais fácil determinar o potencial de vendas em cada um deles. Há inúmeras fontes de dados sobre tendências e projeções de vendas por localização geográfica, ramo de atividade e assim por diante. Entre essas várias fontes de informações estão as seguintes:

- Publicações especializadas

- Jornais locais de negócios

- *Wall Street Journal*

- Relatório Anual dos Negócios [*Annual Report on Business*] publicado todo mês de janeiro pela *Forbes*

- *Standard & Poor's Industry Surveys*

- *Moody's Industrial Manual*

- Fontes de referência da *Encyclopedia of Business Information*

- Departamento de *marketing* da sua empresa

- Vendedores não concorrentes

- Grupos de apoio como o TIP e o Winner's Circle

- A sua própria criatividade

As informações que você colher o ajudarão a determinar quais os segmentos de mercado mais promissores. Vale a pena dedicar mais tempo aos mercados que foram mais lucrativos no passado. Isso vale também para as contas individuais dentro de cada segmento de mercado.

Análise da Concorrência

É preciso conhecer os concorrentes — o que fazem de certo, o que fazem de errado e que fatia do mercado detêm. Conhecer a concorrência vai lhe dar uma visão mais objetiva dos pontos fortes e fracos da sua empresa, produto ou serviço.

Para analisar seus concorrentes, compare-os em termos de volume de vendas, reputação, preços, qualidade, serviço ao consumidor, fatia de mercado, crescimento e estabilidade financeira. Em geral não há uma resposta simples quando se trata de definir qual é a melhor empresa. Seus concorrentes podem ser mais fortes em alguns segmentos de mercado e mais fracos em outros, devido à natureza singular das necessidades dos consumidores em cada ramo de atividade. Segmentos de mercado diferentes valorizam características e benefícios diferentes: as suas características e benefícios têm apelo para uns, os dos concorrentes têm apelo para outros. Os pontos fortes e fracos do seu produto, em diferentes segmentos de mercado, devem fazer parte da análise da concorrência.

Depois de coletar todas essas informações, analise por que os concorrentes estão em melhor ou pior situaçao do que a de sua empresa em cada mercado atendido. A questão, em última análise, é a seguinte: como obter uma fatia maior do mercado, capitalizar os pontos fortes e reduzir ao mínimo os pontos fracos?

Análise das Contas

Para aproveitar ao máximo seu território, dedique mais tempo às contas que dão mais lucro. Para estabelecer prioridades, você tem que analisar suas contas através de um sistema objetivo que não deixe dúvidas sobre qual é a melhor parte do bolo.

Você provavelmente já ouviu dizer que 80 por cento dos seus negócios vêm de 20 por cento das suas contas. Se isso for verdade, faça uma lista de clientes "preferenciais": os que lhe dão o máximo de retorno por seu investimento em tempo e dinheiro.

Há quatro passos para determinar a lucratividade de cada conta. Essas análises podem ser feitas no caso de clientes e de *prospects*.

Avalie suas Vendas Potenciais. Para cada conta, faça o seguinte:

* Calcule o valor total das suas vendas no ano anterior. Digamos que a Acme Agar, por exemplo, lhe rendeu US$ 10 mil em negócios no ano passado.

88 A VENDA NÃO-MANIPULATIVA

- Faça uma estimativa do faturamento para este ano. Vamos ser otimistas e projetar as vendas do ano com um acréscimo de US$ 2 mil, totalizando US$ 12 mil.

- Multiplique o número projetado — no caso, os US$ 2 mil adicionais — por um fator de probabilidade. O fator de probabilidade é uma porcentagem baseada no grau de confiança que você tem na sua projeção de vendas. É prático trabalhar com três níveis de confiança: alto (80 por cento), médio (50 por cento) e baixo (20 por cento). Por exemplo: se o seu otimismo for médio, você multiplica US$ 2 mil por 0,50 e obtém US$ 1 mil. Essa quantia é somada aos US$ 10 mil originais, totalizando US$ 11 mil. Esse é o número que você vai adotar como seu quociente de vendas potenciais.

- No caso de *prospects*, aplica-se o mesmo procedimento. A única diferença está na projeção de vendas. Neste caso, compare a empresa do *prospect* com empresas similares que já sejam clientes. Use também tendências e estatísticas do ramo de atividade no prognóstico. Faça uma estimativa que vai servir de base para você calcular o quociente de vendas potenciais.

Calcule o Valor do seu Tempo. Para o seu aperfeiçoamento pessoal e para o cálculo a seguir, é útil determinar quanto você ganhou por hora no último ano. É uma estimativa aproximada que lhe permite comparar as contas entre si. Não faz mal que a estimativa não seja 100 por cento precisa, desde que você adote o mesmo valor em todas as comparações.

Some tudo o que você ganhou no último ano e divida o resultado pelo número de horas trabalhadas. Você trabalhou 40 horas semanais? Trabalhou mais em casa, totalizando 50 ou 60 horas semanais? Uma semana de 40 horas perfaz 2 mil horas por ano, uma semana de 50 horas resulta em 2.500 horas por ano e uma semana de 60 horas em 3 mil horas por ano. Seja qual for o seu número de horas trabalhadas, insira-o na seguinte equação:

Média horária (último ano) (US$/hora) = Faturamento Bruto / horas trabalhadas

Determine a Lucratividade das suas Contas. Para determinar objetivamente a lucratividade de uma conta, calcule o retorno que ela dá pelo tempo investido (RTI). Essa é, simplesmente, a relação entre o esforço e o resultado. O resultado das vendas é o total bruto das comissões ganhas com essa conta. O esforço é o volume de tempo gasto com a mesma conta, multiplicado pelo que você ganha por hora. Em termos matemáticos:

$$\text{RTI} = \frac{\text{Resultado das Vendas}}{\text{Esforço de Venda}} = \frac{\text{Total Bruto das Comissões}}{\text{US\$/hora x horas trabalhadas}}$$

Um exemplo: as comissões que você ganhou com a Bermuda Prism Company totalizaram US\$ 15 mil. Para planejar, entrar em contato, estudar, propor e manter a satisfação desse cliente foram necessárias 300 horas a US\$ 20 por hora. Seu RTI, no caso dessa conta, é de 2,5. Um RTI de 1,0 significa que você está ganhando o mesmo que ganhou no ano passado. Um RTI inferior a 1,0 significa que você está ganhando menos do que ganhou no ano passado. Se uma de suas contas tiver um RTI inferior a 1,0, você tem quatro opções: (1) *A primeira é tentar aumentar as vendas para esse cliente.* Se isso não for possível, (2) reduza o tempo gasto com essa conta; (3) passe-a para o departamento de telemarketing da sua empresa ou (4) atenda essa conta por correio ou telefone.

Repetindo esse processo para cada uma das contas, você vai descobrir que os RTIs são bem diferentes. Quanto maior o valor, mais lucrativa é a conta.

Classifique suas Contas. Depois de calcular o RTI de cada conta, você poderá classificá-las em três níveis de lucratividade. As 20 por cento mais altas serão chamadas de contas A. As 30 por cento seguintes serão chamadas de contas B. As 40 por cento seguintes serão as contas C. Somadas, essas porcentagens totalizam 90 por cento e não 100 por cento. Ponha de lado as 10 por cento mais baixas. Assim, terá mais tempo para aperfeiçoar as outras 90 por cento, pesquisar e *prospectar* novas contas com potencial de conta A. Pôr de lado 10 por cento das contas significa parar de usar seu tempo para atendê-las. Transfira-as para o telemarketing, atenda-as pelo correio ou deixe-as literalmente de lado.

Para encontrar novas contas A, uma das maneiras é observar suas contas A e B verificando se existe algum padrão perceptível. Os padrões desses ramos de atividade vão lhe sugerir quais serão as novas contas A. Com isso, você saberá para onde dirigir seu trabalho de prospecção.

Classificando suas contas como A, B ou C, será possível determinar a correta alocação do tempo para cada uma. As contas A vão exigir mais tempo mas vão lhe dar um retorno proporcionalmente maior. As contas B e C têm que ser aperfeiçoadas e elevadas à condição de contas A.

As fórmulas abaixo lhe permitem determinar o que é preciso fazer para transformar cada conta numa conta A. Reduzindo o volume de tempo investido ou aumentando as vendas, você eleva sua classificação. Tome nota: *É essencial preservar a qualidade do serviço que você presta a cada cliente. Para reduzir o volume de tempo investido, trabalhe com mais inteligência.* Vá reduzindo gradativamente o tempo que investe na conta: talvez você leve um ano ou mais para elevá-la à categoria A. Este exemplo vai lhe mostrar como isso funciona matematicamente. Vamos considerar uma conta A hipotética:

$$RTI = \frac{US\$ \ 15 \ mil}{300 \ horas \ x \ US\$ \ 20/hora} = \frac{US\$ \ 15 \ mil}{US\$ \ 6 \ mil} = 2,5$$

Uma conta B teria os seguintes valores:

$$RTI = \frac{US\$ \ 5 \ mil}{250 \ horas \ x \ US\$ \ 20/hora} = \frac{US\$ \ 5 \ mil}{US\$ \ 5 \ mil} = 1,0$$

Uma conta C poderia ser assim:

$$RTI = \frac{US\$ \ 3 \ mil}{160 \ horas \ x \ US\$ \ 20/hora} = \frac{US\$ \ 3 \ mil}{US\$ \ 3.200} = 0,9$$

Para transformar uma conta B em conta A ou uma conta C em conta B, você tem que aumentar as vendas ou reduzir o tempo investido. Supondo que as vendas continuem as mesmas, você tem que reduzir o tempo — mas quanto? Para descobrir, reajuste a fórmula do RTI para determinar o esforço de vendas.

Esforço = Resultado das Vendas
                RTI
Usando os valores da conta B
       Esforço = US\$ 5 mil/2,5 (RTI visado) = US\$ 2 mil
       (esforço visado)
Para obter o Esforço, divida US\$ 2 mil por US\$ 20/hora
       Esforço = 100 horas

Isso mostra que a meta é dedicar um total de 100 horas por ano a essa conta para transformá-la em conta A. O mesmo cálculo vai determinar quantas horas é preciso dedicar, por ano, a uma conta C para elevá-la a uma conta B.

Manipulando esses números, você descobrirá como e onde usar seu tempo e poderá controlar o retorno pelo tempo investido. Sabendo onde investir o tempo, você pode estabelecer objetivos territoriais.

OBJETIVOS TERRITORIAIS

As oportunidades identificadas levam a objetivos ou metas que você fixa para si mesmo. Esses objetivos, como a classificação das contas, são como prioridades que o motivam e concentram seus esforços onde serão melhor recompensados.

Alguns exemplos de objetivos territoriais:

1. Elevar uma certa porcentagem de contas C a contas B, e de contas B a contas A.

2. Aumentar o total de vendas no ano.

3. Aumentar o percentual de produtos ou serviços de alta rentabilidade.

4. Reduzir as despesas em todo o território.

5. Aumentar mensalmente seu trabalho de prospecção.

6. Ingressar em novos segmentos de mercado ou expandir aqueles em que você já está.

Seus objetivos territoriais vão depender dos clientes, do território, dos produtos ou serviços e da sua empresa. Lute por eles como luta por seus objetivos pessoais.

Até agora, a discussão sobre planejamento concentrou-se em clientes já consolidados. Todo vendedor sabe, porém, que o avanço na carreira e o aumento do faturamento dependem de novos clientes.

PROSPECÇÃO

Sendo um vendedor não-manipulativo que pensa como consultor, você sabe que novos negócios só aparecem quando se vai atrás. Na medida em que os contatos e as relações duradouras se multiplicam, as indicações começam a aparecer — mas você não pode ficar sentado, esperando por elas. A prospecção deve fazer parte de sua rotina mensal.

A grande maioria dos vendedores passa por quedas nas vendas. Com o auxílio da figura 6.1, você vai entender por que tais quedas ocorrem.

Digamos que você começa um trabalho em janeiro e dedica um bom tempo à prospecção. Na verdade, ela ocupa 90 por cento do seu tempo.

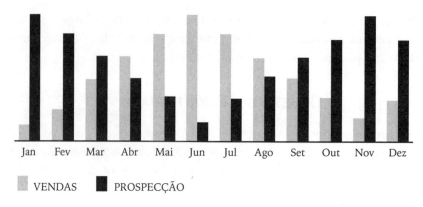

Figura 6.1

Existe, naturalmente, um intervalo entre o primeiro contato com o *prospect* e a confirmação da venda. Isso se chama ciclo de venda. Em geral, quanto mais alto o preço do produto, mais longo é o ciclo de venda. À medida que o tempo passa, as vendas aumentam: seu trabalho de prospecção começa a dar retorno. Você fica cada vez mais impressionado consigo mesmo. Seus clientes estão satisfeitos, seu gerente está vibrando e o seu extrato bancário está com uma aparência cada vez melhor. Mas, na medida em que as vendas aumentam, você reduz o trabalho de prospecção, pensando: "Eu não preciso fazer prospecção, estou vendendo!" Meses depois, você entra em um período de baixa e não consegue entender por quê. A resposta é simples: você parou de prospectar. O alicerce que você lançou no início do ano já deu retorno e a sua fonte de novos negócios está começando a secar.

As quedas nas vendas podem ser evitadas com a prospecção contínua. Há inúmeros modos de aumentar sua visibilidade, descobrir novos mercados e fazer novos contatos. Não há uma estratégia "melhor". Todas elas funcionam: descubra as que funcionam melhor para você, para o seu produto, para a sua empresa e para o seu ramo de atividade. Eis aqui algumas das melhores fontes de *prospects*:

> **Clientes satisfeitos.** É preciso manter o contato com seus clientes para checar se não surgiram necessidades adicionais. Isso ocorre na manutenção pós-venda, que será discutida no capítulo 11. Clientes satisfeitos são um mercado tão fácil de alcançar que muitas vezes nos escapam.

Tony e Phil: Durante três ou quatro anos, vendemos milhares de livros para a IDS/American Express. Desde o início, fizemos o possível para entrar em outros departamentos com o intuito de vender palestras e outros produtos. Finalmente, depois de tanto tempo, eles nos contrataram para implementar nossos programas. A mesma coisa aconteceu com a Xerox. Eles compraram uma grande quantidade de exemplares da primeira edição de *A Venda Não-Manipulativa*. Sondando um pouco, descobrimos uma divisão de treinamentos avançados e lhes vendemos nosso outro livro, *The Business of Selling* (Reston, 1984).

Fique atento aos diversos departamentos, às divisões, à matriz e às subsidiárias de cada cliente. Além disso, quando a sua empresa lança novos produtos ou serviços, sua lista de clientes se transforma em lista de *prospects*. Pelo menos uma vez ao ano, examine sua lista de clientes e sua lista de produtos e serviços para verificar se há novas oportunidades.

Novos prospects. No procedimento tradicional, quando a venda não se confirma, você pergunta automaticamente à *prospect* se ela pode lhe dar alguma indicação. Em geral não dá certo: afinal, que amiga ela seria se indicasse um vendedor insistente? Na venda não-manipulativa, porém, a primeira prioridade é a relação. A segunda é a venda. Assim, quando você pede uma indicação, a *prospect* não sente que está fazendo um desserviço ao amigo ao indicá-lo para você.

Indicações da empresa. Muitas vezes, a sua empresa lhe fornece indicações provenientes de anúncios, de campanhas por mala-direta ou por telefone e de outras fontes valiosas. São indicações de alta qualidade porque se trata de *prospects* que já mostraram interesse por sua empresa. Neste caso, não adie: entre em contato rapidamente.

Amigos e contatos sociais. Como vendedor não-manipulativo, que é consultor e não vampiro, você terá amigos que não ficarão com receio de indicá-lo aos amigos deles.

Grupos comunitários e profissionais. Envolva-se. Entre para associações comerciais e outros grupos relacionados a seus setores-alvo. Você pode, também, ter uma participação ativa na câmara do comércio. Quanto mais alto o seu nível de envolvimento e quanto maior sua visibilidade, mais negócios você faz. Reserve um tempo para trabalhar nos comitês e vá galgando posições até chegar ao conselho ou a alguma outra posição oficial. A visibilidade gera credibilidade e confiança. Percebendo que você se preocupa com a comunidade, as pessoas sentem que você se preocupa também com seus clientes.

Centros de influência. Centros de influência são pessoas importantes da comunidade que podem encaminhá-lo a novos *prospects*. Mesmo que nunca se torne cliente, o centro de influência pode ser um excelente recurso. Dentro de sua comunidade, você pode pedir a ajuda do padre, do rabino, do pastor, do vereador ou de comerciantes influentes.

Contas inativas. São ex-clientes que pararam de comprar, provavelmente porque foram negligenciados por algum tempo. Essas contas são uma mina de ouro, bem debaixo do seu nariz.

Phil: A Dictaphone Security Systems percebeu que estava perdendo bons vendedores porque o ciclo das vendas era relativamente longo. Os vendedores que só recebiam comissão ficavam frustrados e iam embora depois de oito ou dez semanas, mesmo sabendo que a venda média é feita em mais ou menos doze semanas. A Dictaphone deu início a um estudo-piloto que mais tarde ficou conhecido como Projeto Hohokus, nome da cidade de Nova Jersey onde foi testado pela primeira vez. Eis o que fizeram: deram uma busca em seu enorme arquivo de contas inativas e entregaram quinze ou vinte a cada novo vendedor. O vendedor era instruído a não vender nada: tinha apenas que fazer uma visita para passar algumas informações atualizadas. Essas informações eram uma versão revisada de um manual de proteção contra roubo e incêndio. O vendedor acrescentava que checaria o sistema de segurança, prometendo não tentar vender nada: "Não vou nem levar minha pasta. Só quero verificar se o sistema está funcionando corretamente". Quando fazia a visita, depois de checar o sistema, o vendedor perguntava ao cliente se ele tinha algum amigo precisando de sistemas de segurança. Era estritamente uma forma de obter indicações. O projeto reduziu o intervalo entre a contratação e a primeira venda em 60 por cento, diminuindo drasticamente a taxa de rotatividade.

Convenções e feiras. Como consultor que vai mergulhar no ramo de atividade que escolheu, você vai certamente freqüentar feiras e convenções. Elas estão repletas de oportunidades. É provável que sua empresa não participe de todas elas mas, se puder arcar com o custo, participe por conta própria. Crie um tema sugestivo para o seu estande pois assim a decoração, as brochuras e os prêmios terão entre si uma relação temática. Distribua produtos, serviços ou uma viagem ao Havaí para ter como conseguir cartões de visita. Além disso, para fazer contatos, é essencial que você seja o principal vendedor do estande — e não deixe de dar seguimento a eles depois da feira.

Diretórios, índices e Páginas Amarelas. Existem inúmeros diretórios para as empresas de sua área, de negócios ou geográfica. A biblioteca do bairro e a câmara de comércio são fontes de informação inestimáveis. Se não souber usar seus diretórios e índices, peça ajuda.

Grupos de apoio. Grupos de apoio, como o Winner's Circle e o Tip Club, são excelentes fontes de informação e contatos. Eles costumam convidar palestrantes profissionais para apresentar programas de vendas e *marketing*. Você terá também a oportunidade de conhecer vendedores não concorrentes, que poderão ajudá-lo a penetrar nos mercados e entrar em contato com novos *prospects*. Se não houver grupos de apoio em sua área, inaugure um!

Mala-direta. Esse é um meio relativamente barato de atingir um grande número de pessoas. Um folheto simples, bonito e redigido com profissionalismo, é bastante eficaz. O sonho de todo vendedor é ser procurado pelas pessoas.

Em geral, uma campanha por mala-direta é um projeto isolado. Para o vendedor não-manipulativo, deve ser um processo permanente. Os três autores deste livro praticam o que pregam: usam a empresa do irmão de Tony, Gary Alessandra — a Professional Speaker's Marketing Group, de La Jolla, na Califórnia — para mandar malas-diretas mensais à sua enorme carteira de clientes. O retorno é enorme e, na pior das hipóteses, seus nomes circulam regularmente entre pessoas que decidem, no país inteiro.

Pense na possibilidade de criar um informativo para manter seus clientes a par das últimas novidades da sua empresa e do ramo de atividade em geral. Se você não souber redigir um informativo ou não tiver tempo para isso, trabalhe com outras pessoas da empresa ou contrate um redator profissional. O tempo e os custos serão recompensados.

Palestras e seminários. Se você é capaz de ficar na frente de uma platéia para informá-la e diverti-la, tem uma fonte inesgotável de *prospects*. Não é importante ser pago para falar. A recompensa virá com o aumento dos negócios. Essa é uma prática comum que funciona para planejadores financeiros, vendedores de seguros, advogados e assim por diante. Esse método vai torná-lo um especialista aos olhos do público: você será o primeiro nome que vai ocorrer às pessoas quando tiverem alguma dúvida.

Voe de primeira classe. Esta sugestão pode parecer inusitada, mas a experiência dos autores confirma sua eficácia. Quem voa de primeira classe? Quem pode pagar — ou seja, pessoas bem-sucedidas em alguma atividade. São exatamente essas pessoas que você precisa conhecer. Várias linhas aéreas têm promoções para clientes que voam freqüentemente, dando-lhes o direito de trocar a passagem da classe econômica por uma da primeira classe com um desconto muito bom.

96 A VENDA NÃO-MANIPULATIVA

Mesmo que não voe com freqüência, você pode tentar. Diga, no portão de embarque, que gostaria de mudar para a primeira classe, caso não esteja lotada. Se tiver lugar, é provável que seu pedido seja atendido: de graça ou mediante uma pequena taxa. Compensa usar esse expediente para viajar de primeira classe e fazer contatos. Um único contato pode mudar sua vida inteira.

Os *prospects* estão em toda parte. Seja observador. Mantenha os olhos, os ouvidos e a mente abertos para as pessoas e as situações à sua volta. Nunca se sabe quando o seu conhecimento e os seus serviços vão ser necessários.

Identifique os Prospects de Primeira Linha

Prospects de primeira linha são os que têm poder de decisão e dinheiro para comprar seu produto ou serviço. Uma pesquisa e uma análise da conta vão lhe dar indícios que lhe permitirão classificar cada empresa como conta A, B ou C em potencial.

É importante estabelecer critérios para determinar o tempo que vale a pena investir em cada *prospect*. Faça uma lista incluindo prováveis necessidades, nível de crédito, acessibilidade de quem toma as decisões e assim por diante.

O senso de oportunidade é muito importante na prospecção e varia conforme o ramo de atividade. As decisões levam tempo e isso tem que ser levado em conta. Os produtos vendidos durante o Natal, por exemplo, costumam ser comprados no inverno. Seu *prospect* pode precisar de um mês para decidir e você de duas ou três semanas para a fase de estudo. Levando tudo isso em conta, visite esse *prospect* em setembro ou outubro.

Crie um Sistema de Prospecção

Quanto mais organizado você for, menor a probabilidade de perder nomes e números, de esquecer da prospecção ou de cometer outros erros que saem caros. O primeiro passo é criar um arquivo e, se necessário, pedir ajuda para organizá-lo. Mantenha-se atualizado sobre tudo o que se refere ao *prospect*, incluindo datas de contato, quem fez a indicação, possíveis necessidades ou oportunidades e assim por diante.

Seu sistema deve indicar os passos a dar no caso de cada *prospect*. Será necessário um pouco de pesquisa para identificar os mais promissores. Você vai precisar também de sistemas de contato e acompanhamento por mala-direta. Para organizar os arquivos de clientes e *prospects*, você pode adotar o seguinte sistema:

Use um arquivo suspenso, com pastas de 20 por 30 centímetros, etiquetadas de A a Z. Esse vai ser o seu arquivo-mestre de clientes. Faça, em separado, um arquivo-mestre de *prospects* ou, se houver espaço, combine-o ao de clientes.

Cada cliente deve ter a sua folha, onde você vai registrar todas as informações permanentes que tiver sobre a empresa: quem toma as decisões, os contatos que você fez, os endereços, os números de telefone, as datas de aniversário, o nome da mulher ou do marido, os *hobbies* de todo mundo, o nome do cachorro e assim por diante. Anexado a essa folha-mestre, haverá um relatório de atendimento. Sempre que você falar com o cliente, anote o motivo e o resultado, bem como a data do contato seguinte.

Para lembrar de entrar em contato com os clientes na época certa, use um arquivo tipo agenda, a ser consultado diariamente. É provável que você já tenha um arquivo desses, mas pode aperfeiçoá-lo com algumas das idéias que seguem. Use uma agenda, várias agendas ou um arquivo pequeno com fichas. Qualquer que seja o sistema, tem que haver uma divisão em doze meses e uma seção para o mês em curso, dividida em quatro ou cinco semanas. Para cada *prospect* ou cliente, tenha uma ficha com o nome e as datas dos contatos. Ao planejar contatos e a seqüência do atendimento, arquive as fichas na semana em questão. No final de cada semana, dê uma olhada nos telefonemas e visitas da semana seguinte e ponha as fichas correspondentes na agenda ou arquivo diário.

Depois de falar com um cliente, faça suas anotações no relatório de atendimento e arquive a ficha na semana do próximo contato. Há um bom motivo para separar o arquivo-mestre dos arquivos diários. Imagine que você está no escritório, um cliente liga e você precisa localizar rapidamente as informações sobre a conta. Se essas informações estiverem em ordem alfabética, no arquivo-mestre, você saberá exatamente onde procurá-las. Mas se estiverem em uma ficha do arquivo diário, arquivadas em uma data qualquer do futuro, você não vai conseguir encontrá-las, a menos que se lembre, por acaso, da data do próximo contato com aquela pessoa.

Montar um sistema assim pode parecer uma dor de cabeça, mas vale a pena. Existem também algumas alternativas. Você pode pedir ajuda a um amigo organizado, usar um programa de computador para se organizar ou trabalhar com um assistente encarregado de tirar a papelada de sua mesa e guardá-la em arquivos para que não fique se empilhando. Esse assistente poderia também atualizar os arquivos e impedi-lo de bagunçar tudo. Se você optar por essa última idéia, procure ditar as informações e pedir que sejam transcritas e arquivadas — é uma tática eficiente que economiza tempo.

Seja qual for o sistema adotado, o essencial é entrar em contato com seus *prospects*. Dê as cartas você mesmo. Não espere até que eles retornem os telefonemas. Com persistência, sua agenda vai ficar cheia de nomes e números novos.

Já dissemos que os clientes são um patrimônio. Cada vez que você desenvolve uma relação de negócios duradoura, é como se tivesse adquirido uma apólice de seguro de vida. Com o tempo, você vai formar uma base de negócios que vai lhe proporcionar a renda que você merece.

PLANEJAMENTO — A PRÉ-VENDA

Neste livro, os autores salientam continuamente que vendedores não-manipulativos fazem a lição de casa. Eles planejam e pesquisam seus territórios e cada uma das contas mesmo antes de entrar em contato com um *prospect* pela primeira vez. Uma parte importante do profissionalismo é estar preparado. Portanto, o planejamento pré-venda deve ocorrer antes das demais fases da venda — primeiro contato, estudo, proposta, confirmação e manutenção pós-venda.

O planejamento pré-venda tem diversas vantagens, algumas das quais são as seguintes:

- Economiza tempo. Os clientes preferem que você lhes tome o mínimo de tempo possível.

- Faz com que você pareça profissional. A organização permite que você se informe e se comunique com rapidez e eficiência. Nunca entre em contato com um cliente, nem mesmo por telefone, sem antes consultar sua ficha.

- Reduz a tensão. Vendedores iniciantes bem preparados têm menos coisas com que se preocupar.

- Favorece a flexibilidade. Nada substitui o conhecimento e o preparo. O planejamento pré-venda lhe dá ambas as coisas.

- Aumenta as vendas. Quanto mais preparado você estiver, mais eficiente vai ser em tudo o que faz.

Descubra Quem Toma as Decisões

A pesquisa anterior ao primeiro contato tem que revelar o nome do responsável pela tomada de decisões entre as pessoas com quem você vai

PLANEJAMENTO 99

negociar. Você pode obter essa informação perguntando para uma recepcionista: "Quem é a pessoa responsável por...?" ou "Quem se encarrega de...?" Você pode também consultar vendedores não concorrentes que conheçam a empresa. Outras fontes são as publicações especializadas, os relatórios anuais e os jornais de negócios.

Se, no seu ramo de atividade, só se vende para contas de grande porte, você sabe que, em certos momentos, é preciso adotar uma abordagem em vários níveis, uma venda em equipe. Quanto mais complexo e técnico for o seu produto, mais vendedores vão participar da venda e mais compradores participarão da tomada da decisão. Pode haver três responsáveis pela tomada de decisões, em diferentes departamentos e níveis da empresa, como por exemplo: um encarregado da contabilidade, um engenheiro e o presidente da empresa. Cada um deles deve ser consultado por um vendedor da sua equipe que tenha o conhecimento necessário. Quem sabe vender para técnicos vai conversar com o engenheiro. Quem se entrosa bem com o pessoal da contabilidade vai telefonar para o contador — e assim por diante. Sabendo disso com antecedência, você pode se juntar ao seu gerente de vendas e a outros membros da equipe para traçar um plano que lhes permita entrar na empresa.

Estabeleça os Objetivos do Contato

Todo contato com um cliente ou *prospect* tem uma finalidade. Os objetivos do contato variam conforme a fase da venda e a sua relação com o cliente. É importante estabelecer esses objetivos antes do contato. O contato pode se dar por carta, por telefone ou pessoalmente, mas você deve saber com clareza o que vai dizer e por que está tomando tempo do cliente.

A figura 6.2 é um exemplo de uma grade de planejamento que você pode usar para se organizar antes do contato. Ela põe diante de você todos os passos do processo de vendas. A cada etapa concluída, risque-a e vá em frente. Essa grade permite também que seu gerente de vendas se cientifique da situação das contas a qualquer momento. Quando ele perguntar, pegue a grade e mostre em que ponto você está.

Você pode entrar em contato com um cliente por vários motivos: apresentar-se e apresentar a empresa, os produtos ou os serviços; marcar as visitas necessárias para firmar a relação e colher informações; propor uma solução para o problema do *prospect*; confirmar a venda; manter a satisfação do cliente na pós-venda. Tudo isso exige preparação.

A Venda Não-Manipulativa

1.0 — **Contato pelo Correio**
1.1 — Carta de Apresentação — Você
1.2 — Carta de Apresentação — Produto
1.3 — Carta Especial de Venda

2.0 — **Contato por Telefone**
2.1 — Ocupado
2.2 — Não Estava
2.3 — Falou — Resposta Negativa
2.4 — Falou — Resposta Positiva — Voltar a Ligar
2.5 — Falou — Marcar Reunião

3.0 — **Contato ao Vivo**
3.1 — Relação Estabelecida
3.2 — Estilo de Comportamento Identificado

4.0 — **Estudo**
4.1 — Processo de Tomada de Decisão
4.2 — Resumo das Necessidades
4.3 — Critérios de Sucesso
4.4 — Marcada Reunião de Apresentação

5.0 — **Proposta**
5.1 — Documento de Proposta
5.2 — Apresentação Individual/Em Grupo
5.3 — Demonstração
5.4 — Resumo das USCs

6.0 — **Confirmação**
6.1 — Sugerir Compromisso de Compra
6.2 — Sim — Passar para 6.4
6.3 — Não — Motivo?
6.4 — Carta-compromisso

7.0 — **Pós-Venda**
7.1 — Carta de Agradecimento
7.2 — Datas de Entrega
7.3 — Programação do Treinamento
7.4 — Programação da Pós-Venda

8.0 — **Outros Negócios na Empresa**
8.1 — Novo Pedido
8.2 — Contato com Outras Pessoas/Departamentos
8.3 — Acréscimos
8.4 — Contato com a Matriz ou Empresa Subsidiária

9.0 — **Indicações**
9.1 — Pedir?
9.2 — Cartas de Referência
9.3 — Verificar Estilo e Necessidades do *Prospect* Indicado
9.4 — Contato com o *Prospect* Indicado (voltar para 1.0)

10.0 — **Vendas de Outros Produtos para a Mesma Empresa**
10.1 — Iniciar em 1.0 se for uma Pessoa Nova
10.2 — Iniciar em 2.0 se for o Mesmo Cliente

Figura 6.2 **Grade de Planejamento**

PLANEJAMENTO   101

Contato por Telefone

É essencial adaptar o planejamento pré-venda às necessidades inerentes
ao contato por telefone. Os telefonemas, em qualquer etapa da venda, devem ser curtos e objetivos, o que significa que você deve se organizar. Há
vários motivos para você dar um telefonema: quebrar o gelo e fazer-se
conhecer pelo *prospect*, marcar reuniões, dar seguimento a uma proposta,
apresentar novos produtos, cobrar, confirmar informações obtidas anteriormente.

Uma Planilha de Telefonemas (ver figura 6.3) permite que você se concentre rapidamente na finalidade de cada telefonema. Assim, seus telefonemas vão causar uma impressão melhor, tomar menos tempo e cumprir
seus objetivos.

Você pode adotar os itens dessa planilha ao pé da letra ou adaptá-los às
suas necessidades. A organização da folha evita que você se desvie demais
do assunto, perca o fio da meada ou lembre que esqueceu de falar alguma
coisa logo depois de desligar. Ela é ainda de mais utilidade no caso de
interurbanos.

Os itens "Preocupações/perguntas potenciais" e "Respostas" são muito úteis nos telefonemas e contatos ao vivo. Estar preparado é, em grande
parte, saber prever as preocupações do *prospect* e ter respostas e informações prontas. Isso depende do conhecimento que você tem do produto e
da área de atividade e do que descobriu ao pesquisar aquela conta específica.

Contato ao Vivo

Sete medidas devem ser tomadas antes de qualquer contato com o cliente.
Essas providências concentram sua atenção e sua energia criativa,
incrementando significativamente seu sucesso.

1. Faça o máximo de pesquisa possível.

2. Anote por escrito as perguntas que você pretende fazer, assim como
   os tópicos gerais que pretende abordar durante a reunião.

3. Antecipe as respostas do cliente e pense nos possíveis problemas e
   oportunidades que poderão surgir.

4. Visualize seu sucesso. Sejam quais forem os objetivos do contato,
   fique algum tempo sentado, em silêncio, de olhos fechados, e imagine-se com o *prospect*, atingindo com êxito seus objetivos. Essa é
   uma ferramenta poderosa, que funciona de verdade!

5. Faça uma dramatização com um colega. Muitos vendedores evitam
   esse exercício, mas quem o adota não abre mão dele por nada. A

102 A VENDA NÃO-MANIPULATIVA

Empresa: _____

Contato: _____

Telefone: _____

Nome da secretária: _____

Melhor horário para ligar: _____ Data do último contato: _____

Segmento de mercado: _____

Contexto

Informações: _____

_____

Objetivos do telefonema (principal): _____

(secundário): _____

Exposição do benefício inicial: _____

_____

Principais pontos a tratar: _____

_____

O que vou pedir ao cliente: _____

_____

Preocupações/perguntas potenciais (1) _____

_____

Resposta: _____

_____

Preocupações/perguntas potenciais (2) _____

_____

Resposta: _____

_____

FIGURA 6.3 *Planilha de Telefonema*

dramatização aguça a capacidade de prever assuntos e questões. O seu parceiro deve exigir de sua imaginação, mas sem atazaná-lo por brincadeira. É bom também gravar a dramatização numa fita de áudio ou de vídeo. A compreensão que você ganha ao ouvir ou assistir à dramatização será de enorme valor.

6. Revise os objetivos, as idéias, as perguntas e o planejamento geral do contato com o seu gerente de vendas, que pode lhe dar *feedback* e lhe fazer sugestões no sentido de aperfeiçoar seu método.

PLANEJAMENTO 103

7. Pense muito no assunto. Você vai ficar surpreso com tudo o que vai lhe ocorrer se deixar que as informações impregnem sua mente. Vão lhe ocorrer outras perguntas, tópicos e idéias criativas. Tire um tempo, antes da reunião, para deixar o inconsciente trabalhar. Talvez lhe ocorra uma grande idéia que exija algum tempo de preparação, como uma demonstração em vídeo ou um folheto especial.

Este programa de sete passos do planejamento pré-venda vai lhe ser útil se você o empregar rotineiramente. É claro que, para uma rápida reunião com o cliente, bastam alguns desses passos. Se, por exemplo, você der uma passada para dar alguma informação, a maior parte dos passos é desnecessária — mas não deixe de repassar os detalhes da conta.

Esse processo de sete passos é genérico, mas vai variar apenas conforme a pesquisa e a preparação que cada tipo de contato exige. As necessidades de cada fase da venda — primeiro contato, estudo, proposta, confirmação e manutenção pós-venda — serão discutidas em seus respectivos capítulos.

Uma observação de bom senso. É essencial ter tudo pronto e à mão antes do primeiro contato com um *prospect*. Planeje antecipadamente. Leve cartões de visita, material de consulta, folhetos e outros papéis de que possa precisar. Se for levar o *prospect* em seu carro, veja se ele está limpo. Se for fazer uma apresentação, verifique se o equipamento está funcionando direito. Leve lâmpadas de reserva para o projetor de *slides*. As fitas de vídeo devem estar já no ponto certo. Os documentos fotocopiados devem estar grampeados e protegidos. Planeje a apresentação tão bem quanto a fase de estudo. Visualize as duas para evitar surpresas embaraçosas.

Simplificando, planejamento pré-venda é tudo o que se faz antes do contato com o *prospect*. Você começa com uma visão geral do seu território, das contas e dos *prospects*. A partir dela, analisa onde seu tempo será empregado com mais vantagens, para depois pesquisar e planejar o que for necessário até o momento do contato. Em resumo: essa é a fase em que você pode exercer controle direto sobre sua carreira.

7

Primeiro Contato com o *Prospect*

O CONTATO INTRODUTÓRIO é o ponto em que tudo se junta. A compreensão dos estilos de comportamento, da linguagem corporal e da imagem, a habilidade para ouvir e fazer perguntas e o conhecimento do produto influenciam a impressão que você causa logo nos primeiros minutos desse primeiro encontro. Muitas vezes, nesse prazo curto e precioso, você faz ou não a venda: é o tempo que o *prospect* leva para avaliá-lo e determinar se você é ou não o tipo de pessoa com quem ele quer fazer negócios.

Há três maneiras de fazer o primeiro contato com um *prospect*: pessoalmente, por telefone ou por carta. Cada uma delas deixa uma impressão diferente e tem suas vantagens e desvantagens. A tabela 7.1 mostra como esses três métodos se comparam em termos qualitativos e quantitativos (a pontuação máxima é 3).

A qualidade de um contato é sua eficácia com base em dois critérios: sua capacidade de receber *feedback* do cliente e de atingir algum grau de resolução. Essa resolução pode não ser o "grande fechamento", mas o comprometimento com a etapa seguinte do processo de venda. Os contatos ao vivo são os que proporcionam mais oportunidades de *feedback*, verbal e não-verbal. O telefone é um meio menos eficaz de contato e a mala-direta é o menos eficiente de todos, como indicam as pontuações na tabela 7.1.

O número de contatos que cada método permite é inversamente proporcional ao grau de contato pessoal envolvido. É óbvio que, pelo correio, você atinge um número maior de pessoas em um só dia do que por telefone e que, por telefone, é possível fazer mais contatos do que ao vivo.

Tabela 7.1
Comparação entre os Métodos de Contato

Tipo de contato	Número de contatos possíveis	Qualidade do contato	Valor total
Ao vivo	1	3	4
Por telefone	2	2	4
Pelo correio	3	1	4

Qual é o melhor método? Consultando a terceira coluna da tabela 7.1, você percebe que todos acabam tendo o mesmo valor. A resposta, portanto, é a seguinte: use os três métodos. Todos eles servem a finalidades diferentes e causam impressões diferentes. Não existe um meio *melhor*. A providência mais eficaz é usar todos os três em um esforço organizado e contínuo: você manda cartas, dá continuidade ao atendimento por telefone e marca reuniões com os clientes.

É importante compreender a diferença entre um esforço de vendas e um esforço de *marketing*. Muitas das técnicas são iguais. Por exemplo: ambos adotam a mala-direta, os telefonemas e os contatos ao vivo. A principal diferença, porém, está no número de *prospects* alcançados. Em geral, uma campanha de *marketing* se dirige a um número muito grande de pessoas. O Publishers' Clearinghouse Sweepstakes é um exemplo: é enviado para milhões de americanos.

Um esforço de venda, ao contrário, é dirigido apenas ao número de pessoas que você consegue efetivamente acompanhar durante o processo de vendas. Alguns dias depois de enviar as cartas, você deve telefonar para os *prospects*. Mas, se a sua mordida for maior do que a boca, alguns *prospects* nunca vão receber um telefonema. Isso seria ineficaz e um desperdício de bons *prospects*.

Não há como duvidar da importância da qualidade, mas, sem alguém com quem falar, a qualidade não vale nada. Se houver escolha entre um vendedor com técnicas impecáveis de comunicação que visita só uns poucos clientes e um vendedor sem tanta técnica que faz uma excelente prospecção, os autores optam pelo segundo. Não há dúvida de que a quantidade é um fator crucial na fórmula do sucesso. Embora este livro seja sobre a qualidade de suas vendas, você não pode se esquecer da quantidade. De posse de todos os elementos da venda não-manipulativa, você poderá aumentar o número de vendas que faz a um determinado número de *prospects*, mas isso não reduz a importância de entrar em contato com o maior número possível de *prospects*.

Mantenha um Suprimento Constante de Contatos

Imagine o processo de vendas como um funil, como ilustra a figura 7.2. O passo mais importante do processo de vendas é o começo — a fase do primeiro contato. Sem uma fonte sempre renovada de *prospects*, o resto do processo de vendas é inviável.

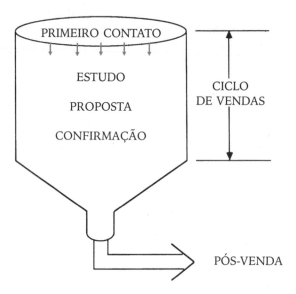

Figura 7.2 *O Funil das Vendas*

O tempo entre o primeiro contato e a confirmação das vendas chama-se ciclo de vendas. As baixas nas vendas não se devem às atividades do momento, mas à falta de atividade no início do ciclo.

Phil: Uma amiga minha, que dá palestras, estava triste porque não estava sendo tão solicitada quanto antes. Através de algumas poucas perguntas diretas, eu constatei que ela estivera tão ocupada nos últimos 90 ou 100 dias que não tinha feito nenhum contato novo nesse período. Disse a ela que, por mais ocupada que estivesse, não podia deixar de entrar em contato com um número mínimo de novos *prospects*, todos os dias ou todas as semanas, para evitar uma baixa nas vendas.

Um modo certeiro de evitar que se acabem as indicações é não deixar de encher o funil do ciclo de vendas. Você *precisa pôr continuamente* novos contatos na parte de cima do funil para que haja vendas na parte de baixo.

É como uma fábrica: sem matéria-prima não dá para fabricar um produto. Para manter o funil sempre cheio, você tem que entrar em contato com novos *prospects* todos os dias. De vez em quando, você pode fazer um intervalo nas demais fases do processo de vendas — mas não nos contatos com novos *prospects*.

O PAGAMENTO POR TUDO O QUE VOCÊ FAZ

Como você avaliaria estas estatísticas?

10 contatos = 3 apresentações
3 apresentações = 1 venda
1 venda = US$ 120 de comissão

Se você fizer essa pergunta a vendedores, com base nos números acima, a maior parte responderia: "Ganhei US$ 120 em uma apresentação e nada nas outras duas". Essa não é uma visão muito positiva e não lhe dá muita perspectiva.

Os vendedores têm que aprender a ver as estatísticas como os atletas profissionais. Willie Wilson, dos Kansas City Royals, foi o melhor rebatedor da liga principal em 1982: rebateu uma em cada três bolas. Um rebatedor com esse desempenho que seja bom também na defesa ganha cerca de um milhão de dólares por ano. Mesmo assim, avaliado como os vendedores se avaliam, ele erra duas em cada três bolas. Se um jogador de beisebol tivesse essa visão, que motivação você acha que ele teria? Não muita. Mas, em vez disso, o jogador profissional de beisebol pensa consigo mesmo: "Eu rebati um terço das bolas cada vez que pisei na base". E com isso ele se motiva.

Na realidade, as estatísticas acima dizem o seguinte: o vendedor não ganhou uma comissão de US$ 120 por uma apresentação e nada pelas outras: ganhou US$ 40 por cada uma. Indo um pouco mais além e usando a analogia com o beisebol, o vendedor recebeu US$ 12 *por cada contato* e não US$ 120 por um deles e nada pelos outros nove.

Se alguém oferecesse a você US$ 12 por cada contato que fizesse, ou seja, a cada carta, telefonema ou visita, o que você faria? Trabalharia duro para fazer o maior número possível de contatos ou tiraria meia hora a mais para almoçar e faria corpo mole durante a prospecção? Você trabalharia duro.

Muitos vendedores acham que são pagos para vender. Isso não é verdade. Você é pago para fazer contatos. Sem contatos você não consegue vender. Na verdade, você é pago por cada passo do processo de venda. Melho-

108 A VENDA NÃO-MANIPULATIVA

rar a qualidade ou aumentar a quantidade dos contatos aumenta a produtividade.

O exemplo da proporção 3 por 1 entre apresentações e vendas é hipotético. Insira seus próprios números de contatos, apresentações, vendas, comissões, salário e assim por diante. Calcular quanto rende cada contato revela exatamente a sua remuneração por tudo o que você faz.

EXPOSIÇÃO DO BENEFÍCIO INICIAL

Por que uma *prospect* se reuniria com você? Ela não sabe quem você é e talvez não conheça a sua empresa. Deve existir, portanto, um modo de você lhe dizer rapidamente quem é e como pode ajudá-la — de maneira a revelar que você não é um vendedor tradicional, mas um vendedor não-manipulativo, que presta serviços de consultoria aos clientes.

Vamos tomar um exemplo de contato telefônico, que é tão comum. A primeira coisa é dizer ao *prospect* quem você é e qual é a sua empresa. Isso é óbvio. O que não é óbvio é o passo seguinte. Os vendedores tradicionais usariam um discurso-padrão para dizer ao *prospect* em que podem servi-lo. Ele projeta a seguinte imagem: "Como vai, *Prospect*? Se você ficar aí sentado e de boca fechada, eu vou lhe dizer quais são os seus problemas e como resolvê-los. Se assinar o contrato e fizer um cheque, vou também implementar a solução. Eu faço de tudo".

Como você se sente com relação a esse vendedor? Você já foi um vendedor desse tipo? A maioria já foi.

O vendedor não-manipulativo apresenta a possibilidade de ajuda e explica por que está em condições de proporcionar essa ajuda. Ele projeta uma imagem melhor para o *prospect*: "Para ser franco, Sra. Brooks, eu estou em condições de ajudar algumas pessoas, mas outras não. Para saber em que categoria a senhora se encaixa, temos que passar alguns minutos juntos. Vamos falar sobre o que a senhora faz e sobre o que eu faço e ver se há uma base comum para se fazer negócio. No fim, se eu achar que posso ajudá-la, vou lhe pedir um pouco mais de tempo para me informar ainda mais sobre a sua situação. Por outro lado, se eu achar que meus serviços não são necessários, eu vou embora".

Uma exposição do benefício inicial seria assim: "Sra. Brooks, já trabalhei com diversos bancos desta região e lhes mostrei como aumentar os lucros reduzindo os custos. Eu gostaria que me falasse rapidamente de suas operações para ver se posso ser útil à senhora".

A finalidade dessa exposição é mostrar de imediato ao *prospect* quais seriam os benefícios. Isso dá a ele um motivo para falar com você. É me-

CARTAS

É essencial que a *prospect* tenha visto ou ouvido seu nome antes que você fale com ela. Isso evita que ela diga: "Quem?" Em vez disso, vai dizer: "Ah, sim, eu recebi sua carta recentemente". Por isso, a carta é uma precursora lógica do telefonema e da visita.

As cartas servem como apresentações e são ainda mais eficientes quando incluem uma referência a um terceiro. Não tenha medo de citar nomes, desde que seja honesto: os nomes abrem mais portas do que as chaves. As cartas têm também outras utilidades:

Confirmar compromissos marcados. Os compromissos à distância podem ser confirmados com bastante antecedência por carta.

Responder perguntas. Fornecer informações ou responder às perguntas do cliente é mais barato pelo correio.

Entrar em contato com pessoas ocupadas. Médicos, presidentes de empresa e outras pessoas inacessíveis preferem cartas. Em geral é impossível para eles atender todos os telefonemas.

Dar seguimento ao contato. É útil resumir numa carta os principais pontos discutidos durante uma reunião de vendas. Assim, você e o cliente vão ter um registro escrito do que aconteceu e o cliente fica sabendo que você negocia com profissionalismo. As cartas de agradecimento também revelam profissionalismo.

Atualizar. Uma carta sucinta com documentos anexos serve para manter o cliente informado sobre os mais recentes avanços em sua área ou em sua empresa.

Aquecer os negócios. As malas-diretas, com promoções e ofertas, aumentam as vendas.

Seja qual for a finalidade da carta, ela reforça a confiança, mantém o interesse e mantém abertas as linhas de comunicação entre você e o cliente.

Cartas Pessoais

Em nove entre dez casos, as cartas pessoais são a única opção. Elas mostram que você se interessa — afinal, empregou seu tempo para escrevê-las — e é esse tipo de atenção pessoal que constrói boas relações de negócios. Se você não tiver tempo para escrever cartas, dite-as e peça a um assistente para transcrevê-las. Uma outra alternativa é rascunhar o que pretende dizer e pedir ao assistente para redigir para você.

Jamais dê seguimento a um contato com uma carta padronizada. Se fizer isso, pode dar adeus àquela conta. Cartas padronizadas só servem para promoções por mala-direta.

A arte de escrever cartas concisas requer prática. Para transmitir a melhor impressão possível, não deixe de fazer o seguinte:

Use papel de boa qualidade. A sua carta é uma extensão de você e de sua imagem profissional. Use um papel bonito e macio.

Personalize suas cartas. Use o logotipo da sua empresa em todas as suas cartas e não deixe de anexar o seu cartão.

Datilografe suas cartas. A menos que sejam notas muito breves, as cartas manuscritas têm aparência amadorística. Se não tiver uma máquina de escrever, peça, pegue emprestada ou roube uma. Se não souber datilografar, peça, pegue emprestada ou roube uma secretária. Em quase todas as cidades existem serviços profissionais de datilografia. Use um se necessário. É uma despesa pequena que vai valer a pena. Procure um profissional que tenha computador, para que você possa salvar os originais das cartas pessoais e das malas-diretas. No futuro, custa menos alterar cartas que já estão no computador.

Divida o texto. Escreva parágrafos curtos e objetivos, evite frases longas e separe as idéias. Use um parágrafo para cada idéia e vá direto ao ponto. Resista à tentação de conversar fiado ao escrever para diretores e pensadores. Com relacionadores e socializadores, no entanto, não há problema em abrir a carta perguntando como foi a viagem para Maiorca.

Use uma frase introdutória forte. O leitor deve tomar conhecimento da finalidade da carta ao ler a primeira frase. Faça a exposição do benefício inicial. O resto são detalhes que servem como complementação.

Ao escrever para *prospects* que ainda não conhece pessoalmente, as melhores cartas são as pessoais. Mesmo sem conhecer o *prospect*, sua pesquisa deve levantar informações suficientes para formar a base de uma carta. Não esqueça do seguinte:

PRIMEIRO CONTATO COM O PROSPECT

1. Use o nome do *prospect* na saudação e verifique se o escreveu corretamente.
2. Identifique-se e identifique sua empresa.
3. Mencione quem o indicou, se for o caso.
4. Faça uma exposição do benefício inicial que prenda a atenção do *prospect*. Por exemplo: "Nosso programa novo pode reduzir em 20 a 30 por cento o tempo de emissão das suas faturas."
5. Identifique uma área de interesse que você descobriu na preparação pré-venda.
6. Escreva na linguagem do ramo de atividade do cliente. Use o vocabulário que ele usa todos os dias. Isso indica que você conhece bem a área dele.
7. Dê ao cliente um ou dois motivos para se encontrar com você. Torne os motivos relevantes aos negócios dele. Esses motivos devem ter relação com a exposição do benefício.
8. Inclua um folheto para aumentar o interesse.
9. Indique quando você vai entrar em contato por telefone.
10. Seja breve. A carta deve ter no máximo uma página.

Depois de compor a carta, mostre-a aos amigos e à família. Ouça os comentários e prepare-se para reescrevê-la até atingir a perfeição.

É infinitamente mais fácil escrever cartas no computador do que na máquina de escrever. Se você não tiver computador e não puder usar o da empresa, consulte uma empresa especializada em processamento de texto. Eles vão lhe explicar como combinar, no computador, as listagens de mala-direta com suas cartas de modo a produzir cartas comerciais que pareçam pessoais.

Roy: Como a minha empresa tem a vantagem de ser totalmente informatizada, nós temos um estoque de modelos de cartas adaptadas aos diferentes estilos pessoais. Em nosso meio, constatamos que a maior parte dos diretores de mídia são pensadores. Então, o parágrafo de abertura das cartas dirigidas a eles tem que interessar um pensador. É esse tipo de coisa que deixamos preparado antes mesmo de fazer contato com a pessoa.

Não é só isso. Temos fichas em quatro cores diferentes no arquivo das contas: cada cor corresponde a um estilo de comportamento, já que as nossas contas são arquivadas no computador por ramo de atividade *e* estilo de comportamento. Isso é de muita utilidade em campanhas de mala-direta.

Depois de conhecer a pessoa e seu estilo, usamos a cor de papel apropriada na ficha. Assim, quando estamos ao telefone com o cliente, basta olhar para a sua ficha para saber como fazer perguntas em harmonia com seu estilo.

Inspirados pelas idéias inteligentes de Roy, os autores compuseram algumas cartas para mostrar que um parágrafo de abertura pode ser ao gosto de diferentes estilos pessoais.

Exemplo de Carta para um Diretor

Prezada Sra. Johnson,

> *"Prescrição sem diagnóstico é imperícia médica."*
> *— Dr. Tony Alessandra*

Nos negócios, como na medicina, nós acreditamos nessa verdade. É por essa razão que quero me reunir com a senhora para conhecer seus negócios e ajudá-la a encontrar meios criativos para atingir suas metas.

Telefonarei dentro de alguns dias para marcar um horário em que possamos nos encontrar.

Atenciosamente,
Rick Barrera

P.S.: Anexei um exemplar de nossa última edição e acho que o artigo da página 10 pode interessá-la.

Exemplo de Carta para um Pensador

Prezado Sr. Cognito,

> *Pesquisa Recente Revela:*
> *Anúncios em Quatro Cores Têm Índice de Leitura 45%*
> *Superior ao dos Anúncios em Preto-e-Branco*

Nós somos a única publicação *business-to-business* em quatro cores da grande Newark.

Se quiser saber como posso ajudá-lo a aumentar seu público leitor, melhorar sua imagem e ampliar sua margem de lucros, fale comigo no número 123-4567.

Atenciosamente,
Philip S. Wexler

PS. As pesquisas indicam também que os anúncios em página dupla aumentam o índice de leitura em 38 por cento*.

* Fonte: *Analyzing Communication Trends*, série de relatórios da Technical Publishing, uma empresa Dun & Bradstreet.

Exemplo de Carta para um Socializador

Prezada Sra. Gregária,

O que a Xerox, a IBM e a Mercedes Benz têm em comum?

Todas elas usam o *Business Times of San Bernardino* para melhorar sua imagem e aumentar suas vendas.

Segundo eles, assinar a nossa publicação *business-to-business* é a forma mais eficiente de usar suas verbas publicitárias.

Se quiser saber como obter esses importantes benefícios, por favor, telefone para mim: 123-4567.

Atenciosamente,
Tony Alessandra

PS.: Nossa próxima edição sobre imóveis pode interessá-la. Ela vai sair na primeira semana de dezembro.

Exemplo de Carta para um Relacionador

Prezado Sr. Prestativo,

Nós criamos o *Business Times* para proporcionar às empresas locais um modo eficiente de se comunicar entre si. Além disso, queremos incrementar os negócios de toda a região de Lower San Diego.

Como o senhor poderá constatar, a nossa grande circulação e o nosso elevado índice de leitores fazem de nossa publicação um excelente meio para anunciar seus produtos e serviços para a comunidade empresarial local. Todos os meses, vamos facilitar seu acesso a clientes que a sua equipe de vendas ainda não teve tempo de identificar.

Sua mensagem vai alcançar 8 mil empresas por mês, indo diretamente para as mãos de quem toma as decisões — por uma fração do que a sua equipe de vendas recebe atualmente. Mas não demita seus vendedores! O senhor vai precisar deles para aproveitar as oportunidades que o seu anúncio vai gerar.

114   A Venda Não-manipulativa

Telefonarei nos próximos dias para saber se o senhor gostaria de discutir esses e outros benefícios de trabalhar conosco, tornando o condado de Lower San Diego uma comunidade empresarial cada vez melhor.

Atenciosamente,
Rick Barrera

P.S.: As portas vão se abrir com mais facilidade para seus vendedores quando os *prospects* tiverem lido seu anúncio e estiverem familiarizados com a sua empresa.

Dicas para Redigir Melhor

Ao redigir uma carta, o melhor é falar em termos dos interesses do *prospect* e não de seus interesses. Para isso, leia o número de "eus". Leia a carta e conte quantas vezes usou as palavras *eu, mim, meu* e *minha*. Você vai se surpreender com a freqüência com que elas aparecem. Reescreva a carta concentrando-se no *prospect* e nas necessidades dele, usando "você" e "seu". Em vez de dizer "Tenho um produto que...", diga "Você vai se interessar em saber que..."

É importante evitar o exagero. Seu senso de profissionalismo vai lhe mostrar que entusiasmo levado ao extremo vira fanatismo. Comunique seu entusiasmo com discrição e conteúdo.

Ao analisar a sua carta, pergunte-se se ela cumpriu o planejado. O objetivo da carta ficou claro? Ela descreve o produto ou serviço sem dar informações demais? É importante atiçar o interesse do *prospect* sem fornecer muitos detalhes, que podem levá-lo a uma conclusão precipitada.

Não esqueça de guardar cópias da correspondência, o que é uma forma de documentar seu progresso com os *prospects*. Além disso, você poderá usar as melhores cartas para outros contatos.

Analisando os modelos, você vai descobrir como redigir suas cartas:

1. Na saudação, utilize "Sr." ou "Sra". Não deixe de verificar para quem está escrevendo e a grafia correta do nome da pessoa. Nunca escreva "Prezados senhores" ou "A quem possa interessar".

2. Se houve uma indicação, ela deve ser mencionada no primeiro parágrafo, de maneira breve e simples.

3. O segundo parágrafo mostra que você fez a lição de casa e depois revela o objetivo da carta.

4. O terceiro parágrafo diz alguma coisa sobre a empresa do *prospect* e expõe os benefícios de maneira breve e discreta.

PRIMEIRO CONTATO COM O *PROSPECT*

5. É sugerida uma reunião e mencionado um telefonema.

6. Anexe sempre um folheto e prometa que dará mais informações pessoalmente.

Ditar

Muita gente acha que ditar economiza um tempo valioso. Compre um gravador de bolso e aproveite o tempo que passa no trânsito ou esperando. Depois de um telefonema para o cliente, por exemplo, você pode ditar uma carta de agradecimento e dar para seu assistente datilografar.

Ditar exige prática porque você precisa pensar de modo organizado. Muitas pessoas acham difícil organizar os pensamentos e falar ao mesmo tempo. Por isso, escreva um rascunho, que deve reunir as idéias-chave na ordem correta. Anote os exemplos, preços, dados, horários, datas e outros detalhes a serem incluídos. Rascunhada a carta inteira, siga o rascunho e vá ditando devagar.

Depois de ditar, não deixe de ouvir a gravação. Quando a carta estiver transcrita, prepare-se para editá-la e revisá-la. As cartas devem ser escritas em linguagem gramaticalmente correta e não no estilo solto que a maioria usa para falar

Cartas Padronizadas

A vantagem das cartas padronizadas é atingir um máximo de pessoas num mínimo de tempo. A desvantagem é a impessoalidade, o que faz que nem sempre sejam apropriadas. Essas cartas devem ser usadas somente para grandes promoções por mala-direta. As dicas a seguir vão ajudá-lo a redigir cartas padronizadas eficazes:

1. A frase de abertura deve atrair imediatamente a atenção do leitor.
2. O parágrafo de abertura não deve ter mais de duas ou três frases.
3. Os parágrafos iniciais devem prometer um benefício para o leitor.
4. Revele antes o seu principal trunfo.
5. Deve haver um benefício fortemente motivador por trás de sua proposta.
6. Disponha seus pensamentos em ordem lógica.
7. Escreva em estilo confiável, evite hipérboles.
8. Facilite a resposta do *prospect,* caso ele queira encomendar, telefonar ou pedir mais informações.
9. Anexe à carta um pedido de compra para ser preenchido.

116 A VENDA NÃO-MANIPULATIVA

10. Escreva sobre o *prospect* e não sobre você mesmo ou sobre sua empresa. Releia a carta e conte o número de "eus".
11. Dê à carta um tom leve e informal.
12. Escreva com simplicidade, evitando palavras rebuscadas e jargões desconhecidos.
13. Evite começar frases com artigos.
14. Use os verbos na voz ativa e não na passiva. Diga, por exemplo, "esse objeto gira 360 graus" e não "esse objeto pode ser girado 360 graus".
15. Elimine os "ques" desnecessários.
16. Deixe os parágrafos com menos de seis linhas.
17. Não use grifos, pontos de exclamação ou maiúsculas para dar ênfase. O entusiasmo deve ser transmitido pelas palavras.
18. Peça opinião a quem entende de texto publicitário. Pode parecer muito trabalho, mas a recompensa é generosa. Qualquer pessoa que já tenha trabalhado com mala-direta vai lhe dizer que uma carta bem escrita é uma mina de ouro.

Cartas Escritas no Computador

Hoje, com os computadores, a correspondência é infinitamente mais fácil do que nos velhos tempos em que se catava milho na máquina de escrever. Você escreve a carta uma vez e ela pode ser utilizada indefinidamente, com poucas alterações em cada cópia.

Há um modo criativo de usar o computador para ajudá-lo a planejar com antecedência a prospecção. Escreva uma carta que pareça pessoal mas que possa ser enviada para praticamente qualquer *prospect*. Imprima um número de cartas que dê para enviar para todos os *prospects* com quem vai trabalhar naquele mês. Mas não mande todas as cartas no mesmo dia: vá enviando ao longo do mês. Digamos que você pretende entrar em contato com oitenta *prospects*: são quatro por dia, cinco dias por semana, durante quatro semanas. Imprima as cartas com as datas em que serão enviadas. Quatro cartas terão a data de 1º de março, as quatro seguintes de 2 de março e assim por diante. Nos envelopes, no lugar onde vão ser colados os selos, anote a lápis as datas em que as cartas serão enviadas.

Quando começar a enviar a correspondência do mês, vá colando os selos sobre as datas anotadas a lápis e remetendo as cartas. No arquivo diário, anote as informações sobre esses clientes, já que vai lhes telefonar para dar seguimento ao contato por carta. Espere o tempo necessário para que as cartas sejam entregues e mais um ou dois dias — e só então telefone.

Esse sistema é bom para todo mundo, mesmo para quem não tem secretária nem assistente. Contrate uma empresa de digitação: o aumento nas vendas vai compensar de longe os custos. Mediante uma taxa adicional, a empresa pode enviar as cartas diariamente e fazer um relatório semanal ou mensal, para que você saiba para quem telefonar — e quando.

Depois de se apresentar com uma carta, o passo seguinte é telefonar para os *prospects*.

O Telefone

Do ponto de vista da relação custo-benefício, o telefone é a ferramenta de comunicação número um, principalmente quando se trata de clientes já consolidados, das categorias B e C. As cartas consomem tempo e material. Já se avaliou que o custo de uma única carta é de 5 a 10 dólares. Uma visita é ainda mais cara: segundo uma avaliação, os contatos ao vivo custam mais de 250 dólares. Obviamente, telefonemas custam muito menos do que visitas ou cartas. Eles são, ao mesmo tempo, menos pessoais do que as visitas e mais pessoais do que as cartas.

Representando uma tal economia em tempo e dinheiro, o telefone é apropriado para falar com clientes e *prospects*, marcar compromissos, responder e fazer perguntas. O telefone exige técnicas de comunicação diferentes das que se usa em visitas ao vivo. No entanto, as técnicas que você aprender para falar com eficácia ao telefone vão melhorar os contatos que fizer pessoalmente.

A principal desvantagem do telefone é limitá-lo aos aspectos verbais e vocais desse meio de comunicação. Por isso, alguns vendedores acham difícil se relacionar por telefone. Para superar esse problema, crie uma imagem mental da outra pessoa enquanto conversa. Se você não conhece o *prospect*, imagine um amigo e fale da maneira relaxada que usaria normalmente. A visualização, para muitos vendedores, melhora significativamente a atitude.

A sua atitude é transmitida pela voz. Se você estiver de mau humor, isso será revelado pela voz. Em muitas empresas de vendas por telefone há um espelho sobre a mesa de cada funcionário para que os vendedores se vejam enquanto falam. As pesquisas demonstram que sorrir ao telefone influencia quem está do outro lado da linha: o ouvinte ouve a diferença na sua voz quando você sorri.

Teste a sua Qualidade Vocal

O som de sua voz ao telefone é um fator importante para o resultado do telefonema. Para aperfeiçoar sua qualidade vocal, experimente fazer o seguinte: grave as conversas num gravador, adaptando-o, se possível, ao telefone, para depois ouvir os dois lados da conversa. Ligue para uma amiga, diga a ela o que está fazendo e converse normalmente ou finja que ela é uma *prospect*. Depois, ouça a sua voz e perceba que impressões ela transmite. Você é confiante? Fala rápido demais? Você dá tempo para que a outra pessoa responda às suas perguntas?

Guarde as fitas, para compará-las com as que vai gravar depois de melhorar sua qualidade vocal. Escutando fitas antigas, você não esquece do que precisa melhorar em sua maneira de falar. Se não conseguir julgar sua qualidade vocal, peça a um colega de trabalho ou amigo para ouvir as fitas e avaliar o controle que você tem da voz. Um ouvinte objetivo consegue, muitas vezes, ouvir coisas que você não percebe.

É bom voltar ao capítulo sobre ouvir e sobre *feedback*. Os princípios que se aplicam à voz ao telefone se aplicam também às conversas ao vivo. Preste atenção à sua maneira de falar. É fácil entender o que você diz ou você murmura? Você costuma repetir expressões como "sabe" ou "quer dizer"? Você diz "ah..." antes de cada pensamento? Todas essas idiossincrasias da maneira de falar provocam distrações que acabam por diluir a força da sua mensagem.

Elimine os Ruídos de Fundo

Alguma vez você já tentou conversar com alguém ao telefone com aviões decolando e pousando ao fundo, do outro lado da linha? Se já passou por isso, você sabe como os ruídos de fundo são irritantes. A distração fica ainda maior quando a outra pessoa interrompe a conversa para gritar com os aviões, mandando que fiquem quietos. Isso pode não ter muita importância quando o telefonema é para um amigo — mas um telefonema de negócios não pode ter ruídos de fundo.

Além de ser uma distração, os ruídos de fundo se refletem em você. Um telefonema com muito ruído de fundo diz ao cliente que você não se importa com ele, já que nem se deu ao trabalho de evitar os ruídos. É claro que há circunstâncias excepcionais que o obrigam a ligar de um telefone público no aeroporto, mas os telefonemas de rotina têm que ser feitos de lugares silenciosos. Se não, os clientes vão deduzir que você não tem consideração e não é profissional.

Seja Organizado

Se você faz muitos telefonemas por semana, é absolutamente necessário fazê-los de maneira organizada. O primeiro passo para se organizar é estabelecer um horário, todos os dias, dedicado exclusivamente ao telefone — e faça todas as suas ligações nesse horário. Esse hábito desenvolve a disciplina e, com o tempo, facilita as sessões ao telefone. Telefonar para clientes e *prospects* é como tudo o que exige prática: quanto mais praticar, melhor vai ficar.

Durante suas sessões ao telefone, é importante não perder o ritmo. Ao terminar uma ligação, não pare para escrever na agenda ou preencher pedidos. Rascunhe algumas anotações para concluir rapidamente o telefonema e manter o ritmo. Depois, você poderá acrescentar os detalhes.

Quando estiver se preparando para telefonar, é importante ter todas as informações à mão. Se você reservar uma hora por dia para telefonar e passar vinte minutos procurando números de telefone, estará enganando a si mesmo.

Antes de começar a telefonar, é bom ter uma agenda à mão. Causa má impressão dizer "espere aí, vou pegar a minha agenda" sempre que marca um compromisso. Sua agenda pode ser de mesa ou de bolso — contanto que esteja à sua frente.

Ao planejar seus telefonemas, classifique-os por objetivo. Por exemplo: obter informações, oferecer promoções, atender reclamações, fazer cobranças ou marcar compromissos. Faça todos os telefonemas da mesma categoria em seqüência. Isso estabelece um "modo mental" para operar e o ajuda a manter o ritmo.

Uma outra razão para classificar os telefonemas é determinar o melhor horário para ligar. Agrupe-os conforme o tipo de pessoa: cada tipo está disponível num horário diferente. Aqui vão algumas sugestões:

Tipo de Pessoa	Melhor Horário para Ligar
Açougueiros, feirantes	Antes das 9h e das 13h às 14h30
Advogados	11h às 14h
Clérigos	Depois das terças-feiras
Contadores	Qualquer dia, exceto entre 15 de janeiro e 15 de abril
Dentistas	Antes das 9h30
Donas-de-casa	11h às 12h; 14h às 16h30
Editores, impressores	Depois das 15h
Empreiteiros e construtores	Antes das 9h ou depois das 17h

Engenheiros e químicos	16h às 17h
Executivos/empresários	Depois das 10h30
Farmacêuticos	13h às 15h
Médicos	9h às 11h; 13h às 15h; 19h às 21h
Professores	Em casa, das 19h às 21h

Monitore seus Telefonemas

Para aperfeiçoar qualquer técnica, você precisa de uma base para ir avaliando seu progresso. Para aumentar a eficácia ao telefone, registre seus telefonemas para poder acompanhá-los. Esse registro estrutura os dados que você precisa guardar de cada sessão ao telefone. Ele não leva em consideração cada conta: é um diário do que aconteceu em cada telefonema que você fez.

Você vai perceber a importância desse registro ao analisar os resultados. Por exemplo: escolha um horário diferente a cada dia, durante duas semanas, para fazer os telefonemas. Ao fim dessas duas semanas, o registro vai mostrar quais horários foram produtivos e quais não foram. Se você perceber que precisou ligar três vezes em média antes de ser atendido, pode ser que tenha escolhido um horário ruim. Por outro lado, se conseguiu falar com os clientes, mas sem obter resultados, é melhor analisar seus hábitos ao telefone. Sem um registro, porém, não dá para você detectar padrões e analisar seu desempenho.

Exemplo de Registro de Telefonemas

Data	Empresa	Ramo	Pessoa a contatar	Resultado
1.				
2.				
3.				

Respeite as Regras de Etiqueta ao Telefone

Brevidade. Valorize o tempo do cliente tanto quanto valoriza o seu — ou mais. Os telefonemas devem ser o mais breves possível. Isso não significa que você tem que ser lacônico — mas não desperdice tempo. Lembre-se: o seu telefonema é uma interferência. Pode não ser uma interferência irritante, mas é uma interrupção no curso das atividades do cliente. Por isso, pergunte sempre ao cliente se ele pode falar. Se não puder, pergunte quando você pode ligar novamente. A idéia é ter a atenção total do cliente e não uma atenção parcial e ressentida.

Informação Correta. Antes de entrar em contato com um *prospect*, parte de sua lição de casa é descobrir exatamente para quem telefonar. Você pode telefonar para a empresa do cliente e perguntar à operadora, à secretária ou à recepcionista. A vantagem desse método é ter a oportunidade de ouvir como se pronuncia o nome da pessoa. É comum ter que ligar para um cliente com sobrenome difícil e é embaraçoso perguntar a uma pessoa como se pronuncia o sobrenome dela. Pior ainda é achar que sabe pronunciá-lo e pronunciar errado. Portanto, não deixe de averiguar a pronúncia correta do nome e se deve ser precedido de "Sra." ou "Sr." Lembre-se de que há nomes que podem ser de homem ou de mulher.

As Secretárias. Em geral, os vendedores tradicionais vêem na secretária um obstáculo e procuram tirá-la do caminho para alcançar o chefe. Mas não o vendedor não-manipulativo: ele trabalha com a secretária para chegar a quem toma as decisões. Construir uma relação com o cliente é, em parte, construir uma relação com sua secretária. Se você tratar as secretárias com respeito e encará-las como aliadas e não como adversárias, elas vão passar a fazer parte da sua equipe. Quando precisar falar com um executivo inacessível, considere as dicas a seguir:

- Descubra o primeiro nome da secretária, anote-o e use-o quando estiver falando com ela. As pessoas reagem bem quando você as trata como pessoas e não como robôs. Se você for simpático, tem mais chance de conseguir ajuda para chegar ao chefe. Fique à vontade para pedir conselhos. Em geral, a secretária vai ser honesta e, se puder, vai ajudá-lo.

- Quando telefonar, pergunte pelo executivo pelo primeiro nome. A secretária pode achar que você é amigo dele e passar a ligação.

- Ligue em horários em que há muitas ligações: a telefonista vai encaminhar depressa a sua ligação para se livrar de você. Se usar o primeiro nome do chefe, talvez ela o ponha na linha com ele.

- Telefone de manhã cedo, tarde da noite ou na hora do almoço, horários em que a secretária não está. Se você ligar na hora do almoço, uma recepcionista sem treino para peneirar os telefonemas pode atender e passar a ligação. Se os ramais estiverem muito ocupados, talvez o próprio chefe atenda o telefone.

- Responda educadamente as perguntas da secretária, uma por vez. Se você der apenas as informações que ela pedir, ela vai ter que continuar a fazer perguntas. E pode ser que prefira se livrar da ligação, especialmente se estiver ocupada. Por outro lado, respostas sucintas demais podem ser interpretadas como grosseria. Por isso, faça como no exemplo a seguir:

Secretária: Escritório da Sra. Pratt.
Vendedor: Alô. Posso falar com a Jennifer, por favor?
Secretária: Posso saber quem está falando?
Vendedor: Claro. Aqui é Tom Peterson.
Secretária: De que empresa?
Vendedor: Tom Peterson e Associados.
Secretária: Posso saber qual é o assunto?
Vendedor: Sem dúvida. É sobre uma carta que enviei. Ela está esperando meu telefonema.

Não é desonesto dizer que a chefe está esperando o seu telefonema. Afinal, você mandou uma carta e disse que ligaria.

- Se lhe perguntarem se o chefe está esperando o seu telefonema, diga que sim — estará falando a verdade se tiver escrito antes.

- Muitas vezes as secretárias dizem: "Se você me disser por que está ligando, vou perguntar à Sra. Pratt se ela quer atender". Neste caso, exponha rapidamente um benefício, como por exemplo: "Eu trabalho com alguns hotéis da região, como o Sheraton, o Westin e o Loews. Temos um programa que, em trinta dias, já trouxe a eles um retorno de quinze vezes o investimento. Por isso, gostaria de falar com a Sra. Pratt e perguntar se ela não se interessa em discutir essa opção comigo". Se você seguir as orientações acima e tratar a secretária com cortesia, ela vai fazer o possível por você.

- Peça conselhos. Se você já ligou várias vezes, já deixou o nome, já desenvolveu uma relação por telefone com a secretária e ainda não chegou a parte alguma, pergunte a ela: "Quando é uma boa hora para falar com a Sra. Pratt?" Normalmente a secretária vai lhe dizer qual é o melhor horário ou se é impossível falar com a chefe.

- Seja persistente sem ser inconveniente.

Use a Criatividade Quando Necessário

Infelizmente, há momentos em que não dá para pôr o pé na porta. É hora de ser criativo. Descubra os gostos da cliente e tire proveito disso. Se descobrir que ela adora chocolate, faça alguma coisa criativa que tenha a ver com chocolate. Mergulhe em chocolate e apareça na porta dela! Se a cliente jogar golfe, use o golfe como trampolim.

Um vendedor mandou para o cliente uma caixa com um balão de hélio amarrado a um sapato. No cordão havia um bilhete dizendo: "Agora que já consegui pôr o pé no seu escritório, gostaria de marcar uma reunião para entrar de corpo inteiro". O cliente gostou da abordagem criativa e marcou a reunião.

Outra abordagem possível é mandar uma carta ao cliente com um cheque de US$ 50 ou US$ 100 para a instituição de caridade que ele prefere. (Isso você pode descobrir com a secretária.) O cheque não deve ser assinado. Na carta, diga o seguinte: "Estou lhe enviando um cheque para a sua instituição de caridade favorita. Perceba que não está assinado. Se o senhor me conceder quinze minutos do seu tempo para que possamos descobrir se temos uma base comum para fazer negócios, será um prazer assinar o cheque ao final da reunião, qualquer que seja seu resultado".

Outro recurso é ir ao escritório do cliente para marcar uma hora com ele. Se você já conhece a secretária e o chefe está no escritório, talvez ela o deixe falar rapidamente com ele para marcar um horário. Como condição para que ela o deixe entrar, prometa que vai tomar apenas um minuto do tempo dele. Se prometer, cumpra — aconteça o que acontecer.

Anuncie as Ligações Interurbanas

Quando você ligar de fora da cidade, é recomendável dizer à secretária que sua ligação é interurbana. Em geral, as pessoas dão prioridade aos interurbanos. Se lhe perguntarem se você se importa de esperar um pouco, tome cuidado. Algumas pessoas não têm o hábito de verificar a cada trinta segundos se você ainda está vivo. O melhor é dizer à secretária que só pode esperar um pouco — caso contrário, terá que desligar.

A sua maneira de atender interurbanos se reflete sobre você e sobre a sua empresa. Se o seu telefone tem um botão *"hold"* e você tem o hábito de usá-lo, seja atencioso com o interlocutor. O profissionalismo manda que, a cada trinta segundos, você dê algum sinal do que está acontecendo do seu lado da linha.

Esteja Atento à Importância da Linguagem

Em uma conversa pelo telefone, o *prospect* só tem suas palavras para entender sua mensagem. Por isso, a escolha das palavras é ainda mais importante do que em uma visita. Ao vivo, você percebe se a pessoa entendeu ou não o que você disse graças ao *feedback* não-verbal. Ao telefone, porém, você pode deixar o *prospect* confuso e nunca ficar sabendo.

Tome cuidado com o que diz e com a maneira de dizer. Veja um exemplo de uma expressão muito comum: "Deixe-me perguntar uma coisa". Pode ser uma distinção sutil, mas essa frase é uma ordem e não uma pergunta. Uma ordem põe a pessoa na defensiva. Há maneiras melhores de dizer a mesma coisa: "Posso perguntar uma coisa?" ou "Você se importa se eu lhe fizer algumas perguntas para entender melhor sua situação?" Isso demonstra que você respeita o tempo e a autonomia da pessoa.

Além da escolha cuidadosa das palavras, sua atitude também deve ser escolhida com cuidado. Seja natural. Encontre um equilíbrio entre o tom excessivamente cordial e o cauteloso demais. Falar ao telefone é como fazer uma venda pessoalmente: você rende melhor quando está relaxado, atencioso e autêntico.

Ouça com Eficiência

Ouvir com eficiência é uma necessidade — seja ao telefone, seja pessoalmente. Mas ser um ouvinte ativo ao telefone exige mais esforço do que pessoalmente. Por isso, concentre-se.

Ao falar com um *prospect*, prefira as perguntas abertas. Ouça o que está sendo dito e não apenas as palavras que são pronunciadas. Se houver uma pausa, procure não interromper, a menos que perceba que o *prospect* terminou de falar. Reforce a participação do *prospect* dando *feedback*: em geral, basta dizer "sim" ou "entendo". Certifique-se de que entendeu o que o cliente disse e evite tirar conclusões antecipadas. No fim do telefonema, procure marcar o contato seguinte, ao vivo ou por telefone, e agradeça à pessoa pelo tempo que lhe concedeu.

Deixe o Prospect Desligar Primeiro

Já lhe aconteceu de acabar de falar ao telefone e lembrar que tinha mais uma coisa para dizer assim que a outra pessoa desligou? Para não interromper os pensamentos do *prospect*, é melhor deixar que ele desligue primeiro, embora a regra diga que desliga primeiro quem fez a ligação. Fique ao telefone durante o silêncio até ouvir, finalmente, o *click* do outro lado da linha.

Identifique-se Quando Atender ao Telefone

Quando atender ao telefone no escritório, identifique sua empresa, seu departamento e diga seu nome. Se você é autônomo e trabalha em casa, atenda dizendo seu nome. Algumas pessoas gostam de dizer "Sylvia Jones" ou "Sylvia Jones falando".

O uso inteligente do telefone permite que você tenha controle sobre sua carreira de vendedor. Ao marcar reuniões e anotar encomendas por telefone, você economiza tempo e aumenta a rentabilidade da conta. Além disso, você consegue controlar melhor o tempo e administrar seu dia com mais eficiência. O telefone é tão essencial em nossa vida que é difícil imaginar como é que se fazia negócios antes que ele fosse inventado.

CONTATOS AO VIVO

Até agora, discutimos contatos pelo correio e por telefone. A discussão que segue, sobre contatos ao vivo, é bem mais curta do que as anteriores, mas não por ser menos importante. Na verdade, é mais importante. Mas boa parte deste livro trata, direta ou indiretamente, do contato ao vivo com o cliente. Os pontos-chave destacados a seguir dão uma rápida visão geral da conduta indicada, sendo abordados com mais detalhes nos capítulos que lhes dizem respeito.

Não há nada como conhecer alguém pessoalmente. As conversas por telefone e por carta dão apenas um indício da personalidade. Como a venda é uma modalidade de negócios muito pessoal, não é de se estranhar que a forma preferida de contato seja ao vivo.

O contato ao vivo mais fácil de fazer é o que acontece através de uma indicação ou apresentação prévia. Os vendedores tradicionais muitas vezes relutam antes de uma visita a um *prospect* com quem nunca se encontraram. Isso não é problema para o vendedor não-manipulativo porque ele já fez a lição de casa, falou com o *prospect* e confirmou a reunião. O método não-manipulativo reduz a tensão para o comprador e o vendedor.

Os contatos ao vivo são feitos por várias razões: apresentar-se ao *prospect* e colher informações, fazer uma apresentação, confirmar uma venda, manter a satisfação do cliente. Estabelecida a relação de negócios, esses contatos ficam muito mais fáceis. Por isso, nossa discussão vai girar em torno do contato introdutório.

O contato introdutório é uma reunião que permite que você e o *prospect* colham as informações necessárias. Antes de fazer negócio, você e ele precisam se conhecer e confiar um no outro. O procedimento é basicamente o seguinte:

Entre e apresente-se. Esteja atento à sua imagem, linguagem corporal e contato visual. Nesse momento, o *prospect* o avalia (em termos estritamente superficiais) para determinar se você é o tipo de pessoa com quem ele quer fazer negócios. Você, por sua vez, procura pistas do estilo de comportamento dele. Observe o escritório, a decoração, as maneiras e o comportamento não-verbal.

Determine a finalidade do contato. Logo no início da reunião, deixe claro por que está ali e, quando lhe parecer apropriado, peça permissão para fazer algumas perguntas. Lembre-se de que tempo é dinheiro. Por isso, esteja atento ao uso que você faz do tempo do *prospect*. Imagine que a reunião está sendo cronometrada: quanto mais tempo você passar com o *prospect*, mais caro vai ficar para ambos. É indispensável ser rápido e eficiente com diretores e pensadores. Você pode demorar mais com socializadores e relacionadores, a menos que estejam com pressa.

Quando marcar uma reunião com um diretor ou pensador, deixe claro que você sabe que ele é ocupado. Diga que vai precisar de apenas vinte minutos do tempo dele e respeite esse limite. Há apenas uma situação em que você pode ficar mais tempo do que o estabelecido: se ele pedir. Do contrário, saia na hora marcada. Se a reunião deve durar vinte minutos, comece a guardar suas coisas aos dezessete minutos. A sua credibilidade repousa, em parte, na capacidade que você tem de cumprir sua palavra. Para sair pontualmente, compre um relógio com cronômetro. Se precisar interromper a reunião antes de terminar de fazer suas perguntas, pergunte ao *prospect* quando poderão se reunir outra vez. É melhor voltar do que ultrapassar o tempo em que você é bem-vindo.

Identifique as necessidades. Depois de estabelecer a razão da visita e criar um certo interesse, você precisa de um motivo para prosseguir. Investigue a situação do *prospect* fazendo perguntas. Para isso, a melhor maneira é pedir licença para perguntar sobre os negócios dele e, então, fazer perguntas que peçam respostas narrativas. Ao mesmo tempo, ouça ativamente e comece a desenvolver a confiança. Para revisar a arte de perguntar, releia o capítulo 4. O capítulo seguinte tratará da fase de estudo da venda.

Proponha uma solução. Muitas vezes, uma venda exige vários contatos antes que se possa propor uma solução e confirmá-la. Você pode ter que voltar para colher mais informações e o *prospect* pode precisar de tempo para avaliar seu produto. Existem, porém, situações em que é possível fazer a apresentação no primeiro contato. Nos capítulos 16 e 17, discutiremos as fases seguintes da venda: proposta e confirmação.

Como já dissemos várias vezes, é a relação que determina se duas pessoas vão querer ou não fazer negócios. A fase do primeiro contato, por sua vez, constrói ou destrói a relação. É nesse ponto do processo que todas as suas técnicas se juntam para gerar uma impressão.

Os primeiros minutos com um *prospect* poderão configurar a natureza da relação de negócios e determinar o grau do seu sucesso.

8

Estudo

A SITUAÇÃO DE CADA *PROSPECT* requer algum estudo antes que você possa avaliá-la e recomendar uma solução. Um tal estudo exige pesquisa e, às vezes, várias visitas ao escritório, fábrica ou casa do *prospect*.

SOLUÇÃO DE PROBLEMAS VS. BUSCA DE OPORTUNIDADES

É importante estudar os negócios do cliente com a mente aberta — ou seja, não vá só atrás de problemas. Muitos vendedores andam à cata de problemas — como se não soubessem fazer nada além de resolvê-los. Existe um outro modo de conjugar os serviços ou produtos da sua empresa com as necessidades do *prospect*: busque oportunidades, encontre nichos que ele talvez não conheça. Pode ser que ele precise de um novo sistema ou queira entrar em um novo mercado. Seja qual for seu produto ou serviço, não é preciso se limitar à solução de problemas: há sempre outras abordagens.

A relação com um cliente ou *prospect* não é muito diferente da relação com o médico da família. Há vários motivos para você visitar seu médico. Uma delas é a preocupação com um problema específico, como uma erupção na pele. Você consulta o médico, ele o examina, receita uma pomada e pronto: está resolvido.

Isso acontece também em vendas. Um belo dia, você recebe um telefonema de uma *prospect* que sabe exatamente o que precisa. Ela está sem papel timbrado e insatisfeita com a gráfica que a atende. Você se reúne com ela e preenche um pedido. O diagnóstico é rápido e o tratamento é simples.

Outro motivo hipotético para uma visita ao médico é um mal-estar geral. Você vai ao consultório e diz que está com fraqueza nos joelhos, falta de apetite e mais distraído do que o normal. Ele pergunta se você está apaixonado. Se a resposta for negativa, ele vai precisar de um tempo para descobrir qual é o seu problema.

Isso ocorre também em vendas. Você pára na loja da cliente e conversa um pouco. Ela reclama que as vendas estão baixas mas que não sabe o que fazer. Você ouve, faz perguntas e, depois de refletir um pouco, recomenda uma peça promocional, como o balão multicolorido da sua empresa. Ela experimenta, funciona e todos ficam felizes.

Um terceiro motivo para ir ao médico é o *check-up* anual. Você se sente bem, mas quer ter certeza de que está mesmo tudo bem. O médico lhe faz perguntas, pede alguns exames e assim por diante. No final, o médico lhe dá um atestado de boa saúde ou recomenda uma dieta. É possível também que ele encontre algum problema que você desconhecia. Você pode estar com pressão alta ou com o nível de colesterol muito elevado. Ele vai alertá-lo e, com isso, impedir problemas mais sérios. Do seu ponto de vista, a melhor medicina é a preventiva.

Mais uma possibilidade: depois dos exames, o médico diz que você está com boa saúde mas que pode ficar ainda melhor. Ele recomenda exercícios regulares ou sugere uma modificação na rotina de exercícios que você já segue. Assim, mesmo não tendo problemas, você se beneficia com a consulta.

O mesmo princípio se aplica aos clientes. Proporcione a cada um deles um *check-up* anual. Marque uma visita para conversar e fazer perguntas. Talvez você descubra uma nova oportunidade ou um vazio de necessidade que voltou a se abrir.

A busca de oportunidades está um nível acima da abordagem que se resume na solução de problemas. Ao procurar áreas de sobreposição positiva, a vendedora não-manipulativa usa todos os recursos para encontrar um ponto de confluência entre o que ela faz e o que o cliente faz. Às vezes, esse ponto é sutil, o que faz do estudo uma fase ainda mais importante da venda não-manipulativa.

Em geral, os vendedores tradicionais não costumam ir atrás de oportunidades. Eles se vêem como solucionadores e criadores de problemas. Eles *acham* que podem criar necessidades porque a solução que oferecem depende da existência de um problema para ser vendável. Isso é prescrição sem diagnóstico. *No entanto, as necessidades existem: elas não são criadas.*

Restringindo o foco da atenção e buscando apenas problemas, os vendedores tradicionais enganam seus clientes. Os vendedores não-manipulativos, ao contrário, ficam atentos aos problemas e às oportunidades, concentrando-se na situação do cliente e em seu potencial futuro.

130 A Venda Não-Manipulativa

Defina a Situação e as Metas

Para saber se o seu produto ou serviço será de alguma utilidade para o *prospect*, você precisa conhecer sua situação, os problemas do momento, o potencial do negócio, suas metas e objetivos. Se o seu *prospect* tem uma folha de pagamento desorganizada mas não tem vontade de se organizar, não faz sentido tentar lhe vender eficiência logo de início. Repare na expressão "logo de início". No começo, você tem que aceitar a análise da situação feita pelo cliente como válida e objetiva. Mas, à medida que for desenvolvendo a relação, você ficará em posição de sugerir novas idéias que podem não ter ocorrido a ele anteriormente. Com a relação fortalecida, você poderá mencionar a desorganização da folha de pagamento e lhe mostrar como economizar tempo e dinheiro. Nessa altura, já com mais confiança em sua capacidade, o *prospect* estará aberto às suas sugestões.

Você tem que conhecer a situação e as metas do cliente, mas o que investigar primeiro? À primeira vista, parece que a ordem dos fatores não importa. Mas não é verdade. A situação do momento diz respeito a algo concreto, o presente, enquanto as metas e objetivos dizem respeito a algo abstrato, o futuro. Pessoas com diferentes estilos de comportamento preferem falar sobre coisas diferentes. Um socializador, por exemplo, é um sonhador, de modo que a discussão deve girar, de início, em torno das metas pessoais e profissionais. Esgotada a conversa sobre a visão que o socializador tem do futuro, você pode passar para a situação do momento. Perguntas eficazes e delicadas vão levar à discussão de metas baseadas na realidade e orientadas a tarefas específicas. O capítulo 12 traz uma discussão mais aprofundada das maneiras de vender conforme o estilo de comportamento.

A fase de estudo tem como uma de suas principais razões dar a você um quadro das condições *reais* versus condições *desejadas*. Muitas vezes, os *prospects* acham que suas metas estão sendo atingidas quando, na verdade, não estão. Eles estão próximos demais da situação para enxergá-la objetivamente. Depois de estabelecer uma boa relação de trabalho, a sua função, como consultor, é analisar a situação e identificar as oportunidades que o *prospect* pode estar perdendo.

Se, depois de analisar os negócios do *prospect*, você concluir que o vazio de necessidade é pequeno (veja a figura 8.1), pode ser que o seu produto ou serviço seja de pouca serventia. Neste caso, você deve aconselhá-lo a não comprar. Se isso acontecer, encerre a conversa para não desperdiçar o seu tempo e nem o tempo do *prospect*. Conclua dizendo algo assim: "Com base no que discutimos, Sr. Jones, parece que não posso lhe oferecer um meio de aumentar as suas vendas. Mas, se nos próximos seis meses o senhor constatar que suas vendas cresceram menos de 5 por cento (ou alguma outra condição), teremos uma base para negociar. Posso manter contato para acompanhar o progresso das suas vendas?"

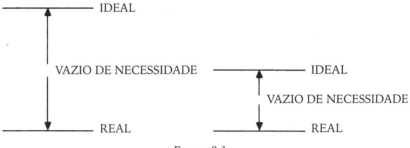

FIGURA 8.1

Encerrando assim o contato, o *prospect* vai continuar aberto a contatos futuros, já que você não tentou lhe vender uma coisa de que não precisava. Você gerou boa vontade, que vai lhe trazer recompensas, de uma forma ou de outra. Inclua o nome desse *prospect* na lista de contatos a serem retomados mais tarde e telefone seis meses depois. Ao falar com ele, pergunte como vão as coisas em geral e depois faça perguntas para descobrir se aquelas condições específicas já se modificaram. Se não se modificaram, pergunte se pode ligar outra vez dentro de seis meses. Mas, se ouve alguma modificação, marque uma reunião e avalie novamente a situação. Nessa altura, você já terá estabelecido uma relação que lhe permite recomeçar do ponto em que parou.

Na maioria dos casos, depois de analisar o vazio de necessidade do *prospect*, você vai constatar que *pode* lhe ser útil.

TÓPICOS A ESTUDAR

Parte do planejamento anterior ao contato consiste em determinar o objetivo do contato. Esse objetivo varia — desde confirmar a venda até se apresentar e colher informações. Há momentos em que é mais conveniente firmar a relação, sem discutir negócios. Barry Woolf, Gerente de Vendas da Walsworth Publishing, aprendeu essa lição:

Barry: Fui apresentado a um *prospect* que foi logo me dizendo que trabalhava com um de meus concorrentes havia "mais de seis anos" e que não pretendia procurar um novo fornecedor. Pensei para mim mesmo: "Por

132 A VENDA NÃO-MANIPULATIVA

que não testar o que aprendi como gerente de vendas e fazer amizade com esse cara?" Comecei reduzindo a tensão com uma observação bem-humorada: disse que ele não precisava se sentir ameaçado porque eu não ia lhe vender nada. Ele relaxou na hora e começamos a conversar para nos conhecer. Na verdade, ele era um relacionador e, em pouco tempo, já confiávamos um no outro. Essa primeira reunião durou mais de duas horas. Ele era "muito fiel" ao antigo fornecedor, como me disse nessa ocasião, e eu acredito: afinal, ele é meu cliente há mais de dez anos!

Quanto mais informações você pretende colher sobre o *prospect*, maior a necessidade de preparar uma lista de tópicos a tratar ou de perguntas a fazer. Muitos vendedores acham que parece amadorismo usar uma lista de perguntas. Ao contrário — é profissionalíssimo fazer a lição de casa e preparar uma lista, além de tomar notas durante a reunião. Você só pode ser útil ao cliente se estiver de posse de todos os fatos.

Cada *prospect* é diferente, mas há algumas áreas a serem exploradas em todos os casos. Você tem que descobrir a posição do *prospect* em termos dos benefícios proporcionados por seu produto ou serviço. Tem que descobrir o que ele pretende para seus negócios e o que o impede de chegar lá. Por exemplo: se vende espaço publicitário, você tem que descobrir o grau de visibilidade do *prospect* no momento, o grau que ele considera ideal e aquilo que o impede de atingir essa meta.

Para identificar o vazio de necessidade, você tem que investigar vários aspectos dos negócios do *prospect*: quem é que toma as decisões, que critérios são usados para tal, como entram as idéias e sentimentos do *prospect* na equação da tomada de decisões e assim por diante.

Dinâmica Psicológica

Ao analisar a situação do momento, considere a dinâmica psicológica da venda. As pessoas compram por vários motivos e a maioria deles nada tem a ver com as necessidades do negócio. Você tem que estar atento a esses motivos, procurando descobrir quais são os do seu cliente. Uma necessidade psicológica pode ser tão forte quanto uma necessidade concreta. Nada há de errado com uma compra feita por motivos aparentemente "superficiais", mas você deve se perguntar se o seu produto ou serviço vai de encontro a esses motivos. Veja alguns dos motivos emocionais que levam as pessoas a comprar:

Prestígio. As pessoas compram para se diferenciar ou para ter a admiração das outras. Isso se vê todo dia em forma de casas de luxo, automóveis, clubes, roupas e restaurantes.

ESTUDO

Amor. As pessoas compram para expressar sentimentos, para compartilhar ou proteger aqueles que amam. Tudo, desde anéis de diamante até alarmes contra incêndio, pode ser comprado por amor.

Imitação. As pessoas são imitadoras por natureza. Isso não é inteiramente ruim, ainda mais quando imitam qualidades positivas. Nas vendas, esse motivo pode funcionar favoravelmente quando uma empresa compra para imitar o sucesso da concorrente.

Medo. Embora sutil, o medo é uma emoção muito forte nas vendas. Os medos físicos estão relacionados à possibilidade de perder a saúde, a propriedade, a vida ou a liberdade. É por isso que as pessoas compram seguros de vida e de saúde, sistemas de segurança, livros de dieta e assim por diante. Os medos psicológicos estão relacionados à velhice, à perda da auto-estima, à pobreza, às críticas, à falta de amor, ao desemprego, à falta de realização. Em geral, esses medos são aplacados com livros de auto-ajuda, vitaminas, planos de investimento e psicoterapias, entre muitas outras coisas.

Variedade. As pessoas gostam de coisas novas — mesmo quando não são muito diferentes do que elas já têm. A prova disso está na indústria da moda. O sucesso dessa indústria se baseia no fato das pessoas enjoarem das roupas depois de vesti-las duas vezes — especialmente quando do precisam ser passadas a ferro!

Os Sentimentos e Pensamentos do Prospect

Você precisa saber o que sua *prospect* pensa e o que sente a respeito da própria situação. Se ela não sabe se deve ou não gastar dinheiro no momento, leve o fato em consideração. É melhor adiar uma venda do que confirmá-la para que depois seja cancelada. Você quer que a *prospect* fique feliz com a compra. Para isso, é possível que você tenha que criar algum estímulo para ela, o que é possível se você estudar muito bem sua situação, analisá-la e depois apresentar soluções. Ao perceber as possibilidades, ela poderá se entusiasmar com o seu produto ou serviço.

Você tem que saber também quais são os sentimentos da *prospect* com relação a você e à sua empresa. As impressões que ela tem vão influenciar, sem dúvida, seus sentimentos quanto à possibilidade de fazer negócios com você. Se a *prospect* faz parte de uma grande empresa e o vê como uma empresinha familiar, é possível que não tenha muita confiança em sua capacidade de atendê-la. Por outro lado, se ela tem um pequeno negócio e o vê como um conglomerado, poderá sentir falta de um serviço mais pessoal. Existem todos os tipos de combinações e possibilidades. Mas, conhecendo as idéias e os sentimentos de sua *prospect*, você estará em condições de lhe garantir que tudo vai dar certo se ela optar por fazer negócios com você.

Os Responsáveis pelas Decisões e o Processo de Compra

Pergunte apenas: "Quem, além de você, toma decisões neste caso?" Ou então: "Você poderia descrever para mim como serão tomadas as decisões neste caso?" Essas perguntas permitem que a pessoa se inclua no processo, faça ou não parte dele oficialmente. Dessa maneira, você protege a dignidade do *prospect*. A resposta dele determina qual a abordagem mais eficaz para entrar na empresa.

Além do método *um vendedor – um comprador*, existem mais três possibilidades. Uma abordagem em equipe usaria várias pessoas da sua empresa para vender para uma pessoa da empresa do *prospect*. Em sua equipe de vendas pode haver, por exemplo, alguém que conhece todos os detalhes técnicos do produto, um outro que é especialista em aplicações e um terceiro que é o gênio das finanças. Reunindo-se com todas essas pessoas, o *prospect* vai se beneficiar de suas diferentes perspectivas.

Há momentos em que é preciso adotar uma abordagem em equipe, multifacetada, para fazer uma venda. Em certos casos, as decisões podem não ser tomadas por uma só pessoa, mas por três, de três departamentos diferentes: uma da contabilidade e outra da engenharia, além do presidente da empresa. Cada um deles vai ser consultado por um jogador diferente do seu time. Você vai fazer o papel de "capitão".

O terceiro tipo de situação é a abordagem multifacetada. Você é o único vendedor que atende a conta, mas precisa se reunir com diversas facetas da empresa, representadas pelo presidente, pelo gerente de compras e por um engenheiro. Neste caso, você tem que conhecer com precisão cada aspecto do produto e de sua aplicação.

Na venda multifacetada, é muito importante o posicionamento. Muitos vendedores procuram ir diretamente ao topo da empresa e falar com o principal responsável pelas decisões. Em geral, isso é difícil. Se você quer entrar em uma empresa e sabe que vai ter que se reunir com diversas pessoas, não vá direto ao topo. O presidente conta com outras pessoas para obter informações. Primeiro, posicione-se com o engenheiro, depois com mais alguém, talvez o gerente de compras, e também com alguém da contabilidade (as pessoas a contatar variam conforme a situação). Criando uma relação com esses outros responsáveis pela tomada de decisões, você fica em posição favorável para atingir o presidente. Os funcionários da empresa com quem você já se reuniu vão se tornar parte da sua equipe de vendas. Estarão do seu lado.

Ao entrar em uma empresa dessa maneira, é essencial analisar o papel das diversas pessoas no processo de tomada de decisões. Alguns desses papéis se sobrepõem mas podem, em geral, ser divididos em seis tipos:

O Iniciador. É a pessoa que primeiro sugere ou pensa em comprar um determinado produto ou serviço.

O Guardião. É a pessoa — normalmente uma secretária ou recepcionista — que controla o acesso a alguém com quem você quer falar.

O Influente. Essa pessoa é alguém cujas opiniões ou conselhos têm um grande peso na decisão final.

O Responsável pela Tomada de Decisões. É quem decide, em última instância, o que comprar, em que quantidade, quando e de quem.

O Comprador. É a pessoa que efetivamente faz a compra.

O Usuário. O usuário é o consumidor que usa regularmente o produto ou serviço.

Conhecendo as pessoas que desempenham esses papéis, fica mais fácil planejar uma estratégia eficiente para entrar na empresa. Para descobrir quem são, pergunte a vendedores não concorrentes e a secretárias, usando os métodos discutidos no capítulo 6.

Urgência para Comprar

Quando colher informações e fatos, é importante descobrir com que rapidez o *prospect* vai querer agir se a venda for confirmada. O conhecimento do fator tempo amplia a sua percepção. Um *prospect* que reconhece uma necessidade mas não tem pressa de mudar, pode estar fazendo uma destas duas coisas: estudando as propostas da concorrência ou reunindo o máximo possível de informações. É importante que você saiba qual das duas coisas ele está fazendo.

A urgência da compra diz respeito também à sua capacidade de entregar o que promete. Quando existe alguma dúvida sobre prazos de entrega, você tem que fazer a ligação entre o *prospect* e a sua empresa. Verifique se sua empresa está disposta a atender aquele pedido em um prazo menor, se for o caso. Esse difícil número de equilibrismo faz parte da função de consul-

136 A VENDA NÃO-MANIPULATIVA

tor e representante dos desejos e das limitações de ambas as partes. É o que se conhece como venda de mão dupla. Um bom exemplo dessa situação pertence à área dos seguros. O vendedor de seguros precisa primeiro convencer você e depois convencer a empresa de que você não representa um risco.

Política

Todo mundo sabe que ter conhecimentos no meio é mais importante do que inteligência, talento e outras virtudes dignas de louvor. É a vida. Quando não dá para combater uma coisa, alie-se a ela. Em uma situação de vendas, investigue qual é a política e como trabalhar com ela. Para isso, descubra quem são os principais responsáveis pelas decisões e quais os critérios que adotam.

Um outro aspecto da política é a lealdade e o nepotismo. Pode surgir uma situação em que o sobrinho do cliente fornece um produto similar ao seu, transformando-o imediatamente no azarão da disputa. Se espera pegar a conta, você tem que reunir boas razões para o *prospect* comprar de você e não do sobrinho. Analise cada área (preço, qualidade e serviços, por exemplo) para descobrir como você se compara ao concorrente e identificar alguns pontos fortes a seu favor. É possível que o *prospect* se desiluda com o sobrinho, queira passar o negócio para outra pessoa mas não tenha dados para justificar a troca. Estudando e identificando os pontos fracos do sobrinho, você poder dar ao *prospect* os meios necessários para fazer a mudança.

Quando você percebe que o *prospect* é fiel a um fornecedor, a estratégia a adotar é outra. Converse com o *prospect*, dando o máximo de informações sobre você e o seu produto, como se ele fosse fazer a compra. Diga que está passando rapidamente pelas várias etapas da venda para que ele saiba que, caso haja algum problema com o atual fornecedor, você está à disposição dele. Você pode também convencê-lo de que não é bom ter um único fornecedor: seria mais vantagem para ele transferir a você 5 por cento do negócio para se familiarizar com a sua empresa e prepará-lo para substituir o outro fornecedor caso seja necessário. Tornando-se um fornecedor secundário, você dá um primeiro passo e amplia a possibilidade de fazer mais negócios no futuro.

Experiências Passadas Negativas

Poucas situações de venda são tão difíceis quanto enfrentar um *prospect* ressentido com uma injustiça passada. A melhor coisa a fazer é ouvi-lo e lhe garantir que você vai fazer de tudo para que a experiência ruim seja retificada e nunca se repita.

ESTUDO 137

Se o ressentimento do cliente é com a sua empresa, você precisa ser muito diplomático. Pergunte o que aconteceu e prepare-se: deixe o cliente "descarregar". Ouça e seja compreensivo. Talvez você sinta que começou a III Guerra Mundial mas, quando terminar, o cliente vai estar se sentindo muito melhor. Ele pode ter guardado a raiva por vinte anos, esperando para despejá-la em alguém de sua empresa. Seja como for, *não defenda* a sua empresa nos pontos específicos da reclamação: defenda-a genericamente. Você pode dizer por exemplo: "Isso me deixa muito surpreso. Minha empresa é muito boa nessa área".

Depois de ouvir a queixa, é essencial retificar a situação. Diga algo assim: "Antes de mais nada, eu quero acertar as coisas com você. O que eu posso fazer para reparar essa injustiça?" Atenção: focalize *o que* pode ser feito para resolver o problema e não *por que* ele aconteceu.

Um vendedor conhecido dos autores passou por uma situação assim. Quando o cliente parou de reclamar, esse vendedor pegou o talão de cheques e disse: "A minha empresa lhe deve 200 dólares e eu quero pagar essa dívida". Fez um cheque pessoal e o entregou ao cliente. A relação se refez de imediato e o vendedor saiu dali com um pedido de milhares de dólares. A comissão sobre a venda mais do que cobriu o reembolso de 200 dólares.

Especificações do Produto

Se o produto ou serviço que você vende é técnico, é importante conhecer as especificações. Isso é comum em muitas áreas. Produtos ou serviços feitos sob medida para um cliente exigem que você reúna dados sobre as especificações.

Produtos desse tipo podem precisar de um certificado, aprovação ou endosso de algum órgão de regulamentação. É importante saber disso, por dois motivos. Em primeiro lugar, essa aprovação pode exigir muito tempo ou muita burocracia. Sabendo disso, você pode encaixar essa demora em seu planejamento geral. Em segundo lugar, essa aprovação pode afetar as chances de confirmação da venda. Se você já sabe que o seu produto pode não ser aprovado por um órgão de regulamentação, não vá atrás de contas que exijam esse procedimento. Por outro lado, se o produto já foi aprovado e certificado, economize tempo apresentando o comprovante e eliminando a necessidade de repetir o procedimento.

Conhecendo as especificações daquilo que o cliente precisa, você vai estar em posição de julgar outros fatores. Por exemplo: se o *prospect* precisa de uma grande quantidade de um produto em uma determinada cor ou tamanho, pode ser que o fabricante tenha que alterar sua produção para atendê-lo, o que vai se refletir sobre o prazo de entrega e possivelmente sobre o preço. Essas são coisas que você precisa saber, já que a decisão de comprar pode se basear nesses detalhes.

Restrições Orçamentárias

Ao classificar um *prospect*, você tem que estabelecer seu nível de crédito e de poder de compra. Por mais completo que o seu estudo tenha sido, é possível que a saúde financeira do *prospect* tenha se alterado. Assim, você tem que lhe fazer algumas perguntas nesse sentido, mas de maneira sutil e cuidadosa. Como já mencionamos, não é prudente tocar de imediato no assunto dinheiro. Introduza-o com calma quando for relevante.

Todo vendedor já tratou com alguém que se diz interessado mas sem verba. Essa é uma situação que exige de você o máximo de bom senso para determinar a veracidade dessa alegação. É claro que às vezes seu produto não se encaixa no orçamento do *prospect*. Mas, em geral, quando gosta do seu produto ou serviço, ele consegue dinheiro para fazer a compra. Por outro lado, quando não gosta de você ou do seu produto, ele não compra nada, mesmo com um orçamento de milhões de dólares.

"Falta de verba" nesse estágio do processo de vendas costuma ser um mecanismo de defesa. É um sinal de que a *relação* não vai bem. É nesse ponto que você precisa definir se o problema é real ou não. Se não for real, você tem que fazer de tudo para melhorar a relação. O importante é o seguinte: essa pessoa quer negociar comigo (deixando de lado o dinheiro e outros detalhes)? No processo de vendas, é importante que o cliente se comprometa com a solução proposta antes que você comece a tratar de detalhes financeiros. Muitos vendedores tentam resolver os detalhes antes que o cliente se comprometa com a solução. Você deve trabalhar no sentido inverso.

É claro que há situações em que o cliente está comprometido com sua solução mas tem problemas financeiros. É possível até que mencione a falta de fundos logo no início da conversa. Neste caso, reconheça que "dinheiro está difícil para todo mundo, mas existem alternativas". Uma das alternativas é estudar a possibilidade de antecipar a venda do ano seguinte. Outra é dividir a solução em etapas, tornando os pagamentos menores e mais viáveis.

Outra maneira de contornar os problemas orçamentários do cliente é convencê-lo a transferir a verba de um departamento para outro. Imagine, por exemplo, uma empresa que destina muitos recursos para a publicidade e poucos para o treinamento. Se o seu produto é um programa de treinamento para aperfeiçoar o atendimento ao cliente, use o seguinte raciocínio: "Para que serve a publicidade? Resposta: Para atrair clientes. O que acontece quando os funcionários do atendimento ao cliente perdem metade dos *prospects* por causa de atitudes inadequadas, falta de conhecimento, etc.? Resposta: Você desperdiçou a verba publicitária. Portanto, é de bom senso pegar uma parte do dinheiro gasto em publicidade para melhorar o atendimento ao cliente. Com isso você vai capitalizar o sucesso da sua campanha publicitária".

Esse princípio se aplica à sua empresa e à do cliente. É essencial manter a porta dos fundos fechada e abrir ao máximo a porta da frente. Em outras palavras, o atendimento ao cliente evita a perda de negócios (pela porta dos fundos), enquanto a publicidade traz mais negócios (pela porta da frente). Assim como você procura ser um fornecedor secundário de seus *prospects*, seus concorrentes procuram ser fornecedores secundários de seus clientes. O objetivo do departamento de atendimento ao cliente e de seu trabalho na pós-venda é evitar que os clientes escapem pela porta dos fundos. *Lembre-se: manter um cliente custa muito menos dinheiro, tempo e esforço do que encontrar um novo cliente.*

RESUMO DAS NECESSIDADES

Ao se reunir com sua *prospect* para discutir vazios de necessidade, apresente a ela um resumo bem organizado e bem documentado. Esse resumo mostra a sua visão da situação como é agora e de como a *prospect* gostaria que fosse. Você está, em essência, definindo para ela o vazio de necessidade.

Depois de fazer suas observações, pergunte a ela se concorda com a sua avaliação da situação. Se vocês vêm se comunicando bem, não haverá discrepância. Formule a pergunta da seguinte forma: "Você concorda com as observações que eu fiz sobre os problemas que você gostaria de resolver?" Ou em tom mais positivo: "Você concorda que são essas as oportunidades que você está buscando?"

No resumo das necessidades, mostre quais são os problemas que você pode ajudar a resolver, quais são os relativamente sem importância e quais são aqueles que você não pode ajudar a resolver. Lembre-se: você tem a opção de recorrer a outras fontes para resolver problemas que você não consegue resolver diretamente.

Em certas ocasiões, você identifica muitos problemas. Mas, se exagerar na venda — se quiser resolver todos os problemas com uma única solução gigante —, você corre o risco de assustar o *prospect* e pôr tudo a perder. A melhor estratégia é priorizar os problemas e enfrentar um de cada vez. Faça com que o *prospect* se comprometa com a solução e a

140 · A Venda Não-manipulativa

implemente. Quando tiver demonstrado suas habilidades de consultor, trate dos outros problemas.

Estabeleça Critérios de Sucesso

Depois de chegar a um acordo com o *prospect* quanto às necessidades dele, pergunte o seguinte: "Do seu ponto de vista, se estivesse analisando esta compra daqui a seis meses, que critérios adotaria para avaliar o sucesso da nossa solução?"

Fazendo essa pergunta, você vai ter uma base concreta para medir a eficiência do seu produto ou serviço depois da venda. Para avaliar o desempenho com precisão, os critérios de sucesso têm que ser realistas, específicos e quantificáveis.

Quando você e seu *prospect* tiverem estabelecido os critérios de sucesso, formule-os por escrito e dê uma cópia a ele. Se vocês não chegaram a um acordo quanto a esses critérios, a fase de estudo ainda não acabou. Continue a discutir as questões até haver clareza e concordância.

De vez em quando, vai aparecer um *prospect* com expectativas pouco realistas. Em geral, isso reflete falta de conhecimento e cabe a você instruí-lo. Se a falta de realismo se deve a restrições orçamentárias, apresente um plano de financiamento criativo. Se, depois de muito discutir, vocês não chegarem a um acordo, divida as metas pela metade: concorde com algumas e adie as demais. Neste caso, você terá que formular duas propostas: uma que preencha os critérios de sucesso que vocês já definiram e outra que resolva as expectativas não realistas. Como esta última vai estar muito além dos recursos do *prospect*, é possível que ele acorde para a realidade — ou que vá atrás de dinheiro para pagar pela solução mais cara.

Um Só Contato vs. Múltiplos Contatos

Há algumas vendas em que o processo inteiro é feito em uma única visita. Outras exigem uma pesquisa ampla e muitos contatos. A venda em uma única visita é possível no caso de produtos e serviços simples, que não exigem longos ciclos de vendas. Esse tipo de abordagem não vai contra os princípios da venda não-manipulativa. Pelo contrário: as etapas da venda e a integridade do vendedor são as mesmas, só que o ciclo de vendas é mais curto.

No caso de uma venda em um único contato, é absolutamente necessário colher as informações e apurar os fatos antes da apresentação do produto. Além disso, é preciso fazer uma ponte entre a fase de estudo e a fase da proposta, ou seja: resumir as necessidades e estabelecer os critérios de sucesso.

Tenha em mente que nem todos os produtos se prestam a esse tipo de venda. Não há problema em voltar em outra ocasião para fazer a proposta. Não seja impulsivo, seja paciente. Você pode encerrar a visita apresentando um resumo das necessidades e discutindo os critérios de sucesso. Diga então: "Gostaria de voltar para a minha empresa e discutir sua situação com algumas pessoas para determinar se podemos ou não ser úteis a você. Se for o caso, será que posso telefonar para marcar outra reunião e apresentar uma solução para os seus problemas?"

A fase de estudo, talvez mais do que qualquer outra fase do processo, separa os profissionais dos amadores. É a marca registrada do vendedor não-manipulativo. O tempo despendido nesse momento da venda resulta em clientes melhores, confirmações mais rápidas, maior penetração vertical e maior repetição de negócios. É a base sobre a qual você constrói relações profissionais duradouras, que um dia vão se converter em rendimentos... para o resto da vida.

9

Proposta

NA FASE DE ESTUDO, você identificou o vazio de necessidade do *prospect* e vocês dois chegaram a um acordo quanto aos problemas a serem enfrentados. A fase da proposta é o momento em que você e o *prospect*, juntos, preenchem o vazio de necessidade. O processo consiste em combinar as idéias do *prospect* com as suas para chegar a uma solução que seja boa para os dois. Para o vendedor não-manipulativo, a apresentação não é um truque de venda — é uma troca.

Essa troca pode ser vista como uma oportunidade de "trocar idéias" com o *prospect*. Imagine dizer a ele o seguinte: "Se eu e você trocarmos idéias, ou seja, se você ficar sabendo o que eu sei sobre o meu produto e eu ficar sabendo o que você sabe sobre os seus negócios, e presumindo que nós dois temos os melhores produtos, de quem você compraria o que eu vendo? Resposta: De mim. E, do mesmo modo, eu compraria de você". A meta é uma troca de informações que lhe permite entender os negócios do *prospect* e que permite a ele entender ao máximo o seu produto ou serviço.

O principal obstáculo a uma completa troca de informações é o tempo. O tempo é pouco. Por isso, tenha em mente os três fatores básicos da troca de informações: Tempo, Confiança e Tensão. Se você reduzir a tensão e gerar confiança, o *prospect* vai se dispor a passar mais tempo com você.

A meta da fase da proposta é combinar soluções personalizadas às necessidades específicas do *prospect*. O estilo que você usa para propor essas soluções deve ser determinado pelo estilo de comportamento do *prospect*. As diferentes maneiras de fazer propostas a diretores, socializadores, relacionadores e pensadores serão discutidas no Capítulo 12: "Venda por Estilo". Por ora, basta lhe recomendar que não apresente várias soluções de uma só vez, mas apenas a melhor que conseguiu divisar a partir das informações colhidas durante a fase de estudo. Você tem que ter outras opções — mas, em geral, oferecê-las logo de início confunde as coisas.

Ao propor suas soluções, relacione-as aos critérios de sucesso estabelecidos na fase de estudo e explique como cada uma delas vai funcionar. No início da proposta, revise os pontos discutidos na reunião anterior para receber *feedback* e verificar se o *prospect* ainda está de acordo.

Na venda não-manipulativa, a apresentação do produto ou serviço não é aquela abordagem escorregadia e espalhafatosa usada pelos vendedores tradicionais. Ao contrário: é uma apresentação bem pesquisada, feita sob medida, de soluções realistas para o vazio de necessidade do cliente. Cada apresentação é diferente da outra e há alguns tipos que se usa com mais freqüência.

APRESENTAÇÃO ENLATADA

A apresentação memorizada ou enlatada raramente é usada pelo vendedor não-manipulativo, se é que alguma vez ele a usa. As apresentações enlatadas são, por natureza, generalizações que não levam em consideração a situação específica do *prospect*. Elas são usadas por vendedores tradicionais inexperientes para vender produtos comuns que todo mundo usa, como jornais, canetas, lâmpadas e coisas assim.

O vendedor não-manipulativo pode recorrer à apresentação enlatada em uma única situação: em breves trechos de uma apresentação que exija a transmissão exata de dados ou informações técnicas. Mas, neste caso, você pode passar ao cliente, enquanto conversam, um documento contendo as especificações ou dados técnicos.

O método não-manipulativo é flexível e leva em conta as necessidades do *prospect*. A apresentação enlatada não se presta a soluções sob medida e à atmosfera de troca da proposta.

APRESENTAÇÃO ESBOÇADA

Esta é a melhor forma de apresentação para vendedores não-manipulativos. É muito eficaz juntar todos os critérios de sucesso e os vazios de necessidade e discuti-los um por um, apresentando também as soluções.

A apresentação esboçada lhe dá flexibilidade e organização. É essa a sua vantagem. Com um esboço escrito à sua frente, não há como esquecer pontos importantes caso você se perca em digressões ou seja interrompido. Você poderá demorar o tempo que for necessário em cada área da apresentação, conforme for relevante às necessidades do cliente.

144 A VENDA NÃO-MANIPULATIVA

A apresentação esboçada permite ao vendedor tratar de assuntos que de outro modo poderiam ser negligenciados. Na venda de um computador, por exemplo, você pode tratar de assuntos tangenciais, como seguro, instalação elétrica necessária ou outras considerações logísticas. Uma apresentação completa e cuidadosa aumenta a sua credibilidade e a sua capacidade de atender às necessidades do cliente.

Vendedores iniciantes muitas vezes acham que é melhor fazer as apresentações sem recorrer a anotações. Não é verdade. É perfeitamente correto usar anotações, desde que você não leia a apresentação. Para que seja interessante e eficaz, uma apresentação deve ter as seguintes características:

Abrangente. O ideal é que, no fim da apresentação, não haja mais perguntas. Se você fez a lição de casa, sua apresentação vai cobrir todas as questões que possivelmente ocorram. Isso não significa discutir todos os assuntos com todos os clientes. Pelo contrário: trate apenas dos que forem relevantes. É claro que a apresentação ideal é diferente das representações reais. Por isso, esteja preparado para responder perguntas e repetir informações. Uma apresentação abrangente inclui a solução completa para os problemas do *prospect*. Não proponha uma solução parcial só porque lhe pediram para resolver uma parte do problema ou por achar a solução completa cara demais. Qualquer discrepância entre a apresentação e o resumo das necessidades, discutido anteriormente, deve ser discutida abertamente. Diga por exemplo: "Eu estava em casa, pensando na sua situação, e percebi que esquecemos de uma coisa". Apresente sempre a melhor solução para os problemas e oportunidades que identificou.

Feita sob medida. Sua apresentação tem que tratar dos problemas pelos quais o seu *prospect* está passando e não dos problemas de empresas semelhantes. Em vez de generalizar, faça referências diretas aos negócios do *prospect*. Lembre-se: você é um consultor que lida com as necessidades de um cliente por vez.

Bem posicionada. Não dá para eliminar a concorrência. No entanto, é possível destacar características e benefícios que evidenciem a superioridade do seu produto ou serviço. Dê maior destaque a características e benefícios que sejam exclusivos da sua empresa e, de preferência, que a concorrência não consiga igualar. Mas não se esqueça de que há características e benefícios secundários que também são importantes. Por exemplo: o bom serviço de atendimento ao cliente praticado em sua empresa e a confiabilidade do seu produto são vantagens que você agrega aos principais benefícios e características do produto.

Bem organizada. Sua apresentação deve ser clara e bem organizada. A ordem em que apresenta as características e benefícios depende do que você está vendendo e das prioridades do *prospect*. No caso de certos produtos, há uma ordem natural ou lógica de expor ou discutir as características. Além disso, pode ser mais vantagem terminar em um determinado ponto. Por exemplo: os corretores de imóveis sabem que, em geral, as pessoas obedecem uma determinada ordem para visitar uma casa: entram pela porta da frente, examinam as salas de estar e de jantar, seguem para os quartos e terminam na cozinha — uma parte da casa que é altamente prioritária, tanto para homens quanto para mulheres. Assim, ao mostrar uma casa, os corretores deixam que as pessoas sigam suas inclinações, mas procuram fazer com que terminem em um local específico — a cozinha. Para isso, vão dando orientações sutis.

No entanto, se o seu produto não pede uma determinada ordem de apresentação, adote como guia as prioridades do *prospect*. Tenha em mente os efeitos da primazia e da latência. Primazia é revelar os melhores trunfos no começo para que sejam lembrados. Latência é revelá-los por último. A melhor combinação é a seguinte: na apresentação, mostre as características e benefícios que mais se destacam em primeiro lugar. Mas, quando fizer o resumo dos benefícios, deixe o melhor para o final.

Adaptada ao estilo do *prospect*. Quando fizer apresentações para socializadores e relacionadores, elimine a maior parte dos dados. Relacionadores gostam de garantias pessoais. Socializadores gostam de tabelas e outros suportes visuais. Diretores querem os dados resumidos em uma página e pensadores gostam de muitos dados, especialmente se foram organizados no computador. A Venda por Estilo será discutida em detalhes no Capítulo 12.

Flexível. Ao apresentar a solução ideal para os problemas do *prospect*, você deve modificar uma variável ou outra. Você pode, por exemplo, ultrapassar o prazo ou as restrições orçamentárias no interesse da melhor solução. Caso a proposta ideal não seja aceita, tenha à mão os planos B e C.

A Importância dos Benefícios e do *Feedback*

No capítulo sobre estratégias de relacionamento, dissemos que é importante falar a linguagem do *prospect*. Durante a fase da proposta, há uma outra linguagem que você tem que dominar: a linguagem dos benefícios. Uma característica é um aspecto do produto que existe independentemente das necessidades do cliente. O benefício é a maneira pela qual uma característica do produto atende a uma necessidade do cliente. O benefício é a característica em ação.

Muitos clientes pensam em termos de benefícios. Não querem saber como a coisa funciona: querem saber como vai resolver os problemas que estão tendo. Alguém do departamento de engenharia (um pensador) talvez se preocupe com as características, já que a qualidade e a confiabilidade estão relacionadas às características. O benefício final, porém, é o que interessa a quem toma as decisões. Assim, é preciso falar de benefícios com quem toma as decisões. Em geral, você não vai errar se falar a linguagem dos benefícios.

Imagine um corretor de imóveis conversando com um cliente. A pergunta típica é: "O que você quer em sua nova casa?" Em geral, as pessoas respondem em termos de metragem, de localização, de número de quartos e de banheiros e assim por diante. O corretor pode perguntar ainda: "Você quer piscina, lareira, sacadas, garagem para dois carros?" As respostas a essas perguntas dizem ao corretor que casas mostrar ao cliente. Mas esse método de coletar informações relativas às *características* gera limitações. Quanto mais características o *prospect* pedir, mais difícil será para o corretor encontrar uma casa que se enquadre nessas exigências.

Por isso, é melhor falar não apenas de características, mas também de benefícios. Por exemplo: a *prospect* está procurando uma casa em um condomínio e diz à corretora que quer uma piscina. Mas essa preferência pode ser flexível. Talvez ela queira um local para fazer exercícios e tenha dito "piscina" automaticamente. Fazendo mais algumas perguntas, pode ser que a corretora descubra que uma academia de ginástica ou uma quadra de tênis atendem à necessidade dessa *prospect*. Ela poderia perguntar: "Posso lhe perguntar por que é importante para a sua família ter uma piscina?" Essa pergunta investiga quais são os benefícios em questão.

Fazendo mais perguntas, a corretora acaba descobrindo que uma piscina no quintal não é uma necessidade absoluta. A cliente gosta é de nadar, de modo que uma casa perto da praia ou da ACM resolve o seu problema. Na verdade, os benefícios de uma casa que fique perto de uma piscina poderão sobrepujar o desejo de ter uma piscina. Trabalhar com benefícios dá ao corretor muito mais opções do que trabalhar apenas com características.

Uma forma de envolver o *prospect* na proposta é usar o método característica-*feedback*-benefício (CFB). Apresente uma característica e peça *feedback*. Voltando ao exemplo do corretor, antes de mostrar uma casa, ele pode dizer: "Essa casa tem uma piscina pequena, em forma de feijão, com hidromassagem em uma das pontas, ótima para festas e mergulhos noturnos. Será que isso é importante para você e para a sua família?" A cliente poderá dizer sim, não ou alguma outra coisa, como por exemplo: "Que bom! Em vez de dar banho no cachorro, posso jogá-lo na piscina".

Estimule o cliente a revelar seus próprios benefícios. Se ele enumerar todos os benefícios, você não precisará acrescentar nenhum. O cliente faz a venda. Mas, se ele deixar de mencionar algum benefício, você tem a opção de preencher os espaços em branco. Pergunte, por exemplo: "Que outros benefícios você vê?"

O método CFB o deixa em sintonia com os benefícios que o cliente procura. Além disso, favorece o envolvimento do cliente durante todo o processo da venda, tornando as fases de estudo e proposta mais eficazes.

Faça perguntas que o ajudem a obter *feedback* e a envolver os clientes na discussão das soluções para seus problemas. Por exemplo:

"Você acha que isso se encaixa na sua situação?"

"Quais os outros benefícios que você vê?"

"Você me explicou como isso se encaixa em seus negócios. E na sua vida familiar?"

"O que você acha disso com relação àquela oportunidade que mencionou?"

"Você acha que isso vai satisfazer suas necessidades?"

Ao discutir características e benefícios, leve em conta o estilo de comportamento do seu cliente. Os pensadores, por exemplo, priorizam o processo. Os diretores priorizam a relação custo-benefício. Os socializadores querem inovação e originalidade Os relacionadores priorizam a relação.

Lembre-se: toda característica pode trazer mais de um benefício e todo benefício pode ser obtido através de mais de uma característica. Ao salientar uma a uma, não deixe de cobrir todas as possibilidades. Você pode também perguntar ao *prospect* se ele vê outros benefícios em uma determinada característica.

OS CINCO ELEMENTOS-CHAVE DAS APRESENTAÇÕES

1. Nunca passe informações falsas a um *prospect*.

2. Siga uma ordem ao apresentar idéias.

3. Jamais pense em fazer uma versão condensada da sua apresentação. Se houver algum imprevisto e a *prospect* ficar com pressa, é melhor voltar em um outro dia do que abreviar a proposta. Isso seria injusto com ela, que quer tomar uma decisão bem informada com a sua ajuda como consultor.

4. Durante a apresentação, anote os comentários do *prospect* a respeito de benefícios adicionais ou do uso do seu produto ou serviço.

5. Tenha em mente as unidades de satisfação do cliente (USC) durante toda a apresentação. A USC é uma unidade de medida hipotética e psicológica da satisfação do cliente. A quantia que o cliente se dispõe a pagar é diretamente proporcional à quantidade de USCs que vai receber com a compra. O número de USCs que o cliente obtém com um produto ou serviço depende dos benefícios que este vai lhe proporcionar.

O papel do vendedor é aumentar o número de USCs de modo que seu valor seja igual ou superior ao preço pedido. Para isso, é preciso destacar características e benefícios e pedir *feedback*.

A VANTAGEM DE JOGAR EM CASA

Quando faz uma proposta no escritório do *prospect*, você não controla totalmente a atmosfera da apresentação. Como nem sempre os clientes são sensíveis às suas necessidades, procure controlar sutilmente a logística física e ambiental da apresentação. Em geral, basta deixar claro para o *prospect* quais são as suas necessidades e preferências.

Descubra antes onde terá que trabalhar. Procure garantir uma sala fechada, onde não haja interrupções. Verifique o tamanho da mesa, a iluminação, as tomadas para o equipamento audiovisual e assim por diante. É assim que se faz negócios com inteligência. Quanto mais providências forem tomadas de antemão, menos será deixado ao acaso. Não há nada pior do que chegar ao escritório do *prospect* e descobrir que vai fazer a apresen-

COMO LIDAR COM AS INTERRUPÇÕES

Não é raro o *prospect* ser interrompido por um funcionário ou por um telefonema durante a apresentação. Se isso acontecer, ocupe-se com seus papéis, leia ou faça rabiscos. Seja como for, não fique olhando impacientemente para ele.

Quando ele desligar o telefone ou o funcionário sair, evite a tentação de reiterar o que já expôs até então. Isso daria a impressão de que você está fazendo o resumo final da apresentação. Por isso, repita sucintamente a última coisa que disse e vá em frente. Diga, por exemplo: "Estávamos falando sobre os benefícios de um disco rígido e você lembrou que ele lhe permitiria rodar alguns programas mais complexos. Há mais alguns benefícios, que são..."

Se você for interrompido pelo cliente do *prospect*, é importante lhe dar o tempo e o espaço que precisa para cuidar dos negócios. Ou seja: você tem que se levantar e sair para dar privacidade ao *prospect*. Depois que o cliente dele for embora, retome do ponto onde parou.

Se houver interrupções demais, você pode se oferecer para reduzir o ruído levando o cliente para fora do escritório. Pode ser que dê para fazer a apresentação do outro lado da rua, em um restaurante silencioso ou em um café. Outra alternativa é perguntar se há uma sala de reuniões onde tenham mais privacidade. A última alternativa, provavelmente a pior, é propor que a reunião seja remarcada. Infelizmente, se houve tantas interrupções naquele dia, é pouco provável que haja sossego em outro. Mas pode haver circunstâncias atenuantes que façam com que o outro dia seja melhor.

Se você mostrar a situação para o *prospect*, é provável que ele tenha uma solução. Lembre-se de pôr a culpa no ambiente, dizendo: "Parece que hoje as coisas estão difíceis por aqui. Podemos ir a algum lugar para tomar um café e terminar nossa conversa?" Isso pode bastar para o *prospect* aceitar seu convite ou falar para a secretária não passar nenhum telefonema durante a meia hora seguinte. E você terá, então, toda a atenção do *prospect*.

Depois da proposta, seja qual for o resultado, envie uma carta de agradecimento ao *prospect* pelo tempo concedido e pela oportunidade de trabalhar com ele.

APRESENTAÇÃO EM GRUPO

A apresentação esboçada, feita por um vendedor a um único comprador, é a mais flexível. Há ocasiões, porém, em que é preciso se reunir com mais de um responsável pela tomada de decisões para uma apresentação em grupo.

Vários elementos da apresentação em grupo são semelhantes aos da apresentação esboçada discutida acima. A principal diferença é que você ou sua equipe apresentam a proposta para um grupo de responsáveis pela tomada de decisões.

Uma apresentação em grupo, dependendo do tamanho, pode ser menos flexível do que um contato feito por uma só pessoa. Quanto maior o grupo, mais estruturada a apresentação tem que ser. Já pensou se todo mundo escolher o mesmo momento para pedir *feedback* e expor idéias? Por isso a aparência de ordem é necessária. Você pode, por exemplo, estruturar a apresentação e reservar um tempo para as perguntas durante a apresentação ou no final.

O ideal é que todos os responsáveis pelas decisões participem da fase de estudo, ou pelo menos a maioria. Assim, tendo contribuído para estabelecer os critérios de sucesso, eles vão reconhecer, durante a apresentação, idéias que expressaram anteriormente. Haverá momentos em que você fará uma apresentação para um grupo de pessoas que não participaram das fases anteriores, mas que têm que ouvir sua proposta para abençoar a venda.

Esse tipo de apresentação em grupo é mais formal do que a apresentação individual. Nos primeiros três a cinco minutos, faça o seguinte:

Faça uma boa introdução. Diga a eles o seu nome e o nome de sua empresa e explique, numa frase clara e concisa, a premissa da sua proposta. Por exemplo: "Bom dia. Eu sou Jerry Baxter, da International Hospitality Consultants. Estou aqui para lhes comunicar minhas conclusões, baseadas numa pesquisa sobre a sua empresa e nas conversas que tive com Mary Farley: achamos que a minha empresa pode ajudá-los a aumentar em 15 a 30 por cento o número de reservas para convenções."

Mostre credibilidade. Forneça um breve histórico da sua empresa, incluindo a razão pela qual foi criada, sua filosofia, seu desenvolvimento e seu grau de sucesso. Mencione algumas empresas com as quais já trabalhou, principalmente se forem nomes conhecidos. Isso serve

PROPOSTA

para "situar" o cliente, permitindo que o grupo saiba quem você é e qual a extensão da sua experiência e credibilidade.

Forneça uma lista de contas. Faça cópias de uma lista de contas para todos os presentes. Seria monótono citar todas as empresas com as quais já trabalhou. Por isso, distribua as cópias com antecedência ou enquanto fala. Essa lista vai mostrar os vários tipos de empresas que você já atendeu: seu tamanho, sua localização.

Exponha suas vantagens competitivas. Explique sucintamente ao grupo, logo de início, a situação de sua empresa com relação à concorrência. Não entre em análises detalhadas e nem em comparações de pontos fortes e fracos, mas deixe claro que você é capaz de superar a concorrência.

Apresente qualificações e garantias de qualidade. Conquiste a boa vontade do grupo mencionando suas garantias logo no início. Com isso, você mostra que tem orgulho do seu produto e que não foge da questão das garantias. Você deve também apresentar as qualificações e credenciais da sua empresa. Por exemplo: "Temos uma certificação do governo federal e licença para tratar ou remover lixo tóxico em todos os Estados". Ou: "Tenho cópias dos resultados de alguns testes feitos por um laboratório independente..." Se a sua empresa garante a devolução do dinheiro ao cliente caso alguma condição não seja atendida ou se tem condições de garantia atraentes, não deixe de tocar no assunto. A Chrysler adotou essa estratégia com sucesso, anunciando garantia de cinco anos ou 80 mil quilômetros.

Ajuste-se ao estilo de comportamento do grupo. Todo grupo se compõe de indivíduos, cada um com seu estilo pessoal. Mas o grupo também tem um estilo geral ou dominante — ou seja, suas decisões são tomadas de uma forma que é característica de um dos quatro estilos de comportamento. Se conseguir determinar rapidamente o estilo do grupo, você estará em condições de prender sua atenção e de atender suas necessidades com mais eficácia. Algumas pessoas são mais impacientes do que outras. Se você não mostrar interesse direto por suas necessidades, elas vão parar de prestar atenção, algumas antes das outras, nesta ordem: primeiro os diretores, depois os socializadores, os pensadores e os relacionadores.

Os quatro estilos mostram também prioridades e interesses diferentes durante a apresentação. Os diretores querem saber qual é o rendimento real do produto, qual o retorno pelo investimento e qual a relação do produto ou serviço com as metas da empresa. Os socializadores querem saber se o seu produto ou serviço é novo, único, estimulante e quem mais o utiliza. Os pensadores se preocupam com o funcionamento do produto ou serviço, com sua segurança e precisão. Os relacionadores querem saber se é bom usar seu produto e a quem ele afeta.

Depois de estabelecer a credibilidade da sua empresa, comece a envolver o grupo na apresentação. A primeira coisa a fazer é pedir que todos dêem sua colaboração à lista de critérios de sucesso e de tomada de decisões. Introduza o assunto da seguinte forma: "Falei com o Fred, a Sally e a Sue para saber como, segundo eles, sua empresa pode melhorar nesse aspecto. Em minha pesquisa, percebi que há benefícios também em melhorar X, Y e Z. Gostaria de ouvir todas as suas idéias sobre a questão". Peça que cada um acrescente alguma coisa à lista de benefícios desejados e de critérios para a tomada de decisões. Tome notas — em um quadro, talvez — do que todo mundo diz, pois isso vai ajudá-lo a dar forma à apresentação.

Quando todos já tiveram oportunidade de falar, continue a fazer a apresentação como se fosse uma apresentação individual. A principal diferença é que você tem que dar atenção a todas as perguntas, dúvidas e preocupações que surgirem no grupo. Vá de encontro às necessidades de cada pessoa com uma proposta específica.

Quando usar esse método, é essencial, durante a preparação, imaginar todas as perguntas que os responsáveis pelas decisões possam levantar. Para isso, converse com pessoas da empresa, colegas vendedores e outras pessoas do ramo. Você tem que estar preparado a ponto de já ter pensado em tudo o que for mencionado como critério para a tomada de decisões.

Quando se preparar para uma apresentação individual ou em grupo, redija sua proposta — um documento de uma ou de muitas páginas — com dados, especificações, relatórios e soluções específicas. Esse documento é uma fonte de referência que diz ao seu cliente o que ele comprou, se disse sim, e o que deixou de comprar, se disse não. Ele traz tudo o que vocês discutiram na fase de estudo: problemas, critérios de sucesso, critérios para tomadas de decisões — e como seu produto ou serviço vai de encontro a tudo isso. No fim, inclua documentos relevantes e cópias de depoimentos de clientes satisfeitos.

Durante a apresentação, não leia o documento. Ele não é a apresentação: é apenas uma fonte de referência factual que deve ser entregue ao *prospect* quando a decisão for tomada. Além disso, ao fazer a apresentação, não tenha a pretensão de tratar de todos os pontos da proposta, a menos que seja breve. A apresentação se concentra em assuntos relativos ao vazio de necessidade do cliente: as informações tangenciais devem constar do documento escrito. Lembre-se: um documento contendo uma proposta não vende nada — quem vende são as pessoas. Esse documento não substitui, de modo algum, uma apresentação de alto nível.

Quando redigir sua proposta, não inclua preços — por várias razões. Em primeiro lugar, a tendência é ir diretamente aos preços, sem ler o resto do documento. Em segundo lugar, os preços atrapalham quem não participa das decisões e não precisa se preocupar com eles. Se o responsável pela tomada de decisões lhe perguntar por que estão faltando os preços, diga o seguinte: "Achei que assim vocês teriam a opção de mostrar esse documento para outras pessoas sem revelar preços. É uma questão de sigilo". A terceira razão é política. Imagine um grupo de diretores que não recebem aumento há dois anos lendo um documento que propõe a compra de um computador de 2 milhões de dólares. Isso pode suscitar problemas.

Deixe claro que não está omitindo os preços e que seria um prazer discuti-los com quem de direito, ou seja, com os responsáveis pela tomada de decisões. É importante apresentar os preços no contexto correto.

Ao fazer a proposta, trate de cada problema e forneça informações específicas sobre suas soluções para cada um deles. Não deixe de discutir características e benefícios e de pedir *feedback*. Pergunte mais ou menos o seguinte: "Vocês vêem algum outro benefício?" Ou: "O que acham disso? Acham que vai resolver o problema?"

No fim, resuma a proposta apresentando um resumo de benefícios. "Aceitando minha proposta, vocês vão conseguir..." Explique como os benefícios favorecerão a solução de problemas específicos.

Antes da apresentação, pergunte ao seu principal contato dentro da empresa se o grupo vai tomar alguma decisão enquanto você estiver presente ou se vão discutir o assunto e informá-lo depois. Você tem que descobrir, também, se essas pessoas são responsáveis pelos aspectos financeiros da compra. Se forem, você terá que falar sobre a relação custo-benefício. Se não, nem discuta o assunto.

Depois de terminar o resumo dos benefícios, peça as impressões do grupo. Pergunte se concordam com a solução que você propôs: se acham que ela resolve o problema ou atende às necessidades. Procure sentir o estado de espírito do grupo, sem fazer perguntas. Se você estiver trabalhando com uma pessoa só, é mais fácil descobrir quais são suas impressões.

Quando terminar o resumo, pergunte se há alguma dúvida. Nesse momento, você vai estar quase esgotando seu tempo. Se alguém fizer alguma pergunta que esteja respondida no documento, mostre-lhe onde, garantindo que encontrará ali uma resposta completa.

Rick: Em 1985, esse método foi usado com sucesso pela Buffalo-Niagara Sales and Marketing Executives. Enviamos um comitê à convenção da Sales and Marketing Executives International com a missão de trazer para Buffalo a convenção de 1988 da SMEI. Desnecessário dizer que havia muitas outras cidades disputando esse privilégio, assim como alguns *resorts* do sul do país.

Adotamos este método de apresentação. As regras da SMEI não nos permitiam perguntar quem eram os responsáveis pelas decisões e, assim, não dava para saber de antemão quais seriam os critérios para a tomada de decisões. Depois de muito pensar, chegamos a vinte e três critérios de sucesso que poderiam ir de encontro ao que eles queriam. Redigida em forma de documento, nossa proposta ocupou um caderno volumoso, com vinte e três divisões. Com trinta minutos para fazer a apresentação, começamos perguntando a todas as pessoas do comitê quais eram, segundo elas, os critérios de sucesso. Conforme iam falando, íamos anotando no quadro. Abordamos na ordem cada critério de sucesso e fizemos com que o comitê conhecesse nossa proposta, nossas fitas de vídeo e nossos apresentadores. Com tudo isso, suas perguntas foram respondidas e suas necessidades atendidas. Fomos recompensados com o contrato para a convenção de 1988, que prometia gerar milhões de dólares em turismo para a cidade de Buffalo. Mais tarde, os membros do comitê nos disseram que ganhamos o contrato graças à abrangência e à força da nossa apresentação.

A Importância de Usar os Cinco Sentidos

Durante as apresentações, faça com que o cliente use todos os seus sentidos. A demonstração em vídeo solicita a visão e a audição. Se houver alguma coisa para saborear ou cheirar, não deixe de levá-la para que todo mundo experimente. Se for possível, deixe que toquem e manipulem o produto. Caso o produto não se preste a isso, acrescente alguns elementos sensoriais à situação. Se possível, providencie comida e café de boa qualidade. O cheiro bom e o ato de comer relaxam o grupo. Se a apresentação for no meio da manhã ou no fim da tarde, quando as pessoas começam a sentir fome, dar-lhes de comer garante a sua atenção. Outra maneira de prender a atenção do grupo é fazer uma demonstração que permita a participação de todos.

PROPOSTA   155

A Arte de Demonstrar

Uma demonstração — como uma fotografia — vale por mil palavras no mínimo. Fitas de vídeo, *slides*, gravações e demonstrações ao vivo divertem e mantêm o dinamismo da apresentação.

A demonstração facilita a transmissão de informações. Apresentados de modo vívido, seus argumentos se tornam marcantes. Associar novas informações a imagens já conhecidas consolida a conexão e as impressões. As analogias, ainda mais se tiverem uma dose de humor, são poderosas auxiliares da memória.

É fundamental que a demonstração seja relevante. Não presuma que a cliente só conseguirá visualizar e avaliar o uso do seu produto ou serviço se você lhe fizer uma demonstração. Isso vale também para produtos técnicos, industriais e especiais para escritórios.

Demonstrações ao vivo podem ter um bom impacto. Se o custo se justificar, organize uma visita monitorada para demonstrar o produto em algum lugar em que ele já esteja instalado e funcionando. Mas não se esqueça destes quatro detalhes:

1. Garanta a presença dos principais responsáveis pela tomada de decisões.

2. Ofereça alguma coisa que possam levar para casa. Isso é difícil no caso de equipamentos industriais instalados na fábrica de outro cliente mas, sempre que possível, providencie amostras.

3. Dê ao *prospect*, especialmente ao usuário final do produto, a oportunidade de testá-lo diretamente. Aponte os benefícios do seu funcionamento.

4. Faça um resumo das informações obtidas durante a visita, que pode ser por escrito ou verbal, dependendo da logística da visita e da estrutura da apresentação.

Como Lidar com Concorrências

Sempre que possível, faça a apresentação pessoalmente. Existem, porém, algumas situações em que vão lhe passar as especificações do produto ou os parâmetros do serviço desejados pela empresa e lhe pedir, como para os outros concorrentes, uma proposta fechada. Neste caso, é importante estudar o *prospect* tão bem quanto no caso de uma apresentação pessoal —

156 A VENDA NÃO-MANIPULATIVA

ou ainda melhor. Há algumas coisas que você pode fazer para dar maior impacto à sua proposta.

- Apresente por escrito uma extensa comparação com os concorrentes. Compare maçãs com maçãs e não maçãs com laranjas, para que a comparação seja válida.

- Se puder, convença o *prospect* a deixá-lo redigir as especificações do produto ou serviço. Você pode se oferecer para fazer isso sem custos.

Phil: Quando eu trabalhava com segurança, consegui vender os sistemas de segurança Dictagraph a todos os museus da Geórgia porque coube a mim redigir as especificações. Eu me ative a especificações que só nós poderíamos atender.

- Inclua cartas de referência à proposta. Elas agregam mais valor ao seu produto ou serviço.

Rick: Conheci um vendedor que vendia equipamento de futebol americano para escolas. Suas vendas envolviam contratos de vulto e eram feitas, em geral, através de concorrências com propostas fechadas. Em sua proposta, ele incluía três cartas com depoimentos de escolas que o adoravam. E elas o adoravam porque ele ia aos jogos toda sexta-feira à noite e ficava na lateral do campo com uma caixa cheia de protetores acolchoados para capacetes. Fazia isso porque, como todos sabem, esses protetores ficam comprimidos com os impactos que os capacetes sofrem. Fazia parte do contrato que ele tinha com a escola substituir os protetores cada vez que os garotos saíam de campo. Os técnicos o adoravam, porque isso lhes poupava aborrecimentos com contusões e processos judiciais. O vendedor os dispensava também da manutenção dos capacetes e da necessidade de ter sempre peças à mão. O valor que ele agregava ao produto e as cartas que o comprovavam fizeram maravilhas por ele.

- Atenda às especificações e depois acrescente mais alguma coisa. Descreva o que a sua empresa faz melhor do que a concorrência. O produto ou serviço de todos vocês pode ser semelhante. Por isso, ofereça benefícios adicionais, como um bom prazo de garantia ou atendimento especializado ao cliente.

- Inclua uma lista de referências, para que suas afirmações possam ser confirmadas. Em caso de proposta fechada, o segredo da vitória é fazer do seu produto, que o cliente vê como *commodity*, um produto diferenciado. Ele precisa ter um maior valor percebido, embora seu preço seja igual ou inferior ao do produto da concorrência.

O vendedor tradicional se preocupa com a apresentação porque a vê como o único momento para convencer o *prospect*. O vendedor não-manipulativo não se preocupa. Ele sabe que, tendo feito a lição de casa e cultivado a relação desde o início, a apresentação é apenas uma fase do processo de vendas. A apresentação fica muito mais fácil porque ele já estudou a situação do *prospect* e sabe que é capaz de apresentar soluções atraentes.

10

Confirmação

DEPOIS DO ESTÁGIO DA PROPOSTA, só resta aos vendedores tradicionais rezar ou coagir o cliente. Mas os vendedores não-manipulativos, que seguiram os métodos descritos neste livro, não precisam se preocupar. Você não teria chegado a esta fase do processo de vendas se não tivesse uma sólida relação com sua *prospect* e se ela não tivesse um bem definido vazio de necessidade a ser preenchido. Se você foi cuidadoso durante o percurso, trabalhando de perto com a *prospect*, vocês vão passar naturalmente à fase da confirmação. Como é uma forma pessoal de vender, a venda não-manipulativa elimina da confirmação da venda qualquer embaraço. O vendedor não-manipulativo nunca manobra seus *prospects* como um vaqueiro laçando novilhos.

FECHAR VS. CONFIRMAR

Um dos aspectos mais desagradáveis da venda tradicional é a ênfase no "fechamento". A importância atribuída a essa fase é tamanha que cheira a manipulação, trapaça e pouco-caso pelas necessidades do *prospect*. Os vendedores não-manipulativos trabalham de maneira oposta: para eles, os fins não justificam os meios.

"Fechar" sugere que a parte difícil do trabalho acabou e que você está livre para colher as recompensas. Isso é apenas uma meia-verdade. Você colhe as recompensas, mas o trabalho continua. Para o vendedor não-manipulativo, a prioridade não é a confirmação da venda, mas a relação e o processo inteiro. A confirmação é apenas o início do compromisso com uma relação de negócios permanente; em certo sentido, a venda começa quando o cliente diz sim. Para a vendedora não-manipulativa, o cliente é mais do que uma fonte de pedidos e comissões: é um patrimônio e um elemento importante na construção de sua carreira de vendedora. A confirmação, portanto, não é o momento de suspirar aliviada, mas de ficar feliz por ter ajudado mais um cliente.

Você já deve ter percebido que, na venda não-manipulativa, não há uma linha separando a "venda" do "fechamento". Quando o estudo e a proposta foram bem-feitos, a cliente já expressou suas necessidades e sabe que o seu produto ou serviço vai atendê-las. Você usou *feedback* verbal e não-verbal para saber como a cliente percebe o valor do seu produto ou serviço. Na verdade, antes de entrar na fase da confirmação, você e a cliente já concordaram quanto à solução para o problema. Portanto, a confirmação não é um *se*, mas um *quando*. É desnecessário usar técnicas complexas ou manipulativas de fechar negócios. O vendedor não-manipulativo e o cliente estão fazendo negócios *juntos*.

Na venda não-manipulativa, dá para fazer uma analogia entre confirmação e pedido de casamento. Se você está inseguro quanto à resposta, não pergunte — é cedo demais. A decisão de se casar é a conclusão de uma relação desenvolvida com reciprocidade. A pergunta, como na venda não-manipulativa, é retórica e a resposta é uma data e não um "sim" ou "não". A pergunta é a simples cristalização formal de sentimentos já compreendidos.

Apesar das diferenças, a venda manipulativa e a não-manipulativa têm muito em comum. Na fase de confirmação, qualquer que seja sua filosofia, você deve estar em sintonia com a *prospect*. É o nível de concordância dela que determina *o que* fazer e *quando* fazer. Se ela está preparada para confirmar a decisão no início da apresentação, você não precisa terminá-la. Se o fizer, corre o risco de se exceder e entediar a *prospect*. Mas, em geral, os *prospects* querem o máximo possível de informações. Preste atenção aos sinais verbais e não-verbais que ela emite.

Confirmação de Oportunidades

Quando chega à fase de proposta, você já conhece o estilo pessoal do *prospect*, sua linguagem corporal característica e o modo como interage com você. Durante a apresentação, esse conhecimento o ajuda a determinar o que o *prospect* está pensando ou sentindo. Há momentos, porém, em que você não conhece o cliente tão bem assim. Ele pode, por exemplo, lhe pedir para fazer uma apresentação para alguém que você nunca viu. Por isso, é bom conhecer os indicadores verbais e não-verbais das decisões de compra. Os sinais de compra podem ser vermelhos (negativos), amarelos (neutros) ou verdes (positivos).

As perguntas da cliente dizem muito sobre o que ela está pensando. Algumas perguntas são mais neutras do que outras e devem ser avaliadas no contexto dos outros sinais. Eis algumas perguntas típicas:

1. Posso experimentar mais uma vez? (+)

2. Essa máquina é mais confiável do que a minha? (0)

3. Que prazos de pagamento vocês oferecem? (+)

4. Quando você pode entregar? (+)

5. Como eu posso pensar em comprar com juros tão altos? (–)

Perguntas relativas a prazos, entrega, quantidade, benefícios e serviço indicam uma atitude de compra positiva. As perguntas sobre características, facilidade de usar e manutenção do produto são neutras. As perguntas negativas em geral são óbvias.

Os comentários da cliente sobre o produto ou serviço indicam também uma tendência. Você vai ouvir frases como essas:

1. É muito interessante. (0)

2. Acho que podemos dispor desse valor. (+)

3. Hmmm... não sei não. (–)

4. Sim, eu já conheço. (0)

5. As coisas estão difíceis hoje em dia. (–)

A linguagem corporal foi examinada detalhadamente no capítulo 6. Se necessário, revise os conceitos antes da proposta e da confirmação. Além disso, tenha em mente as seguintes dicas:

1. Se o cliente estiver sentado, braços abertos indicam receptividade, enquanto braços cruzados indicam uma atitude defensiva.

2. Inclinar-se para a frente e ouvir com atenção demonstra interesse.

3. A cabeça apoiada em uma das mãos e o olhar vazio mostram que você perdeu a atenção dele.

4. Uma postura tensa não é um indício positivo. As pessoas tendem a relaxar quando decidem comprar.

5. Expressões faciais alegres e animadas indicam que o *prospect* está se relacionando bem com você.

Como já desenvolveu uma relação de trabalho, você pode fazer mais do que monitorar os sinais de compra da cliente: você pode perguntar o que

A Confirmação Provisória

ela está sentindo ou pensando. Isso é ainda mais útil quando os indícios são negativos ou neutros.

Em geral, quando a cliente está hesitando, vale a pena recorrer à confirmação provisória. Essa técnica é eficaz porque dá a ela uma "saída" psicológica e finaliza, ao mesmo tempo, o processo de compra. Por exemplo: uma agente de viagens liga para um hotel em nome do cliente. A agente pergunta se um determinado quarto está livre para uma determinada data. O quarto está livre, mas a agente precisa checar com o cliente antes de confirmar. O funcionário do hotel pode dizer: "O hotel costuma lotar. Para não haver perigo do quarto estar reservado quando você voltar a ligar, por que não fazemos a reserva já? Se o seu cliente confirmar, a reserva estará feita. Se o seu cliente não quiser o quarto por algum motivo, você pode nos telefonar até as seis horas do dia da reserva. Não há taxa de cancelamento".

Em primeiro lugar, o bom da confirmação provisória é dar início ao comprometimento — às vezes o *prospect* precisa de um empurrãozinho para fazer o que é do interesse dele. Esse não é o compromisso de compra mais forte que existe, mas é melhor do que nada. Em segundo lugar, o compromisso de comprar faz com que as pessoas parem de procurar alternativas. Caso contrário, continuam procurando. Psicologicamente, esse compromisso faz com que sintam que tomaram uma decisão — e elas param de procurar. Imagine, por exemplo, uma mulher fazendo compras em uma loja de departamentos. Ela escolhe uma blusa e vai indo para o caixa. No caminho, vê uma outra blusa que a interessa. Então, abandona a primeira, pega a segunda, leva até o caixa e compra. Mas, se a caixa registradora estivesse mais perto da primeira blusa, a mulher a teria comprado e talvez nem visse a segunda blusa porque já teria feito sua compra. Caso visse a segunda blusa, ela avaliaria o trabalho de devolver a primeira e assim por diante.

A confirmação provisória não deve ser usada como truque. Deve ser usada quando existe acordo quanto à solução do problema da *prospect*, mas mesmo assim ela não consegue se decidir. Há algumas pessoas que, mesmo reconhecendo as próprias necessidades, têm muita dificuldade para tomar decisões. Esta técnica é para casos assim. É para quem quer o que você está vendendo e não para quem não está interessado.

Em certos ramos de atividade, os prazos de entrega são longos devido à manufatura, à produção ou a algum outro fator. Se for esse o seu caso, considere o uso da confirmação provisória. Um exemplo do que dizer a um *prospect* inseguro: "Seja como for, vai demorar seis semanas para sair do depósito. Por que não fazemos a encomenda? Eu lhe telefono no fim da quinta semana para saber se não mudou de idéia. Caso tenha mudado, tudo bem: eu vendo para outro cliente".

Um bom exemplo é a reserva de espaço publicitário em periódicos locais. O vendedor pode dizer ao cliente: "O prazo-limite para a entrega das artes-finais é o dia 10 de cada mês. Mas, de vez em quando, publicamos um anúncio nosso. Você pode reservar um espaço e decidir no último minuto. Caso desista, inserimos o nosso anúncio".

Essa tipo de confirmação funciona muito bem em situações em que o cliente já decidiu comprar mas tem que aguardar um financiamento ou alguma outra contingência. Na verdade, ao usar a confirmação provisória, o vendedor está dizendo ao cliente: "Eu não me importo que você empate o meu estoque. Eu quero lhe facilitar as coisas".

O Piloto

Piloto é uma técnica que proporciona ao cliente uma amostra do seu produto ou serviço. A maioria dos vendedores usa mal o piloto. Usam-no como técnica de confirmação. Para o vendedor não-manipulativo, essa é uma técnica para manter a satisfação do cliente. Ela é discutida aqui porque, em geral, é usada equivocadamente durante essa fase da venda.

O piloto não pode ser usado como instrumento de confirmação porque não é uma boa maneira de obter o comprometimento. O vendedor típico diz: "Eu sei que você está indecisa. Por que não leva dez dúzias para ver se gosta? Se gostar, fazemos o negócio, se não gostar, não tem problema". A cliente leva o produto — e faz o quê? Fica atenta a tudo o que há de errado, procurando motivos para não comprar. A percepção seletiva negativa substitui o comprometimento. É a natureza humana.

O piloto é um instrumento para manter a satisfação do cliente. Ele é oferecido depois da cliente dizer: "Se tudo o que você disse é verdade, eu quero comprar". O piloto é uma forma de provar que você disse a verdade. É uma forma de ajudar a cliente a se acostumar com o que ela já decidiu comprar. Se ela já se comprometeu, a percepção seletiva faz com que observe o que há de bom, e não de errado, em seu produto ou serviço. É *por isso* que os pilotos são poderosos instrumentos de manutenção da satisfação do cliente mas péssimos instrumentos de confirmação. Se você conversar com vendedores que o usam como instrumento de confirmação, eles vão lhe dizer que em geral não funcionam.

Você já deve ter sentido a diferença entre os dois usos do piloto em sua vida de consumidor. Quase todos nós já assinamos revistas com a opção de pagar depois ou de cancelar a assinatura quando chegar o boleto de pagamento. Em geral, cancelamos. Por outro lado, você já comprou um livro com a garantia de ter o seu dinheiro de volta caso não fique satisfeito? É muito provável que não tenha devolvido o livro, mas procurado motivos para ficar com ele.

A Confirmação com Alternativas

A confirmação com alternativas, assim como o piloto, raramente é bem usada. Em geral, os vendedores tradicionais oferecem alternativas para manipular os clientes e obter um compromisso de compra. Na verdade, dão a isso o nome de "fechamento com escolha forçada". Perguntar ao *prospect* se ele quer um anúncio de meia página ou de página inteira é como imobilizá-lo com um golpe de judô.

Na venda não-manipulativa, só se oferece alternativas *depois* que o compromisso de compra já se formalizou. É uma forma de acertar os detalhes.

As alternativas *não* devem ser usadas na fase de confirmação porque todo mundo quer tomar as próprias decisões. A autonomia é um impulso inconsciente muito forte, que as pessoas exercem direta ou indiretamente. Se você apresentar uma alternativa para uma diretora ou socializadora, ela vai reagir imediatamente. Se você lhe der duas alternativas positivas, ela opta por uma negativa para manter a autonomia! Diante da mesma escolha, um pensador ou relacionador vai ter uma reação tardia. Na hora, eles vão se deixar manipular mas, no futuro, vão exercer sua autonomia — vão cancelar a compra, vão descobrir alguma coisa errada no produto ou serviço, vão deixar de pagar a fatura ou fazer propaganda negativa da sua empresa.

Quando Pedir Confirmação

Quando é melhor confirmar a venda? A maioria dos vendedores diria que é quando o cliente dá sinais de que vai comprar ou de que está pronto para um compromisso de compra. Mas isso é apenas metade da resposta.

Phil: Tenho um cliente que trabalha com venda e locação de apartamentos. Como parte de sua rotina, ele costuma mostrar apartamentos para locatários em perspectiva. Em geral, ele espera voltar para o escritório para

164   A Venda Não-manipulativa

confirmar a venda mas às vezes aparece um *prospect* que, no meio da visita, começa a dar sinais de querer fechar negócio. Digo a ele que deveria esconder formulários atrás dos vasos e debaixo das toalhas à beira da piscina. Agora, falando sério: quando o cliente começa a puxar a sua manga dizendo que quer fechar negócio, faça a vontade dele. Mas fique atento: talvez ele não esteja preparado para fechar negócio, já que está se baseando no que sabe até aquele momento — e num preço que ele mesmo "chutou". E se o preço for muito mais alto? É possível que ele leve um choque — e perca o interesse.

Neste caso, é importante dar ao cliente informações que aumentem o valor percebido de produto ou serviço. Interrompendo a apresentação no meio para dizer o preço, você estaria lhe dando uma noção errada do valor do produto. O cliente teria um quadro parcial do que está comprando por aquele preço. Se ele sabe quanto vai pagar mas não o que vai comprar, como pode julgar se o preço é justo ou não?

É essencial que o *prospect* tenha o quadro completo antes que a venda seja confirmada. Em outras palavras: o momento de confirmar a venda é depois de ter terminado a proposta.

Cabe uma pergunta lógica. Quando a compradora ansiosa não quer saber da apresentação, mas apenas do preço, o que você deve fazer? Quando ela perguntar pela primeira vez, ponha a situação em seu contexto.

Vejamos o exemplo de alguém que pretende ficar sócio de um clube. Depois de um passeio pela piscina, pela academia de ginástica e pelos vestiários, a cliente começa a puxar a manga do agasalho de poliuretano do vendedor: "Quanto custa?" A melhor resposta seria mais ou menos assim: "Lisa, eu adoraria dizer a você quanto custa, mas há uma série de planos diferentes. Quero que você tenha uma idéia das nossas diferentes categorias e opções de serviço. Depois, juntos, vamos descobrir qual é o melhor plano para você. Aí eu vou poder lhe dizer exatamente qual é o preço desse plano". Se achar que a *prospect* concordou, você pode fazer algumas perguntas para colher informações e apurar fatos.

Se ela perguntar de novo, dê uma idéia dos preços. Se perguntar pela terceira vez, diga o preço. É melhor dizer o preço, correndo o risco de um mal-entendido, do que irritar sua *prospect* por ignorá-la.

Dar o preço antes do valor é um desserviço ao cliente. Alan Cimburg, uma das figuras mais importantes do treinamento de vendas dos Estados Unidos, usa o exemplo de uma mulher procurando uma caneta de ouro para comprar. Ela aponta para uma caneta no mostruário da loja e pergunta o preço ao balconista. "Quinhentos dólares", responde ele. "Quinhentos dólares? Não quero!" E sai furiosa da loja. Então, o balconista se volta para o colega e diz: "Puxa, eu deveria ter dito que o preço inclui um Rolex!" Mais uma vez, *a prospect precisa saber exatamente o que está comprando*.

PEÇA CONFIRMAÇÃO

Há ocasiões em que você pergunta à cliente o que ela quer fazer. Faça uma pergunta aberta e direcionada, como por exemplo: "E agora, fazemos o quê?", "Como você gostaria de fazer?" ou "Qual é o nosso próximo passo?" É um pedido direto e honesto que elimina as características traiçoeiras ou manipulativas da venda tradicional. Como a *prospect* participou totalmente da transação inteira e já concordou com a solução, a resposta vai ser provavelmente um horário, uma data ou algum outro detalhe relevante. Se estiver preocupada com alguma coisa, ela tem que ter liberdade para falar. Afinal, vocês são dois solucionadores de problemas trabalhando em conjunto.

Só que tudo é muito simples quando a venda é confirmada — mas e se o *prospect* não confirmar a venda? O vendedor tradicional é ensinado a passar por cima das objeções e voltar a falar do pedido. Esse método cria defesas, eleva a tensão e reduz a confiança. O vendedor não-manipulativo, ao contrário, administra o problema.

A RESISTÊNCIA DO CLIENTE

Na venda tradicional, você é ensinado a passar por cima das objeções. Na venda não-manipulativa, uma "objeção" não é uma rejeição: é uma correção. É chamada de resistência — não resistência no sentido negativo, mas aquele tipo de resistência que, como a pressão atmosférica, pode ser usada a nosso favor.

Ao oferecer resistência, a *prospect* está tentando, indiretamente, orientá-lo. Ao dizer que não vai comprar, a *prospect* o orienta em direção ao que gostaria de comprar. Há duas analogias que esclarecem esse ponto. Quando esquia na água, você vira exercendo pressão sobre o esqui oposto à direção desejada. Se quer ir para a direita, você pressiona o esqui esquerdo. *A resistência muda a direção.* Outro exemplo é o do míssil termoguiado. Ele nunca está no rumo certo até o momento em que entra em contato com o alvo: corrige constantemente a rota com base nos dados recebidos pelos sensores.

O mesmo se pode dizer do vendedor não-manipulativo. Com seus produtos e serviços, ele só vai em direção ao alvo quando termina a confirma-

166 A VENDA NÃO-MANIPULATIVA

ção. É preciso monitorar o *feedback* do *prospect* e ajustar o curso o tempo todo. A resistência da *prospect* é simplesmente um empurrão em outra direção, um aviso para você corrigir a rota. Ela lhe diz: "Não vá por *ali,* vamos por *aqui*".

Idealmente, a resistência deve ser pouca. Você não teria avançado tanto no processo de vendas se a *prospect* não tivesse uma intenção razoável de fazer o negócio com você. Em cada fase, você procurou concordância e manteve a força da relação. Neste ponto, a confirmação é como uma proposta de casamento: a resolução de uma relação desenvolvida com reciprocidade.

A resistência deve ser encarada como oportunidade e não como obstáculo. A *prospect* está permitindo que você a conheça melhor e que sonde ainda mais suas necessidades. A cliente que mostra resistência a alguma coisa está participando da relação: não está apática. É isso que o vendedor não-manipulativo quer: uma *relação*.

A resistência assume várias formas, como perguntas, afirmações e gestos corporais, e pode significar várias coisas. De vez em quando, é difícil identificar o motivo exato da resistência porque as pessoas usam desculpas para encobrir seus verdadeiros sentimentos. Na verdade, é uma sorte quando alguém lhe diz qual é o seu defeito ou o defeito do produto: é um tipo de *feedback,* com o qual você aprende e se aperfeiçoa.

Quando isso acontecer, faça perguntas à sua *prospect,* tendo em mente que a resistência pode ter uma ou mais das seguintes razões:

1. A *prospect* não precisa mais do seu produto ou serviço, devido a mudanças que você desconhece.

2. A *prospect* não pode comprar por falta de autoridade, cortes orçamentários, taxas de juros altas ou outros problemas logísticos fora do seu controle.

3. A confiança da *prospect* em você diminuiu. Talvez você tenha errado na identificação do estilo pessoal e a esteja tratando incorretamente. Também não é impossível que a *prospect* não goste de você. Isso acontece.

4. Não há urgência em comprar. Em geral, os prazos apertados motivam as pessoas. Por outro lado, a ausência de pressão ou de uma necessidade identificável favorecem o marasmo. Talvez o vazio de necessidade seja menor do que você imaginou.

5. A *prospect* não tem interesse em sua apresentação. Você não conseguiu descobrir as necessidades ou adaptar as soluções. Talvez tenha trabalhado com dados incompletos ou informações erradas.

CONFIRMAÇÃO

Informações Incorretas ou Insuficientes

Se a origem da resistência está em informações incorretas ou insuficientes, descubra onde você errou e por quê. Será que as informações que forneceu estavam erradas ou incompletas ou será que houve uma falha de comunicação? Seja como for, você tem que voltar ao ponto em que ocorreu a falha de comunicação, colher mais informações e usá-las para traçar um plano que funcione.

Em geral, a resistência que tem sua origem em informações erradas ou insuficientes é retificada pelas novas informações. Há um processo de quatro passos para lidar com a resistência baseada na falta de informações precisas:

Ouça e observe cuidadosamente a mensagem verbal e não-verbal do seu *prospect*. Na realidade, o que está sendo dito?

Esclareça a base da resistência para que não haja mal-entendidos com relação ao problema em questão.

Reaja à resistência, adotando a técnica que lhe parecer mais apropriada.

Confirme a aceitação de sua resposta pelo *prospect* para ter a certeza de que sua resposta acertou o alvo, tornando desnecessária qualquer resistência para orientá-lo. Não se esqueça de verificar o nível de confiança e de tensão ao fim desse processo.

O cliente pode dizer, por exemplo, que só quer o seu serviço se puder ser implementado imediatamente. Descubra o que significa "imediatamente" antes de ir adiante. Dependendo da definição, você poderá ou não atender às exigências.

Conflitos de Personalidade

A resistência mais difícil de administrar é a provocada pela falta de uma boa química na relação. A relação é o fundamento sobre o qual todo o resto é erigido. Quando ela vem abaixo, vem abaixo tudo o que ela sustenta. Isso acontece porque a confiança se quebrou. Você pode ter errado ao classificar o estilo de comportamento da *prospect* ou pode ser alguma coisa fora do seu controle, que nem dê para identificar. Talvez a *prospect* não goste de você.

É claro que a *prospect* não vai dizer "Eu não gosto de você", ou "Eu sou diretora e você está me tratando como socializadora, seu idiota!" Em vez disso, ela diz: "É caro demais" ou "Verde eu não quero". A reação do vendedor tradicional é atacar a objeção em vez de trabalhar a relação. O pro-

168 A Venda Não-manipulativa

blema é que talvez a cliente não saiba por que não quer comprar: sabe apenas que não está interessada.

Neste caso, veja se ainda há tempo de salvar a relação. Use seus dons de comunicação para restabelecer a confiança. Reavalie o estilo da pessoa e comece a tratá-la corretamente. Se nada disso funcionar, pergunte se é um problema pessoal. Para fazer uma pergunta tão direta, diga por exemplo: "Tenho uma filosofia: se duas pessoas querem fazer negócio, os detalhes não as impedem. Deixe-me perguntar uma coisa: agora que já conversamos bastante, você está à vontade para negociar *comigo*?" Se a resposta for sim, diga mais ou menos o seguinte: "Vamos rever rapidamente o resumo das necessidades para ver se a análise que fiz está certa e se não exclui nada". Feito isso, reveja os critérios de sucesso que fixaram. Por fim, revise o sumário das USCs. Se estiverem de acordo em tudo e a relação for boa, pergunte à *prospect* por que ela não faz a compra. A lógica diz que ela deveria fazer.

Se ela disser que é por sua causa, que não gosta de fazer negócios com você, passe a conta a um outro vendedor. A *melhor* maneira de sair da situação é dar a conta a um especialista. "Sheila Levine é especialista em *design* gráfico. Talvez ela possa lhe explicar melhor em que pontos o nosso sistema vai de encontro às suas necessidades. Posso pedir a ela para lhe telefonar?"

Tempo de Espera: Dificuldades Técnicas

Há situações em que a confiança é forte e a resistência se deve a problemas técnicos fora do seu controle. Por exemplo: a *prospect* quer um determinado item em uma cor ou estilo que estão em falta. A menos que ela modifique essa exigência, a venda poderá não se confirmar. Esse é um problema difícil, mas não insuperável. Ajude sua *prospect* a ver com clareza as prioridades por meio do seguinte processo de quatro passos:

- Ouça e observe.

- Esclareça a preocupação.

- Responda pelo método da "compensação".

- Confirme sua resposta.

Nessa abordagem, os passos 1, 2 e 4 são semelhantes aos passos 1, 2 e 4 que foram esboçados quando o problema era a insuficiência de informações (página 52). A diferença entre os dois métodos está no passo 3. Usando o método da compensação, você reconhece a deficiência numa determi-

CONFIRMAÇÃO

nada área mas procura compensá-la salientando características e benefícios que sobrepujem a falha. Por exemplo: se você não pode entregar no prazo pedido, sugira outros prazos e enfatize as *vantagens* de uma outra data. Esse método funciona quando a falha não tem uma importância decisiva. Neste caso, as alternativas sugeridas resolvem a questão.

Às vezes você pode usar o clássico "Balancete Ben Franklin". Pegue uma folha de papel e divida-a em duas colunas, escrevendo "prós" no topo da coluna da esquerda e "contras" no topo da coluna da direita. Comece pela coluna dos "prós" e pergunte à cliente: "Dos dez critérios de sucesso que discutimos, qual você classificaria como o mais importante?" Escreva a resposta na primeira linha. "Qual é o menos importante?" Escreva a resposta na última linha. Vá perguntando até ter classificado todos os critérios, do mais ao menos importante. Feito isso, atribua um peso para cada um. "Vamos dar um peso a eles. Se fosse possível satisfazer apenas o primeiro, qual seria sua importância em uma escala de 1 a 100?" Continue o processo até o fim da lista.

Em seguida, passe à coluna dos "contras" e faça a mesma coisa. Lembre-se de que, neste ponto, os vendedores tradicionais erram. Eles dizem: "Muito bem, quais são as razões para não comprar?" A cliente fica confusa e consegue pensar só em algumas poucas razões. Mais tarde, quando o vendedor vai embora, inúmeras razões lhe ocorrem. Para usar o "Balancete Ben Franklin" de maneira não-manipulativa, procure ativamente razões contrárias à compra. Essa honestidade se aplica também ao lado positivo. Por isso, não hesite em dizer: "Não acho que isso seja um benefício para você".

O vendedor tradicional conclui essa abordagem dizendo: "O que eu mais admiro em Ben Franklin é que ele sempre agia com base no balancete, fosse qual fosse o lado vencedor". Isso é bastante manipulativo.

O vendedor não-manipulativo, ao contrário, usa o balancete como ferramenta de estudo. Discuta os itens da coluna dos "contras". Responda às dúvidas do *prospect* e, se possível, apresente uma solução ou explicação. Um dos itens da coluna pode ser, por exemplo: "Isso vai reduzir meu fluxo de caixa". A resposta seria: "É, durante os primeiros três meses vai reduzir o fluxo de caixa, mas calculamos juntos que ele vai aumentar a partir do quarto mês". Você pode, então, perguntar ao *prospect* se aquele item ainda é negativo ou se agora é neutro. Fica *a critério dele* tirá-lo da lista ou conservá-lo, mas pelo menos você lançou alguma luz sobre a questão. No fim do processo, pergunte ao cliente se ele quer continuar.

170   A VENDA NÃO-MANIPULATIVA

Técnicas para Enfrentar a Resistência

Um dos processos mais terapêuticos que existem é conversar com alguém. O vendedor não-manipulativo usa seus dons de ouvinte, sendo uma espécie de caixa de ressonância para os clientes e *prospects*. É possível aprender muito pelo simples ato de ouvir e às vezes cabe refletir de um ângulo diferente sobre o que foi dito. Sua capacidade de esclarecer as questões é útil para você e para o cliente.

Converta em pergunta. É difícil responder a uma afirmação. Mas você pode converter a afirmação em pergunta e respondê-la. Considere a afirmação: "Acho que não tenho uso para esse produto". Neste caso, você diria o seguinte: "Eu acho que você está se perguntando 'que benefícios há para mim neste produto?'" Você pode, então, responder *à pergunta*, e não refutar a afirmação.

Reflita e ouça. É útil segurar um espelho para mostrar às pessoas, diplomaticamente, o que estão sentindo, já que em geral elas não sabem. Essa é uma das formas de usar suas técnicas de comunicação. *Ouça* as inflexões de voz da *prospect*, *observe* sua linguagem corporal e *escute* o que ela diz. Com isso, você vai saber como ela se sente, ficando em posição de refletir esse sentimento e estimular maiores discussões. Essa técnica é ainda mais útil quando a objeção da *prospect* não lhe dá informações suficientes. Ela pode dizer: "O preço é muito alto". Atento à emoção por trás das palavras, você diz por exemplo: "Você está decepcionada com o preço?" E ela responde: "É claro que estou decepcionada. Já tentou fazer um empréstimo ultimamente? Como eu posso negociar com essa falta de dinheiro?" E então você salva o dia dizendo: "Esse problema não é incontornável. Nós temos vários planos de crédito que talvez lhe interessem".

Quebre a resistência em incrementos pequenos e significativos. O vendedor tradicional adota uma técnica que reduz a objeção a incrementos tão pequenos que se tornam ridículos. Por exemplo: "Este relógio não é caro. Ele vai durar vinte anos. São 7.300 dias! Vai lhe custar 1,4 centavo por dia!"

Não é assim que se faz. Você tem que reduzir a incrementos menores e mais *razoáveis* as afirmações que, para o *prospect*, parecem ter proporções enormes. Em publicidade, o exemplo clássico é o da Mercedes-Benz. O Mercedes é um dos carros mais baratos que se pode ter — não porque não seja caro, mas porque conserva o valor. Ao vendê-lo, você recupera uma porcentagem maior do investimento. Subtraindo o preço de revenda do preço de compra e dividindo o resultado pelo número de anos que o carro rodou, você percebe que saiu barato.

A distinção entre a maneira tradicional e a maneira não-manipulativa de usar essa técnica parece tênue. Mas não é. A premissa do método tradicional é enganar o cliente. No método não-manipulativo, você situa melhor as coisas para ele.

Use o método bumerangue. Pense no que o bumerangue faz. Ele é lançado, faz um arco enorme e volta para quem o lançou. Você pode fazer a mesma coisa com a resistência. Imagine o *prospect* dizendo: "No momento, estamos sobrecarregados demais para pôr seu produto em uso". A resposta-bumerangue seria: "O fato de estarem sobrecarregados torna a economia de tempo ainda mais importante para vocês. Nós já vimos que o meu produto vai economizar 50 por cento do tempo que vocês gastam atualmente. Se investirem um pouco de tempo para instalá-lo agora, no fim do mês vão ter mais tempo do que esperavam".

Mude a premissa. Neste caso, você muda a premissa em que a *prospect* baseou sua resposta, de modo que ela a veja sob uma nova óptica. Ela diz, por exemplo: "Seu produto não vai realizar o processo XYZ". A sua resposta pode ser: "Quando conversamos pela primeira vez, você disse que se interessava pelo nosso produto por sua maior conveniência. Em seguida, concordamos que ele talvez pudesse realizar o processo XYZ como benefício secundário. A conveniência ainda é sua prioridade número um? Se não for, qual é agora a importância relativa de cada prioridade?"

Enxergue Através da Fumaça

Na venda tradicional, a cortina de fumaça é vista como um artifício usado pelo *prospect* para não ser honesto. Já na venda não-manipulativa, a cortina de fumaça é simplesmente uma coisa que obscurece a visão que se tem da relação ou do processo de tomada de decisões. Há duas cortinas de fumaça muito comuns: "O seu preço é alto demais" e "Eu quero pensar no assunto". São duas frases que os clientes usam quando não se sentem à vontade para comunicar sua incerteza. Neste caso, você vai perceber sua inquietação pela falta de contato olho-no-olho, pelas inflexões de voz e outras pistas não-verbais. A solução é trabalhar a relação. Se o cliente não está à vontade para lhe dizer a verdade, alguma coisa está terrivelmente errada.

172 A VENDA NÃO-MANIPULATIVA

"Quero pensar no assunto."

Vamos supor que a *prospect* está lhe dizendo a verdade. Como reagir a uma frase como "Quero pensar no assunto"? Primeiro, pergunte se há mais alguma informação que possa facilitar a tomada de decisão, como opções de parcelamento, impostos envolvidos, custos e cronogramas de manutenção e assim por diante. Talvez ela precise de mais dados para quantificar seus critérios de decisão ou para ter uma base maior de informações.

Se isso não bastar, pergunte à *prospect* se há algum ponto da proposta ou alguma coisa no seu produto ou serviço que a deixe insegura (no caso de socializadoras e relacionadoras) ou que ela considere inexeqüível (no caso de pensadoras e diretoras).

Se ela não lhe der mais informações, diga o seguinte: "Não quero que você compre o que não quer ou não precisa. Mas também não quero que perca a chance de comprar uma coisa que deveria ter. Eu entendo que queira pensar no assunto. Quando você acha que vai poder dizer sim ou não à proposta?" Deixe-a escolher uma data — mas não aja como um vendedor tradicional, tentando forçar a escolha. Definida a data, diga a ela: "Se decidir antes, telefone para mim. Até lá, não vou interferir. Mas você se importa se eu ligar um dia depois da data que marcamos, caso não me dê notícias?"

"O preço é alto demais."

A outra frase comum, "Seu preço é alto demais", pode ter três significados:

1. Seu preço está acima das minhas possibilidades.

2. Seu produto não vale tudo isso. Eu sei onde comprar um produto da mesma qualidade e por menos.

3. Seu produto vale esse preço, mas não para mim.

Vamos examinar um de cada vez, adotando o mesmo exemplo nos três casos. A situação é um corretor de imóveis mostrando uma casa para um *prospect*, que faz uma das seguintes afirmações:

1. A casa vale US$ 100 mil mas eu só posso pagar US$ 75 mil. (O seu preço está acima das minhas possibilidades.)

2. Seu preço é irreal. Neste bairro, uma casa como esta é mais barata. Dá para comprar a casa aí do lado por US$ 75 mil. (O seu produto não vale esse preço.)

3. Seu preço é justo mas eu não tenho interesse em uma casa de quatro dormitórios com piscina. Para mim, dois dormitórios e uma

CONFIRMAÇÃO

banheira grande estão de bom tamanho. E ela não tem a vista que eu quero. Para mim ela não vale US$ 100 mil. (O seu produto vale o que você está pedindo, mas não para mim.)

Esse tipo de resistência pode lhe dizer várias coisas e levá-lo em várias direções.

Quando o *prospect* diz que o seu produto ou serviço custa mais do que o que ele pode pagar, você tem diversas opções:

- Sugerir novos prazos de pagamento, esquemas de parcelamento e outras alternativas criativas de financiamento.

- Propor uma solução mais em conta. É o momento de tirar da cartola as opções B e C. Quando a melhor solução é cara demais, proponha a segunda melhor. Alguns serviços, por exemplo, podem ser contratados por períodos reduzidos, ficando mais fáceis de pagar. Um contrato de consultoria mensal com um ano de duração pode se tornar mais atraente se o pagamento for feito a cada consulta realizada.

- Examine modificações lógicas no orçamento. Como já mencionamos, as empresas têm a opção de tirar recursos da verba de propaganda para usá-los em outro departamento. Se sua *prospect* quer realmente fazer o negócio, ela vai lhe dar informações sobre o orçamento para que você possa lhe sugerir a melhor maneira de implementar a re-alocação de recursos. Se você apresentar um argumento lógico que justifique a medida, sua *prospect* poderá apresentá-lo aos responsáveis pelas decisões da empresa.

Lembre-se: a *prospect* precisa reconhecer que seu produto é mais caro porque é superior ao da concorrência. Além disso, trabalhe para que a relação seja sólida e para que ela aprecie sua vontade de ajudar e sua competência. Você pode ser direto: "Se é isso mesmo que você quer, vamos trabalhar juntos para encontrar um meio de conseguir".

Caso o seu preço seja superior ao da concorrência, há algumas coisas que você pode fazer:

- Aumente o valor percebido de seu produto ou serviço. Para isso, diferencie sua empresa e seu produto ou serviço da concorrência falando sobre as características, os benefícios, o serviço ao cliente ou a reputação que você oferece, mas que a concorrência não consegue igualar. Não se esqueça de comparar maçãs com maçãs. Quando a comparação revelar uma discrepância entre a sua empresa e a concorrência, aponte o fato ao cliente. Em geral há uma boa razão para o seu produto ser

174   A VENDA NÃO-MANIPULATIVA

mais caro. A cliente recebe aquilo pelo que pagou: faça com que ela se dê conta do valor agregado que você oferece.

- Admita que a concorrência tem uma oferta melhor. Essa é a pior alternativa, por motivos óbvios. Antes de desistir da venda, você *tem que* voltar à sua empresa e negociar em nome do cliente. Convença sua empresa a reduzir o preço ou a aumentar o valor percebido do produto. Lembre-se: você é uma ligação que zela pelos interesses de ambas as partes.

Quando o *prospect* diz que o produto ou serviço vale aquele preço, mas não para ele, há duas soluções possíveis:

- Retorne à fase de estudo e identifique as necessidades que serão satisfeitas pelo seu produto, se é que existem.

- Altere a solução para refletir com maior precisão as necessidades da *prospect*. No exemplo da casa de quatro dormitórios, uma discussão mais detalhada pode revelar que a mãe da *prospect* está pensando em ir morar com o casal, de modo que vão acabar precisando de mais dormitórios.

SOLUÇÕES GANHAR-OU-GANHAR

A integridade nos negócios é essencial e o obriga, entre outras coisas, a trabalhar para encontrar soluções ganhar-ou-ganhar para todos.

Tony: Uma empresa telefonou para mim, depois de ler um artigo que escrevi, querendo me contratar para a convenção anual. Fiz algumas perguntas para colher informações, mais algumas para apurar alguns fatos e, por fim, começamos a discutir a verba que tinham para pagar o palestrante. A verba para uma palestra de uma hora estava muito abaixo do que eu cobrava normalmente. A mulher ficou em silêncio do outro lado da linha e depois disse que era inviável. Antes que encerrássemos o assunto do preço, eu disse: "Eu tenho a seguinte filosofia: quando duas pessoas querem fazer negócio, os detalhes não as impedem. Temos que ter certeza se queremos fazer negócio um com o outro: o resto acertamos depois". Eu lhe passei, então, algumas informações que a convenceram. Algumas semanas depois, ela telefonou e disse: "Tony, resolvemos que tem que ser você!"

Ainda tínhamos o problema do cachê para resolver. Eu disse: "Vocês querem que eu fale por uma hora — mas o que planejaram para o resto da manhã?" Ela disse que haveria um outro palestrante. Disse a ela que meu cachê era o mesmo por uma hora ou pela manhã inteira e me propus a apresentar mais de um tema. Ela gostou da idéia, mas disse que nem assim a verba seria suficiente. Tentei encontrar uma solução para lhe dar mais por seu dinheiro. Incluí alguns livros que eles teriam que comprar de qualquer maneira. Eles tinham uma verba para a compra de produtos, mas não tinham tido a idéia de combiná-la com a verba para pagar o palestrante. Examinando todas as opções, nós partimos de uma situação inviável e chegamos a um resultado ganhar-ou-ganhar.

Administrar a resistência é empregar diferentes formas de raciocínio para ser um melhor consultor. Às vezes, sua *prospect* não enxerga com clareza os próprios problemas e nem a solução para eles. Sua tarefa é voltar com ela, diplomaticamente, a um ponto de concordância e recomeçar a partir dali.

NÃO HÁ MOTIVO PARA SE SENTIR DESONESTO

O vendedor tradicional costuma se achar desonesto e coercitivo quando tenta "vencer" a resistência. Isso não se aplica ao vendedor não-manipulativo. Como consultor, você vem trabalhando com sua *prospect* para resolver os problemas dela. Seria impossível chegar ao ponto em que chegaram se não achassem que você é a pessoa certa para o caso. A resistência, quando surge, pode ser motivada por uma mudança nas necessidades, nos sentimentos ou na situação financeira da *prospect*. Enfrentar a resistência é esclarecer essa mudança para *ambos*. Nunca se sabe quais as circunstâncias envolvidas. Suas perguntas devem elucidar o que a *prospect* pensa e ela talvez lhe agradeça por isso. Afinal, você *está* em busca do que é melhor para ela. Se a situação mudou a ponto de ela não ter mais interesse no produto, você ao menos vai descobrir por que a venda não foi confirmada.

Assim como, no casamento, os parceiros enfrentam as resistências um do outro, em uma relação de negócios os parceiros administram as resistências como parte natural do processo de venda. Esse é um ingrediente necessário à formação de uma forte relação de negócios.

Se, depois de discutir a objeção da sua *prospect*, ela continuar se opondo à venda, passe a bola para ela, perguntando: "E agora, o que vamos fazer?" Isso transmite seu desejo de ser útil, mas dando escolha a ela. Talvez ela marque outra reunião, talvez peça para você explicar algum ponto obscuro, talvez forneça mais informações ou simplesmente encerre o processo de venda, no caso daquele produto, naquele momento.

176   A VENDA NÃO-MANIPULATIVA

AVALIAÇÃO DE SEUS CONTATOS

Seja qual for o resultado, tome notas depois de cada contato para que possa avaliar seu desempenho. No caso de vendas confirmadas, essa prática revela seus pontos fortes. No caso de vendas não confirmadas, você descobre seus pontos fracos avaliando o que aconteceu e como isso influenciou o resultado.

Use os minutos finais da visita para preparar caminho para o contato seguinte, se for o caso. Quando sair, anote tudo o que ficou sabendo a respeito do *prospect* e de suas necessidades. Faça um resumo, incluindo os erros que cometeu e o que poderia ter feito de modo diferente. Se surgiu alguma resistência, anote o motivo e seus argumentos. Anote também qualquer compromisso verbal, como cotações de preços, datas de entrega ou termos discutidos. Não esqueça também de anotar a data do próximo atendimento em seu arquivo de uso diário.

A melhor maneira de aprender com os próprios erros é registrar sistematicamente os aspectos positivos e negativos do contato. A Lista Pós-Contato serve como orientação para um exame completo do que ocorreu durante o contato. Preencha esse formulário enquanto os fatos ainda estiverem frescos na sua memória. Se você não anotar o que aconteceu na reunião, é grande a chance de não aprender nada com a experiência.

Lista Pós-Contato

Nome da conta: _____

Endereço: _____

Telefone: _____

Pessoa contatada: Produto ou serviço: _____

Data: _____

Instruções: Faça um círculo na nota para o seu desempenho em cada uma das áreas abaixo:

	Avaliação				
	Excelente				*Fraco*
Sua imagem					
Aparência	5	4	3	2	1
Estado de humor	5	4	3	2	1
Entusiasmo	5	4	3	2	1
Contato visual	5	4	3	2	1

| Linguagem corporal | 5 | 4 | 3 | 2 | 1 |
| Nível de atenção | 5 | 4 | 3 | 2 | 1 |

Comentários: _____

Planejamento/Estudo

Conhecimento das necessidades do cliente	5	4	3	2	1
Conhecimento do estilo pessoal	5	4	3	2	1
Conhecimento dos critérios de compra	5	4	3	2	1
Conhecimento dos responsáveis pelas decisões	5	4	3	2	1
Conhecimento dos concorrentes	5	4	3	2	1
Conhecimento do produto ou serviço	5	4	3	2	1
Preparação geral	5	4	3	2	1

Comentários: _____

Proposta

Duração da apresentação	5	4	3	2	1
Organização	5	4	3	2	1
Demonstração	5	4	3	2	1
Relação de características e benefícios	5	4	3	2	1
Reação do *prospect*	5	4	3	2	1

Comentários: _____

Confirmação

Administração da resistência	5	4	3	2	1
Resumo das USCs	5	4	3	2	1
Perguntas abertas dirigidas	5	4	3	2	1

Comentários: _____

Produto ou serviço

Imagem da empresa	5	4	3	2	1
Reputação da empresa	5	4	3	2	1
Preço	5	4	3	2	1

Entrega	5	4	3	2	1
Serviço	5	4	3	2	1

Comentários: _____

Prospect

Receptividade	5	4	3	2	1
Estado de humor	5	4	3	2	1
Coerência com o que já foi dito	5	4	3	2	1
Controle sobre as interrupções	5	4	3	2	1
Interesse inicial	5	4	3	2	1
Interesse final	5	4	3	2	1
Motivos de resistência	5	4	3	2	1
Motivos de recusa	5	4	3	2	1

Comentários: _____

Como você vê, essa lista vai da entrada à sobremesa e inclui até a gorjeta. Para que ela seja útil nos seus contatos, acrescente tudo o que você acha que contribui para a avaliação.

A Lista como Instrumento de Visualização

Essa lista tem outro uso de valor inestimável. Quando tiver tempo no final do dia, você pode relaxar e refletir sobre a visita. É uma ótima oportunidade de usar a visualização para melhorar seu desempenho. Visualize a visita e concentre-se nas partes mais problemáticas. Veja mentalmente o "filme" e visualize o que fez. Em seguida, volte a imaginar a cena novamente, só que desta vez você se vê agindo corretamente. Imagine o que o *prospect* diria e como reagiria ao seu novo comportamento. É essencial visualizar um desfecho de sucesso.

Visualize muitas vezes o seu sucesso. Isso reforça as coisas bem-sucedidas e eficazes que você faz. A repetição mental de comportamentos produtivos gera fortes hábitos de trabalho.

Mesmo que não vá retornar ao cliente, a Lista Pós-Contato é útil para você e para outros vendedores que venham a atender aquela conta ou contas semelhantes. Por isso, ela deve ser guardada no arquivo de contas.

Depois da visita, há mais dois itens que merecem sua atenção: (1) escreva um bilhete de agradecimento, não importa o resultado do contato e (2) inclua a conta em sua lista de endereços.

CONFIRMAÇÃO DA VENDA COM
UMA CARTA-COMPROMISSO

O outro lado da moeda da confirmação é o desfecho positivo. Você trabalhou, pesquisou, estudou e preparou a apresentação — e tudo culminou numa venda. E agora, o que você tem que fazer antes de sair para comemorar?

Durante a reunião, confirme verbalmente, junto com o cliente, o que farão para que a solução funcione. Em seguida, anote tudo por escrito. A carta-compromisso inclui datas de entrega, detalhes da instalação, critérios de sucesso e assim por diante. Guarde esses detalhes separadamente do contrato associado à venda. A carta-compromisso entre você e o cliente serve para lembrá-los de suas responsabilidades. Serve também para impressionar o cliente com seu profissionalismo.

Exemplos de responsabilidades e expectativas comumente declarados pelo vendedor na carta-compromisso:

- Prometo cumprir os prazos de entrega e reitero que as mercadorias atendem às especificações discutidas no contrato de compra e venda.

- Assumo o compromisso de telefonar uma vez por semana para verificar se tudo está correndo bem.

- Prometo cuidar de tudo pessoalmente e retornar os telefonemas no dia seguinte, no máximo.

O cliente assume os seguintes compromissos:

- Assumo o compromisso de testar todas as mercadorias na semana da entrega e notificar qualquer problema.

- Assumo o compromisso de me pôr à sua disposição e de atender seus telefonemas uma vez por semana para lhe dar *feedback* sobre o seu sistema.

- Assumo o compromisso de chamá-lo imediatamente se houver algum problema.

A carta-compromisso garante que os canais de comunicação ficarão abertos. Pôr as expectativas no papel cria um comprometimento mútuo. Além disso, dá às partes um recurso caso nem tudo esteja perfeito depois da venda.

A redação do contrato de responsabilidades mútuas deve ser feita ainda com mais cuidado, de acordo com o estilo pessoal do cliente. Relacionadores e socializadores, que preferem as relações às tarefas, costumam achar que um acordo pessoal e informal já chega. Mas você tem que insistir, com diplomacia, em fazer tudo por escrito para proteção de ambas as partes. Você pode pôr a culpa em si mesmo, dizendo que a sua memória é horrível e que prefere pôr tudo no papel. Os relacionadores e socializadores tendem a não se preocupar com a estrutura e os prazos. Por isso, cabe a você oferecer a estrutura para que o trabalho seja feito.

Quando fizer a lista de tarefas e responsabilidades com diretores e pensadores, não deixe de lhes dar a liberdade de participar. Lembre-se: diretores gostam de dar as cartas e de sentir que têm razão. Pensadores são menos assertivos, mas também são metódicos quanto à confirmação e implementação da venda. Querem garantias de que tudo vai correr bem.

A NEGOCIAÇÃO NÃO-MANIPULATIVA

Muitos vendedores têm o hábito de negociar durante a fase de confirmação da venda. Seus produtos ou serviços são itens caros, com muitos detalhes negociáveis. O processo de negociação durante a confirmação da venda se torna um ponto crítico que pode afetar a natureza da relação de negócios.

Há vários estilos de negociação, com diversos nomes. Há, por exemplo, o modo cooperativo, competitivo, institucional e pessoal de negociar. Profissionais sem experiência operam no modo competitivo porque pensam, equivocadamente, que astuto é quem ganha à custa dos outros. Tendo em mente uma atitude ganhar-ou-perder, "não mostram todas as cartas" e adotam outras estratégias para tirar vantagem. Só que isso é feito à custa da relação de negócios.

Se você encarar os *prospects* como adversários e não como parceiros, suas relações vão ser breves e cheias de antagonismo. Você vai fazer com que sintam tensão, desconfiança e remorso por ter comprado, o que não compensa os pequenos lucros que você pode ter com esse estilo de negociação. Existe um modo melhor.

O vendedor não-manipulativo negocia de maneira a satisfazer ambas as partes. Ele se baseia na confiança, na franqueza, na credibilidade, na integridade e na imparcialidade. Sua atitude não é do tipo "Como posso tirar vantagem dessa pessoa", mas do tipo "Existem várias opções para contentar a todos". A filosofia da negociação não-manipulativa é igual à da venda não-manipulativa: *quando duas pessoas querem fazer negócios, os detalhes não as impedem*. É importante *não* começar a negociar os detalhes antes que o cliente se comprometa com a solução que você propôs.

CONFIRMAÇÃO 181

Fases da Negociação

Se o seu produto ou serviço exige sempre uma negociação, tenha como hábito preparar o palco para ela logo no início do processo de vendas. Há algumas providências que você pode tomar para preparar a negociação desde o início.

Planejamento. Em geral, os livros sobre o assunto dizem que o principal recurso do bom negociador é a preparação. Embora grande parte desses livros ensinem procedimentos manipulativos, a preparação é uma parte indispensável em qualquer tipo de negociação, inclusive a não-manipulativa.

Durante a fase de planejamento, a análise da concorrência revela a posição de sua empresa, comparada aos concorrentes, em termos de preço, serviço, qualidade, reputação e assim por diante. Esse conhecimento será importante no momento de negociar. Você poderá oferecer coisas inviáveis para a concorrência, o que será uma vantagem ainda maior se apontá-las ao *prospect* no momento certo.

Antes de fazer uma proposta, dê uma olhada nos arquivos da sua empresa para ver se não há registros de vendas anteriores para o mesmo cliente ou para empresas semelhantes. Se os sucessos e fracassos da negociação estiverem documentados nesses registros, você aprenderá com a experiência de outros vendedores. É por isso que os relatórios de contatos têm que incluir os detalhes do que acontece durante cada negociação. O conhecimento obtido através desses registros não é em si mesmo uma estratégia, mas uma percepção das prioridades daquele segmento de mercado. Por exemplo: pode ser que, em um certo segmento da economia, as empresas dêem mais valor ao serviço do que ao preço ou tenham mais interesse na assistência, no treinamento e na implementação do que nos descontos. É importante você saber dessas coisas.

Ao preparar a confirmação da venda, reveja todas as suas fichas. Para isso, faça a si mesmo algumas perguntas: "Que serviços extras você pode oferecer?" "Qual a flexibilidade do preço ou do plano de pagamento?" "As taxas de depósito e cancelamento são negociáveis?" "Há algum equipamento opcional que possa ser incluído gratuitamente?" "Dá para oferecer um treinamento sem custos?" "Que itens da negociação são inegociáveis?" "Dá para oferecer alguma compensação por isso?"

Primeiro contato. No primeiro contato com um *prospect*, você começa a construir a relação mostrando que é digno de confiança e, espera-se, o tipo de pessoa com quem ele gosta de fazer negócios. Se isso for verdade, você elimina a tensão e facilita o processo de negociação. Faça um teste: imagine-se vendendo seu carro, que está em ótimo estado, para um amigo. Agora, imagine-se vendendo o mesmo carro para um estranho. Com quem é mais fácil negociar? Com o amigo, é claro. Para vocês, a prioridade maior é a relação e o negócio é uma prioridade secundária.

Estudo. Ao estudar os negócios de um *prospect*, considere o quadro geral. Como já foi dito, não se concentre nas características, mas nos benefícios que você pode proporcionar. Procure, atrás das exigências, as razões pelas quais são feitas. Você pode ser direto: "Por que você precisa desses itens que pediu?" Dependendo da resposta, diga: "Há outras soluções. Pense na seguinte alternativa..." Quanto mais opções você tiver ao oferecer benefícios, mais flexível será a negociação.

Nessa fase, é importante descobrir se o *prospect* está considerando os produtos ou serviços de outra empresa. Isso vai lhe dar uma idéia do que ele está procurando e de quanto está disposto a pagar. Se você está vendendo um tomógrafo computadorizado de US$ 500 mil e o *prospect* está pensando em um tomógrafo de US$ 750 mil, você já sabe que o preço do seu produto não é alto demais. Mas se o *prospect* estiver pensando em unidades mais baratas, talvez seja difícil fazê-lo gastar o que você está pedindo. Sabendo quais são seus concorrentes, você pode avaliar os pontos fracos e fortes que tem para negociar.

Quem faz uma compra tem sempre algum critério para tomar a decisão, tenha ou não consciência disso. Sabendo disso, descubra quais são os critérios do seu *prospect* e da empresa dele. Nesses critérios, há normalmente três níveis de desejo: "tem que ter", "deveria ter" e "seria bom se tivesse". Você deve detectá-los com clareza, sabendo que eles impõem limites às negociações. Obviamente, o "tem que ter" é muito menos flexível do que o "seria bom se tivesse".

Proposta. A proposta é uma fase que também afeta indiretamente as negociações subseqüentes. O que você faz na apresentação prepara o terreno para tudo o que acontece depois. Durante a apresentação, você relaciona características a benefícios e enfatiza as características que *só você* oferece e os respectivos benefícios. Assim, você põe seu produto ou serviço e sua empresa acima do resto. É importante se posicionar também. Não tenha medo de deixar claro para o *prospect* que ele pode contar com você e com tudo o que você prometeu fazer depois da venda.

Dicas de Negociação

Quando abrir mão de alguma coisa, procure obter algo em troca. Quando você dá alguma coisa em troca de nada, as pessoas tendem a querer mais. Por isso, sendo absolutamente honesto com você mesmo e com o *prospect*, você tem que ter um equilíbrio entre o que dá e o que recebe. Por exemplo: "Posso diminuir o preço se você pagar o total em trinta dias". "Eu lhe dou 10 por cento de desconto mas o treinamento e outros serviços serão cobrados".

Procure negociar outras coisas além do preço. Ganhe mais flexibilidade oferecendo, por exemplo, melhores condições de pagamento, políticas de devolução e cronogramas de entrega, menores taxas de depósito e de cancelamento ou programas de implementação e treinamento. Em geral, é mais vantagem para a sua empresa oferecer essas coisas do que reduzir o preço.

Não critique a exigência do *prospect:* procure entender seus motivos. Nunca diga a um *prospect* que sua exigência é ridícula ou inviável. Fique calmo e pergunte que motivo ele tem para fazer tal exigência.

Não defenda sua posição: peça *feedback* e conselhos ao *prospect*. Se houver resistência a uma oferta, não fique na defensiva. Diga o seguinte: "É assim que eu penso. O que você faria no meu lugar?"

Uma negociação bem-sucedida começa quando ambas as partes se comprometem a fazer negócios juntas. Depois, elas têm que manter interesses comuns e solucionar quaisquer conflitos cooperativamente. O segredo da venda e da negociação não-manipulativas é buscar sempre uma solução ganhar-ou-ganhar, em que haja comprometimento e implementação.

COMPROMETIMENTO E IMPLEMENTAÇÃO

Para que o processo de venda funcione, você tem que ter comprometimento e implementação por parte do cliente. Comprometimento é a crença na solução do problema, implementação é a ação que faz com que a solução funcione — e as duas coisas são necessárias para o sucesso. Quando uma *prospect* está comprometida com você e com o seu produto ou serviço mas não tem interesse na implementação, ela diz por exemplo: "Adoro você, seu produto, sua empresa e vou comprar de você... algum dia". Por outro lado, quando a implementação é possível, mas sem o comprometimento, a atitude é: "Se você diz que vai funcionar, por que não testamos logo?"

Isso não basta. O cliente tem que fazer mais do que testar — ele tem que acreditar e fazer dar certo. Implementação sem comprometimento gera devoluções, má utilização, não-utilização, reclamações infundadas, expectativas absurdas e propaganda boca-a-boca negativa.

O comprometimento e a implementação por parte do cliente, combinados a um atendimento pós-venda sistemático e contínuo, garantem uma relação duradoura e satisfatória.

11

Manutenção da Satisfação do Cliente — O Processo da Pós-Venda

O PONTO FRACO de grande parte dos vendedores é a maneira de lidar com a fase da pós-venda. Em geral, os vendedores tradicionais acham que sua função é trazer contratos, e não manter os clientes satisfeitos. Mas isso está muito distante da verdade, especialmente na venda não-manipulativa.

Se você já teve aulas de golfe ou de tênis, qual é a instrução que mais ouviu do professor? Concentração e olho na bola! Concentre-se e não desvie os olhos da bola: do contrário, seus movimentos serão irregulares e inconsistentes. Se você sucumbir à preguiça e se desconcentrar, seu *swing* no golfe ou seu saque no tênis vão piorar cada vez mais.

O mesmo pode ser dito sobre as vendas. A venda profissional requer que se mantenha a concentração e os olhos na bola mesmo depois de confirmada a venda. Como um bom jogador de golfe, o vendedor não-manipulativo não joga apenas para acertar o buraco; ele se concentra no jogo e visa metas a longo prazo.

O vendedor tradicional tem medo do pós-venda porque, nessa fase, é preciso jogar de maneira diferente, ou seja, com comprometimento. Ele se preocupa mais com os números a curto prazo do que com o sucesso a longo prazo. Ele prefere não perder tempo com a pós-venda e usá-lo para prospectar ou para fechar. Mas, com isso, perde a fidelidade do cliente, ao contrário do vendedor não-manipulativo. Ele perde também a chance de fazer parte dos 5 por cento melhores de sua profissão e de ser um jogador de destaque.

O processo da pós-venda pode ser chamado também de manutenção da satisfação do cliente. É uma atividade contínua que solidifica sua base de negócios e estabelece relações duradouras e mutuamente vantajosas, para você e para a sua empresa. A manutenção da satisfação do cliente exige que você atenda às contas atuais e expanda os serviços que oferece.

O Cliente é seu Patrão

O vendedor não-manipulativo cuida do cliente, de seus negócios e de sua satisfação a cada pedido. Esse cuidado exige um tempo extra. Do ponto de vista da relação custo-benefício, esse é um tempo que você já levou em conta quando calculou a rentabilidade da conta. Do ponto de vista da atitude, você deveria ficar contente por dedicar esse tempo extra aos clientes.

Afinal, como disse Earl Nightingale (co-fundador da Nightingale-Conant, a maior produtora de fitas de áudio do mundo), na frase que o celebrizou, o consumidor é rei. Ele é, acima de qualquer outra pessoa, seu patrão. "Todas as pessoas que trabalham na empresa, do presidente da corporação ao engraxate, têm o mesmo patrão — o cliente. Ele é o único patrão que você precisa agradar. Tudo o que você tem foi pago por ele. É ele que paga sua casa, seus carros, suas roupas, suas férias... é ele quem assina todos os cheques que você recebe, é ele o responsável por suas promoções... e por sua demissão, caso você o desagrade".

O cliente é rei — não apenas para quem lida diretamente com ele, mas para todo mundo na empresa. *Marketing* é uma filosofia, não um departamento. É função de *todos* os funcionários conquistar e preservar clientes. Se essa filosofia se refletir na sua atitude e na sua prestação de serviços, você vai ficar bem à frente de seus concorrentes. Eles não são capazes de competir com um vendedor não-manipulativo. Não há nada que substitua a manutenção contínua da satisfação dos clientes e a relação de consultoria com eles.

Mesmo que você não tenha parado para pensar no assunto, ao comprar seu produto ou serviço, sua cliente recebeu um bônus significativo: você. Ela logo percebeu que você era diferente, mas não que é um vendedor capaz de dar continuidade à relação e contribuir em negócios futuros. Aliás, nada impede que você se inclua entre os benefícios durante a apresentação.

A pós-venda começa assim que você confirma a venda. Daí em diante, seu valor para o cliente assume diferentes papéis:

Você é um departamento de serviço ao consumidor de uma pessoa só. Administrando todas as futuras interações com o cliente, você acrescenta uma dimensão pessoal aos negócios. Os clientes têm boas razões para não gostar de tratar com grandes departamentos de serviço ao consumidor.

Você é um amigo. Você está sempre disposto a ser uma caixa de ressonância. Você se interessa pelos clientes e por seus negócios e está sempre à disposição para ouvir até mesmo suas pequenas preocupações.

Você é um recurso. A profundidade do seu conhecimento é um patrimônio para seus clientes. A amplitude do seu conhecimento lhe permite ajudá-los nos problemas, dúvidas e oportunidades, mesmo quando não fazem parte do seu ramo de atividade. Para eles, você pode ser o centro de uma grande rede de pessoas de interesse.

Você é um consultor e uma ligação. Através de você, os clientes têm contato com pessoas de sua empresa que, de outro modo, lhes seriam inacessíveis. Depois da confirmação da venda, você passa a representar o cliente perante a empresa e vice-versa.

Você é um parceiro de negócios. Os clientes sabem que você zela continuamente por seus interesses e recorrem a você em busca de aconselhamento. Em troca, vão ajudá-lo quando puderem.

Em geral, quando alguém aplica o conceito de manutenção da satisfação do cliente, é com relação a vendedores externos. No entanto, a manutenção da satisfação do cliente pode e deve fazer parte integrante da venda no varejo em geral. Imagine se você comprasse alguma coisa numa loja e, dois dias depois, recebesse um telefonema da vendedora ou da gerente da loja perguntando se está satisfeito com a compra. Você ficaria muito bem impressionado e satisfeito com a consideração. É quase certo que continuaria comprando lá.

As lojas de varejo mais bem-sucedidas adotam procedimentos pós-venda simples e complexos para manter a satisfação do cliente. Via telefone ou mala-direta, anunciam promoções, liquidações, novos prazos de garantia e novas mercadorias. Algumas lojas enviam cupons de desconto, outras dão aos "clientes preferenciais" horários diferenciados para comprar nas liquidações. "Clientes preferenciais" são os que têm crédito ou fizeram compras de grande valor.

Quanto mais complexo o produto, mais longo o ciclo da venda e mais profundo o comprometimento na relação. No varejo comum ocorre o inverso — mas a idéia de que nesta área o comprometimento se refere a uma só venda é coisa do passado.

MONITORE OS CRITÉRIOS DE SUCESSO

Na fase de estudo, você e o cliente determinaram os critérios de sucesso em termos mensuráveis. Além disso, estabeleceram uma data para tirar essas medidas ou, de alguma forma, monitorar os resultados.

Antes que essa data chegue, marque uma reunião com o cliente para comparar o ideal com o real. Se os resultados do teste forem positivos, você fez exatamente o que prometeu: preencheu o vazio de necessidade do cliente. Um cliente feliz é uma excelente fonte de cartas de recomendação: esse é o momento ideal para pedi-las. Outro bom momento é quando ele o elogia pelo excelente trabalho que está fazendo.

Muitas vezes, os clientes dizem que não sabem escrever uma carta de recomendação. Diga-lhes, então, para responder estas três perguntas:

1. Por que comprou de mim? Que fatores o fizeram decidir comprar de mim e não de outro?
2. Meu produto ou serviço foi útil para você?
3. Você me recomendaria para outras pessoas?

As cartas de recomendação são uma prova de boa vontade e devem ser tratadas como um patrimônio seu e da sua empresa. Devem ser xerocopiadas e anexadas aos documentos da proposta. Você pode usá-las também para vender o seu próprio negócio. As cartas de recomendação revelam a boa vontade que você gerou e o ajudam a aumentar o valor percebido do produto.

Se, no entanto, o vazio de necessidade ainda estiver aberto, você e o cliente têm que buscar uma nova solução. Se forem necessários ajustes técnicos, chame um engenheiro ou técnico da sua empresa. Se estiver faltando treinamento, você mesmo pode resolver o problema. Em essência, quando o vazio de necessidade ainda está aberto, você tem que voltar à fase de estudo da venda. A única maneira de resolver o problema é descobrir qual é sua causa.

De vez em quando, em sua carreira de vendedor, você acha que, com o tempo que está investindo para resolver o problema de um cliente, a conta já está lhe dando prejuízos. Mas, como você e ele se propuseram a preencher os critérios de sucesso, sua reputação e seu futuro estão em jogo. Não hesite: faça de tudo para deixar o cliente satisfeito, o que fica muito mais barato do que ir atrás de um novo cliente. Além disso, seus rendimentos e a sua reputação continuarão intactos.

Em qualquer tipo de negócio, nem sempre corre tudo bem, o que vale para vendas em geral e para a manutenção da satisfação do cliente. É fundamental, portanto, saber como administrar as reclamações.

Quanto mais conhecimento você tiver da natureza humana, maiores serão suas chances de sucesso em qualquer atividade. Quando se trata de manter a satisfação do cliente, seu conhecimento das reações emocionais mais comuns aos compradores vai ajudá-lo a manter uma atitude calma e compassiva, indispensável para enfrentar reclamações ou dúvidas.

PERCEPÇÃO SELETIVA

A percepção seletiva é o processo pelo qual enxergamos apenas detalhes selecionados do todo. Às vezes, é atribuída uma importância desproporcional a um detalhe pequeno e irritante. Por exemplo: a cliente tem uma nova copiadora que funciona que é uma beleza, mas fica irritada com o som do motor. Ela se concentra no que está errado e não em tudo o que está certo.

A percepção seletiva ocorre porque os compradores esperam que a compra seja perfeita. Seja qual for o preço do produto, eles imaginam que merecem a perfeição. E é verdade — dentro do razoável. Para solucionar um caso de percepção seletiva, aponte as características e benefícios que compensam. Pinte um quadro mais bonito. Ponha o detalhe negativo em um contexto diferente, de modo que ele se torne uma parte insignificante do todo.

A percepção seletiva pode se aplicar a várias coisas: características do desempenho, funcionamento e idiossincrasias do produto, pequenos inconvenientes, tempo ocioso e a idéia que o cliente tem da solução do problema. Esta última é bem exemplificada em uma das experiências de Bob Adamy.

Bob Adamy é dono de duas lojas de implementos agrícolas no interior de Nova York — entre elas a Blossom Hardware, em Blossom, uma cidadezinha ao sul de Buffalo. Bob conta o caso de um cliente que comprou um trator Toro.

Bob: Dois anos depois da compra, o cliente me telefonou furioso porque o trator tinha quebrado. Eu disse a ele: "Diga o que quer que eu faça". O cliente queria o dinheiro de volta. Tentei discutir outras opções, mas ele foi inflexível. Preenchi, então, um cheque no valor da compra original e disse a ele que um de meus ajudantes ia lhe levar o cheque e pegar o trator.

Meu ajudante voltou uma hora depois e me pediu para ir até o lado de fora da loja. Lá estava, no estacionamento, o meu caminhão com o trator do cliente em cima. Sentado no trator Toro, estava o cliente, que se recusava a sair dali. Vi que ele segurava o cheque e disse: "Pensei que você queria o dinheiro de volta". Ele respondeu: "Não. Quero que o meu trator seja consertado. Eu adoro este trator!" Então eu disse: "Se você descer, vamos retirá-lo do caminhão e levá-lo para dentro da loja". Mas ele respondeu: "Não, eu não vou sair daqui. Eu só quero que consertem o meu trator".

Chamei, então, um mecânico, providenciei as peças, consertei o trator em cima do caminhão, levei o cliente para casa e peguei meu cheque de volta.

O modo de Bob encarar o serviço ao consumidor deu certo. Hoje ele é um dos dez maiores representantes da Toro no país, embora o espaço de vendas alocado para a Toro seja pequeno. Bob tem também uma impressionante penetração no mercado: 5 a 10% superior à penetração da Toro em outras áreas do país. É tão respeitado pela Toro que foi convidado a participar do filme de treinamento da empresa, com Arnold Palmer.

Moral da história: se você se der ao trabalho de oferecer bons serviços aos clientes, eles não vão fazer exigências absurdas. O que eles querem é um bom retorno pelo que investiram. Em troca, eles o recompensarão repetidamente, com indicações e novas compras. Clientes assim são fontes de renda garantida.

COMBATA O *ERRO DE USUÁRIO*

Erro de usuário é o uso incorreto do seu produto ou serviço por falta de treinamento para o cliente. Muitas vendas exigem a instalação de um novo sistema ou equipamento. Naturalmente, o comprador e/ou seus empregados têm que ser treinados para usá-lo. Como as pessoas tendem a esquecer, em dois dias, 75 por cento do que ouvem, não é surpresa que o *erro de usuário* seja uma causa comum de insatisfação depois da venda.

É a eficácia do treinamento que faz com que os critérios de sucesso estabelecidos durante a fase de estudo sejam atendidos. Por isso, é indis-

MANUTENÇÃO DA SATISFAÇÃO DO CLIENTE   191

pensável que o vendedor fique atento depois do treinamento para ter a certeza de que o cliente está usando o produto da maneira certa.

Quanto mais complexo for o produto ou serviço, maior a necessidade de treinamento. Os computadores são um exemplo perfeito. Em geral, os novos usuários de computador levam semanas ou meses para aprender a usar o sistema com rapidez e total aproveitamento de sua capacidade. Se uma empresa instalasse um novo sistema sem proporcionar o treinamento necessário, o comprometimento com a implementação da solução seria menor do que 100 por cento.

Se o *erro de usuário* é um problema comum no seu ramo de atividade, pense na possibilidade de treinar o cliente antes de confirmar a venda. Isso tem duas vantagens:

1. Reduz a possibilidade de *erro de usuário* a quase zero. Um cliente bem treinado preenche os critérios de sucesso de imediato ou logo depois da venda.

2. Cria "algemas de ouro". Seu *prospect* vai ficar psicologicamente predisposto a negociar com você devido ao tempo e energia que já investiu em seu produto.

É pouco provável que alguém aprenda a usar seu computador, por exemplo, e depois refaça o treinamento para compará-lo a outro. Isso consumiria tempo demais. Além disso, para aprender o segundo sistema, ele precisaria desaprender o seu. Isso dá a impressão de que o seu sistema é mais fácil de usar. Uma vez que se sinta à vontade com a nova técnica e com o equipamento em que a aprendeu, o cliente vai comprar o produto.

O *erro de usuário* não se limita ao mundo da alta tecnologia. Há o caso de um fazendeiro de Vermont que entrou numa loja de equipamentos para comprar uma nova serra elétrica. Perguntou ao lojista qual era a melhor que havia na loja. O lojista lhe mostrou uma serra maravilhosa, dizendo que ela cortava dezoito metros cúbicos de madeira por dia. O fazendeiro comprou a serra, levou-a para casa e retornou uma semana depois: "Desculpe, mas por mais que faça não consigo cortar mais de quatorze metros cúbicos por dia com esta serra". O lojista pegou a serra e disse: "Então vamos ver se ela está com algum defeito". Abaixou-se, puxou o cordão de ignição e o motor começou a roncar. O fazendeiro se assustou: "Espere aí! Que barulho é esse?"

Não parta do princípio de que todo mundo sabe usar o seu produto. Demonstrar e treinar nunca é demais.

AMENIZE O *REMORSO DE COMPRADOR*

Remorso de comprador é o arrependimento que a pessoa sente depois de fazer uma compra. Suas causas são variadas: percepção seletiva, *erro de usuário* ou a sensação desconfortável de não conseguir perceber todos os benefícios do produto ou serviço. O *remorso de comprador* pode ser causado também pela tensão econômica resultante da compra. Enquanto o vazio de necessidade não é totalmente preenchido, o cliente continua se perguntando se os benefícios compensam o custo.

Quando o cliente expressa, direta ou indiretamente, algum arrependimento por ter feito a compra, amenize esse receio assegurando a ele que o investimento foi prudente. Reveja com ele os critérios de sucesso e o tempo necessário para satisfazê-los. Diga-lhe para não esquecer que o treinamento e outros fatores levam algum tempo para ter efeito sobre o desempenho. Se nada der certo e você sentir que a relação vai se deteriorar, consulte sua empresa sobre a possibilidade do cliente devolver o produto, caso essa solução seja cabível. É melhor abrir mão da comissão mas manter a boa vontade.

ADMINISTRE AS QUEIXAS DO CLIENTE

A queixa de um cliente é sempre importante, mesmo quando se revela infundada. Assim que puder, telefone para verificar qual é o problema. Um telefonema pode ser suficiente para dar informações ou estímulo. Em geral é melhor ir até a empresa do cliente para conversar ou retificar a situação. Use o bom senso. Se o problema for técnico, leve um técnico ou algum outro "especialista" com você. Ele pode resolver o problema rapidamente e você mostra que cumpre as promessas que faz.

Você tem que montar um esquema para ser avisado imediatamente sempre que estiver fora da empresa e um cliente telefonar com algum problema. Assim que possível, telefone para ele para determinar a seriedade do caso. Se puder, marque uma reunião na empresa dele, no mesmo dia. Se isso for impossível e o problema puder ser resolvido por um técnico, diga ao cliente que você não pode ir mas que vai mandar alguém para resolver o problema. Não deixe de telefonar depois que o técnico tiver saído de lá para saber se tudo voltou ao normal. É importante não dar a impressão de que empurrou o cliente para um técnico e esqueceu do assunto.

Se estiver trabalhando direito, você vai receber poucas reclamações porque já se antecipou: já telefonou ou fez uma visita para ver como estavam indo as coisas antes do cliente ter necessidade de ligar para você. Quando é você que entra em contato primeiro, a atitude dele muda totalmente: impressionado com o fato de você ter ligado, ele fica menos emotivo com relação à queixa. Um simples telefonema gera uma incrível quantidade de boa vontade.

Um bom procedimento pós-venda é o seguinte:

- Logo depois da venda, envie uma carta ou cartão agradecendo ao cliente pelo pedido.

- De três a cinco dias depois do produto ser posto em uso, entre em contato para ver se está tudo bem.

- Uma ou duas semanas depois, envie a ele alguma coisinha que ele não estava esperando. Pode ser um bloco de anotações com o nome dele ou um pequeno opcional do produto que comprou. Por exemplo: se o cliente comprou um computador, envie fitas para impressora em várias cores e anexe um bilhete: "Achei que você vai se divertir com essas cores". É provável que sua empresa possa lhe fornecer essas coisas. Você pode até mesmo sugerir o procedimento ao seu gerente de vendas.

- Um, dois ou três meses depois da venda, reveja os critérios de sucesso com o cliente para ver se os objetivos foram atingidos. Se foram, peça uma carta de recomendação e algumas referências. Um cliente satisfeito faz de tudo para lhe dar boas indicações.

De vez em quando, você vai se ver às voltas com uma reclamação e vai precisar administrá-la. Isso acontece com os melhores vendedores. Quando acontecer com você, tenha em mente estas dicas:

Reconheça o problema e peça desculpas. Ninguém é perfeito e, quanto maior a empresa, mais gente há para cometer erros. Desde que esse não seja o seu jeito de fazer negócios, vão perdoá-lo se você for educado.

Mostre simpatia. Seja qual for o tamanho da queixa, preserve a relação preocupando-se sinceramente, examinando a fundo o problema e resolvendo-o.

Seja um ouvinte ativo. Dispondo-se a ouvir, você ajuda o cliente a desabafar e a reduzir o nível de tensão. Talvez você descubra que a percepção seletiva do cliente ou o seu remorso de comprador tenham sua origem no *stress* dos negócios e não no seu produto.

194   A VENDA NÃO-MANIPULATIVA

Não passe a responsabilidade para ninguém, mesmo porque tal pessoa não existe. Você é o elo de ligação entre seu cliente e sua empresa. Assim, se quiser preservar a confiança do cliente, você tem que administrar todas as reclamações.

Manter a satisfação do cliente exige de você um compromisso consigo mesmo: "Meus clientes são tão importantes para mim quanto a minha carreira". Os seus clientes são a sua carreira.

USE ESTAS TREZE MANEIRAS DE MANTER A SATISFAÇÃO DO CLIENTE

Como os clientes são a sua carreira, é preciso que eles saibam o quanto são especiais. Além de monitorar a implementação e o sucesso do seu produto ou serviço, deixe-os à vontade para entrar em contato com você a qualquer momento. Há várias maneiras de fazer isso:

Mostre aos clientes que você pensa neles. Uma vez por mês, mais ou menos, repasse a lista de clientes e invente alguma forma de mostrar sua consideração. Recorte e envie artigos e cartuns. Envie cartões de aniversário ou boas-festas e idéias para ajudá-los a incrementar os negócios. Crie uma *newsletter* mensal ou envie amostras de novos produtos.

Faça visitas para ver como estão as coisas. Leve novos folhetos, produtos ou pequenos brindes com você. Quando estiver lá, veja se o cliente está usando o produto da maneira ideal. Se não estiver, mostre-lhe como obter o máximo.

Ofereça brindes para intensificar o uso do seu produto. Um usuário de computador, por exemplo, vai gostar de receber disquetes, fitas de impressora, programas e assim por diante.

Ofereça "descontos especiais" aos clientes e deixe claro que eles podem lhe telefonar sempre que for preciso. Crie um bloquinho de cupons de desconto em itens que eles costumam comprar: assim você facilita os pedidos. Depois de algum tempo, você será a primeira pessoa a ser chamada sempre que surgir uma necessidade.

Quando os clientes contratarem novos empregados, ofereça-se para treiná-los sem custos ou por um preço reduzido. Quanto melhor

MANUTENÇÃO DA SATISFAÇÃO DO CLIENTE 195

for o treinamento dos empregados, maior a probabilidade de usarem corretamente o produto — e de você fazer mais vendas.

Compense os clientes pelo tempo ocioso. Um produto ou serviço com um tempo ocioso muito longo é uma inconveniência para o cliente. Neste caso, crie uma grande quantidade de boa vontade para contrabalançar a perda.

Aceite as devoluções sem criar obstáculos. Isso é muito mais barato do que ir atrás de novos clientes.

Respeite o sigilo do cliente. Não discuta os negócios dele com outros clientes, vendedores ou amigos.

Represente o seu cliente e a sua empresa. Se necessário, incentive em sua empresa o acompanhamento pós-venda. Assim como o seu comportamento se reflete na sua empresa, ela pode prejudicar a sua reputação se for negligente.

Use as indicações imediatamente. Demonstre sua gratidão pelas indicações de sua cliente fazendo o contato o quanto antes e informando o resultado a ela. Quando a indicação dá certo, o *feedback* positivo favorece outras indicações. Demonstre sua gratidão com um presente modesto mas atencioso. Quando a indicação não dá certo, a cliente pode se envolver mais para que dê certo. Por exemplo: ela pode se oferecer para telefonar para a pessoa que indicou.

Ofereça publicidade grátis para os clientes. Se a sua empresa tem um informativo, pergunte a seus clientes se pode escrever sobre eles. Depois da publicação, envie a eles uma cópia.

Acompanhe os resultados dos clientes. Encontre-se com eles uma vez por ano para fazer um *check-up* anual. Discuta os negócios, o setor, as tendências do mercado, as oportunidades emergentes, a concorrência e assim por diante.

Mantenha os canais de comunicação totalmente abertos. Deixe os clientes totalmente à vontade para entrar em contato com você a qualquer momento — para dar idéias, fazer perguntas, desabafar, contar piadas, dar *feedback* e o que mais lhes passar pela cabeça. Essas coisas não são interrupções no seu trabalho — são a sua finalidade.

A arte de manter a satisfação do cliente o deixa muito mais perto do sucesso. Além de solucionar problemas e de se reunir para avaliar critérios

196 A VENDA NÃO-MANIPULATIVA

de sucesso, há vários outros motivos para você entrar em contato com os clientes.

É claro que a classificação da conta determina a freqüência dos contatos. Para determinar o momento de dar continuidade a um contato, desenvolva sensibilidade para o ambiente de negócios e as particularidades de cada conta. Esteja atento a alterações na atividade dos clientes que possam sugerir a necessidade de um contato. Por exemplo:

1. Alterações no volume de vendas. É preciso investigar os aumentos ou diminuições. Tais alterações podem ser um reflexo do mercado e você tem que estar atento a novos problemas ou oportunidades.

2. Aumento no número de reclamações referentes ao produto ou serviço, ao serviço ao cliente ou à sua empresa em geral.

3. Ao telefone, repetidos comentários sobre os méritos dos concorrentes são um sinal claro de alerta. Vá conversar pessoalmente.

4. Sempre que sentir uma mudança na relação, verifique o que aconteceu. Um enfraquecimento na relação pode gerar problemas se você não tomar providências.

5. Uma nova administração, sem familiaridade com o seu produto ou sem interesse por ele, pode estragar tudo. Marque uma reunião e inicie uma relação com essas pessoas.

6. Caso o seu cliente seja absorvido por uma empresa maior, entre em contato com os novos responsáveis pela tomada de decisões. Pode ser que eles queiram começar de novo e apagar o passado — e com isso você pode perder a conta. Portanto, procure estabelecer uma relação rapidamente e apresentar um bom argumento contra a mudança de fornecedor.

FAÇA UM *CHECK-UP* ANUAL

As avaliações anuais são ferramentas valiosas para analisar as atividades de cada conta, do ramo de atividade em geral, dos concorrentes e dos pontos fortes e fracos da sua empresa com relação aos clientes. A análise periódica dos segmentos de mercado e das contas permite reclassificar as contas e dá uma idéia de novos mercados e tendências.

Marque uma reunião para discutir de maneira aberta e honesta os caminhos que vocês já percorreram e que pretendem percorrer juntos. Nessa reunião especial, você vai receber *feedback* sobre o nível de satisfação dos

MANUTENÇÃO DA SATISFAÇÃO DO CLIENTE 197

clientes, além de ter oportunidade de apresentar novos produtos e serviços, de mostrar seu interesse e de fortalecer a confiança mútua. Para que a reunião seja eficaz, faça o seguinte:

1. Procure marcar um café da manhã ou almoço, dependendo do estilo pessoal do cliente.

2. Escolha um lugar bem iluminado, silencioso e bom para conversar. Se nem o seu escritório e nem o do cliente forem convenientes, muitos hotéis têm espaços para reuniões com equipamentos audiovisuais e serviço de restaurante.

3. Convide todo mundo que participa da conta — das duas empresas.

4. Você e o cliente têm que levar todos os documentos necessários para discutir os negócios do ano anterior.

5. Reserve tempo suficiente para a reunião, mas estabeleça um limite. É ruim apressar a discussão, mas também não é bom deixar que ela se prolongue além do razoável.

6. Organize-se. Tenha clareza sobre os assuntos que pretende discutir e fale de maneira lógica e flexível. Se for o caso, faça anotações e depois mande uma cópia passada a limpo aos outros participantes.

7. Dê muita atenção às necessidades, preocupações e oportunidades sugeridas.

8. Reitere seu desejo de ser útil e de manter uma relação aberta e de confiança.

9. Depois da avaliação, procure oferecer uma nova idéia, serviço, produto ou contrato promocional. Essa é uma excelente oportunidade de despertar interesse em algo novo.

10. Durante a conversa, busque oportunidades que estejam acima e além do horizonte imediato do cliente. Se for conveniente, peça indicações e cartas de referência.

EXPANDA SEUS SERVIÇOS

Não basta atender às contas que tem agora: é preciso providenciar alguma coisa para o futuro. Isso significa trabalhar novos *prospects* e transformá-los em contas ativas.

As oportunidades estão à sua volta, todos os dias, mas você pode desperdiçá-las por não enxergar o óbvio. A vendedora não-manipulativa sabe que seus clientes são a melhor fonte de novos negócios. Tendo uma boa relação com os clientes, você fica à vontade para lhes pedir indicações que podem resultar em novas contas. Há diversas maneiras de expandir os negócios através dos clientes.

Procure indicações dentro da empresa do cliente. Quando falar com um cliente, esteja atento a indícios de necessidades e oportunidades na empresa dele, como uma filial que acabou de abrir e precisa do seu produto ou serviço. Peça indicações ao cliente — verbalmente ou por escrito. Nesta época de fusões, quase toda empresa tem uma subsidiária ou é subsidiária de uma empresa maior. Não deixe de pedir indicações para matrizes ou subsidiárias.

Peça indicações fora da empresa do cliente. É importante perguntar ao cliente se ele conhece mais alguém que precise dos seus serviços. Neste caso, ele pode escrever uma carta de apresentação ou dar um telefonema falando de você. Sempre que for usar um cliente como referência, peça a sua permissão.

Venda mais da mesma coisa. Se, durante o atendimento a uma conta, você perceber que a empresa tem capacidade para comprar quantidades maiores, não deixe de fazer uma oferta, especialmente se puder trabalhar com preços melhores. Com isso, uma conta B pode até se transformar em conta A. Mas nunca tente vender mais quando não há necessidade.

Ofereça produtos ou serviços adicionais a seus clientes. Se for o caso, ofereça novos produtos e serviços aos clientes que você já tem. Se eles gostam do produto original, vão ouvir com atenção suas idéias sobre novas linhas de produtos.

Ofereça um *upgrade* aos clientes. Quando um cliente utiliza um produto de preço médio, sugira um *upgrade* para um produto de melhor qualidade, especialmente se a empresa cresceu e suas necessidades mudaram. Ela pode precisar, por exemplo, de uma copiadora com mais recursos, como redução e intercalação das páginas. Percebendo um aumento nas necessidades, sugira um *upgrade* antes que o seu concorrente o faça.

Manter a satisfação do cliente como parte da rotina de vendas e desenvolver uma base de negócios ampla e fiel é investir no futuro, assim como

MANUTENÇÃO DA SATISFAÇÃO DO CLIENTE

outras pessoas investem em seguro de vida. Considere o cliente como um plano de capitalização. No início, você estabelece a relação, o que equivale a adquirir a apólice. Ao longo do tempo, você atende e mantém o cliente, pensando sempre em sua satisfação, o que é como pagar a mensalidade do plano. Em algum ponto de sua carreira, você terá clientes que exigem pouca atenção e que, mesmo assim, rendem muitos negócios. Nesse estágio, o investimento anterior já está dando frutos. A analogia entre cliente e fonte de renda serve para lhe dar uma visão de longo prazo da sua carreira de vendedor e das relações que você desenvolve ao longo dela. Nada garante que um cliente vai se tornar uma fonte de renda fácil de manter e nem é possível prever quando isso vai acontecer. Com o tempo, você percebe o nível de atenção que cada cliente necessita para continuar altamente rentável. O que conta é a filosofia, mas é a prática que a faz funcionar. A atenção constante à satisfação do cliente é um dos mais importantes pilares de uma carreira.

12

Venda por Estilo

NO COMEÇO DO LIVRO, dissemos que os princípios básicos da venda não-manipulativa ganham corpo na construção de relações e nos seis passos da venda não-manipulativa. Integrados, esses métodos geram uma combinação vitoriosa: você aprende a se relacionar com as pessoas e, como vendedor não-manipulativo, usa essa habilidade para atendê-las melhor. Com a prática, essa habilidade se transforma em uma segunda natureza e você passa a fazer parte dos 5 por cento melhores.

O ideal é identificar rapidamente o estilo de comportamento do *prospect*, por telefone ou pessoalmente. Ouça e procure todas as pistas discutidas no capítulo 2. Nem sempre você consegue situá-lo nas duas escalas de comportamento: aberto *vs.* reservado e objetivo *vs.* indireto. Mas, quando consegue, já tem meio caminho andado. Constatando, por exemplo, que o *prospect* é aberto, você elimina imediatamente os dois estilos reservados: o dos pensadores e o dos diretores. Sabendo, então, que está lidando com um relacionador ou um socializador, você já pode começar a construir a relação.

COMO MODIFICAR SEU ESTILO DE COMPORTAMENTO

Antes de aprender a ser flexível com cada um dos quatro estilos de comportamento, veja o que fazer para modificar seu grau de abertura e objetividade.

Para ser mais aberto:

- Manifeste seus sentimentos, deixe que as emoções fluam.
- Não fique indiferente à expressão dos sentimentos dos outros.
- Faça elogios pessoais.
- Dedique-se à *relação*.
- Use uma linguagem amistosa.
- Comunique-se mais, solte-se, chegue mais perto.
- Use gestos "tranqüilizadores": incline-se para trás na cadeira, sorria ou dê um tapinha nas costas ou no ombro do outro.
- Esteja disposto a sair do programado: siga o fluxo.

Para ser mais reservado:

- Vá direto ao ponto, aos números, ao assunto em pauta.
- Siga uma orientação mais lógica e factual.
- Atenha-se à agenda.
- Saia quando terminar o trabalho; não desperdice o tempo da outra pessoa.
- Não tome a iniciativa de contato físico.
- Contenha o entusiasmo e os movimentos corporais.
- Use uma linguagem prática.

Para aumentar a objetividade:

- Fale e movimente-se em ritmo mais rápido.
- Dê início à conversa.
- Dê início às decisões.

202   A Venda Não-manipulativa

- Faça recomendações; não peça opiniões.

- Em vez de contornar as perguntas, faça afirmações diretas.

- Comunique-se com voz forte e confiante.

- Discorde diplomaticamente, quando for o caso.

- Enfrente abertamente o conflito, mas sem brigar com os *prospects*.

- Faça mais contato visual.

Para diminuir a objetividade:

- Fale, ande e tome decisões mais devagar.

- Peça e aceite as opiniões dos outros.

- Divida com os outros a responsabilidade pelas decisões.

- Deixe que outros assumam uma parte da liderança.

- Mostre menos energia; seja mais brando.

- Não interrompa.

- Faça pausas para que os outros tenham a chance de falar.

- Abstenha-se de criticar ou desafiar.

- Quando discordar, escolha as palavras com cuidado e manifeste suas opiniões com sutileza.

- Não force a barra.

- Faça menos contato visual.

Vender por Estilo = Flexibilidade

Depois de determinar o estilo de comportamento do *prospect*, você saberá o que funciona melhor em cada fase do processo de venda. Essa percepção permite uma comunicação mais eficaz — ou seja, você faz mais em menos tempo.

O *PROSPECT* SOCIALIZADOR

Os socializadores não gostam de interagir apenas no nível profissional. O socializador quer ser seu amigo antes de fazer negócios. Quando o cliente prefere conversar durante o almoço ou pergunta se vai ter alguma festa no fim de semana, é provável que você esteja lidando com um socializador.

Os socializadores gostam de licenças poéticas e de exagerar. Por isso, não seja muito severo — afinal, você não precisa concordar com tudo o que dizem. Mas nem tente sair ganhando em uma discussão. Os socializadores adoram um bom debate, desde que o dominem; eles não gostam de muita competição.

Seja um ouvinte ativo, como faria com qualquer pessoa, e dê *feedback* reflexivo. Faça com que o *prospect* saiba que você entende seus sentimentos e tem simpatia por eles. Ao falar de si mesmo, use o verbo "sentir" em vez de "pensar". Exponha sua visão de mundo em termos de sentimentos, opiniões e intuições. Conte histórias pessoais, especialmente se forem inusitadas ou engraçadas. Quanto mais divertido você for, mais fácil será ganhar o coração do socializador.

Planejamento

A fase de planejamento do processo de vendas compreende a administração do território de vendas, a análise das contas e a prospecção. O estilo de comportamento influencia sua atitude nessas fases, de maneira sutil mas significativa. Quando planeja entrar em uma empresa, faça o possível para determinar o estilo dos *prospects*. É possível fazer generalizações com uma certa margem de segurança. Por exemplo:

- Os socializadores adoram o trato com as pessoas; imagem, *glamour* e *show business*; atividades que exijam persuasão; mídia; qualquer atividade divertida e que proporcione *status*.

- Os diretores são atraídos por negócios competitivos, tendem a trabalhar sob alta pressão e se tornam executivos na área de publicidade, corretores de valores, políticos, presidentes de grandes empresas e assim por diante.

- Os relacionadores são atraídos por profissões de apoio: psicólogos, enfermeiros, orientadores, assistentes sociais, professores de escola primária e certas especialidades da medicina.

- Os pensadores se adaptam às ciências exatas, como a engenharia, a contabilidade, a genética, a biologia e a biblioteconomia.

Essas generalizações devem ser usadas como corroboração e não como regra geral para prejulgar as pessoas. Elas são atraídas para as ocupações em que se sentem melhor, mas nem por isso todos os engenheiros são pensadores e nem todos os vendedores são socializadores. Há todo tipo de gente em todas as profissões. Os padrões gerais, porém, favorecem um ou outro estilo de comportamento.

Há momentos em que é preciso vender em equipe. Durante a fase de planejamento, decida quem vai fazer contato com quem baseando-se nos estilos de comportamento. Assim, o CEO deles se reúne com alguém de sua empresa que tenha o estilo de diretor. O gerente de engenharia se reúne com um pensador da sua equipe e assim por diante.

O estilo de comportamento influencia também a análise de suas contas e *prospects*. Para determinar quanto tempo dedicar a cada uma delas, leve em conta o estilo das pessoas. Reserve mais tempo para os relacionadores e socializadores.

Quando você ainda não conhece o estilo do *prospect*, faça a lição de casa e procure descobrir. Pergunte a colegas de empresa ou a vendedores não-concorrentes que o conheçam. Telefone para a secretária e faça perguntas fechadas, com base nas noções de abertura e objetividade do Capítulo 2. Para obter informações com uma secretária, estabeleça antes uma relação com ela: fica mais fácil. Caso isso não tenha sido possível, lembre-se de que algumas perguntas inocentes não doem. É claro que nem sempre vão lhe responder mas, *se você não perguntar, aí que não vai ter mesmo resposta alguma!* Eis algumas perguntas que você pode fazer:

"O Sr. Jenson é uma pessoa fácil de se conhecer ou ele é muito fechado?"

"Ele só fala de negócios e do assunto em questão ou conversa sobre a vida que tem fora da empresa, dando a conhecer seus pensamentos e sentimentos?"

"Nas reuniões, o Sr. Jenson vai logo dando suas opiniões ou prefere ouvir?"

"O Sr. Jenson é rápido para tomar decisões ou fica muito tempo pensando?"

"A Sra. Hammond é sociável ou seu jeito é sempre muito profissional?"

"Ela controla o tempo com rigidez ou é flexível?"

VENDA POR ESTILO

"Ela prefere trabalhar com outras pessoas ou gosta de trabalhar sozinha?"

"A Sra. Hammond é uma detalhista ou só vê o quadro geral?"

Quanto mais conhecimento você tiver de estilos de comportamento, mais fácil será criar as próprias perguntas. Você vai ficar surpreso com a quantidade de informações que é possível reunir em cinco minutos ao telefone com uma secretária prestativa. Em pouco tempo, todas as secretárias da cidade vão conhecê-lo pelo primeiro nome.

Primeiro Contato

Quando entrar em contato com um socializador, dê à carta ou à reunião um ritmo animado e ágil. Não fale sobre características, especificações ou índices de desempenho. Ao fazer a exposição do benefício inicial, enfatize os aspectos do produto ou serviço que oferecem o que ele quer: *status*, reconhecimento, estímulo e a sensação de ser a primeira pessoa do bairro a ter o que você está vendendo. Não deixe de reforçar o que diz com testemunhos de pessoas ou empresas famosas.

Quando telefonar para um socializador pela primeira vez, adote uma atitude informal e amistosa. Diga quem você é e acrescente alguma coisa mais ou menos assim: "Eu gostaria de passar por aí e lhe mostrar um novo produto que vai organizar suas contas e ajudá-lo a melhorar ainda mais seu desempenho".

Quando for ao local de trabalho de um socializador, faça de conta que é um político concorrendo à reeleição. Aperte a mão de todos com firmeza e confiança e mostre interesse pessoal por ele. Deixe que ele estabeleça o ritmo e o rumo da conversa. Os socializadores gostam muito de falar de si mesmos. Você diz: "Conte para mim como entrou nesse ramo" — e duas horas depois ele ainda está em seu aniversário de quinze anos. Por isso, faça quantas reuniões forem necessárias com o socializador para construir a relação e colher informações. Depois da primeira visita, você pode marcar um almoço. Tenha em mente que, com sua agenda apertada, você vai ter que limitar o tempo da reunião. É mais fácil limitar o tempo do café da manhã ou do almoço do que do jantar.

Estudo

Os socializadores se cansam logo quando não estão falando de si mesmos. É por isso que a coleta de informações tem que girar em torno deles. Mas procure manter um equilíbrio entre as histórias da vida dele e as informações de que você precisa como consultor de vendas. Ao fazer perguntas profissionais, seja breve. Se possível, insira a coleta de informações nas perguntas sociais. Pergunte, por exemplo: "Você disse que as pessoas são uma das chaves do seu sucesso. Como você descobre [recruta] as pessoas com quem trabalha? Que treinamento proporciona a elas?" Quanto melhor for a sua relação com um socializador, mais ele se dispõe a cooperar e a falar sobre "coisas chatas".

Proposta

A apresentação tem que mostrar ao socializador que o seu produto ou serviço melhora seu prestígio e sua imagem — e tem que ter impacto. Por isso, apele para os cinco sentidos. Os socializadores querem que a apresentação — e o produto — lhes propicie uma boa sensação. Não se esqueça de mencionar outras pessoas que compraram o produto — mas lembre-se de que eles não se interessam pelos detalhes do sucesso alheio.

Confirmação

No estágio da confirmação, seja franco e pergunte: "O que vamos fazer agora?" ou "Qual é o nosso próximo passo?" Caso seu estoque for reduzido, diga ao *prospect*: "Parece que você gostou muito. Mas eu só tenho três. Quer comprar um agora?" Os socializadores são muito espontâneos: quando gostam de alguma coisa, vão logo comprando (se estiver tudo em ordem). Às vezes, é preciso segurá-los porque tendem a comprar em excesso — o que vocês dois vão lamentar mais tarde.

Como não gostam de papelada e nem de detalhes, os socializadores não vão querer perder tempo com a carta-compromisso. Por isso, é melhor escrever a carta antes e revisá-la junto com ele. Faça as alterações necessárias o mais rápido possível e pronto.

Pós-Venda

Na pós-venda, você tem que ser organizado pelos dois. Calcule com realismo o tempo que o socializador vai levar para monitorar o sucesso do seu produto ou serviço. Ele é o tipo de pessoa que compra um computador e jamais lê o manual. Cabe a você, portanto, a tarefa de levá-lo pela mão durante o treinamento e a implementação. Telefone e dê algumas passadas na empresa dele para ver se o produto está sendo usado corretamente; pode ser que ele precise de mais treinamento.

O *PROSPECT* DIRETOR

É fácil lidar com diretores, desde que você aja como diretor. Eles são impacientes e intolerantes com pessoas lentas, especialmente quando a competência delas é questionável. Seja bem organizado, pontual, eficiente e profissional. Os diretores não querem que você seja amigo deles — querem saber se você tem alguma coisa de valor a oferecer e se dispõem a pagar um preço razoável.

Primeiro Contato

Ao escrever, telefonar ou se reunir com um diretor, faça-o de maneira formal e profissional, indo direto ao assunto. Concentre-se na tarefa e acelere o ritmo. Na exposição do benefício inicial, fale de relação custo-benefício, aumento da eficiência, economia de tempo, retorno sobre o investimento, lucros e assim por diante. Ao telefone, diga algo assim: "A tendência no seu ramo de atividade são os gráficos gerados por computador. As pesquisas que fiz com outras gráficas indicam um aumento de 20 a 30 por cento nos lucros ao longo de dois anos. Eu gostaria de me reunir com você para lhe mostrar esses números e ver se o conceito lhe interessa".

Ao colher informações, faça perguntas que mostrem que você fez a lição de casa. Procure conhecer a empresa e seu ramo de atividade. Não deixe de fazer perguntas que dê ao *prospect* a oportunidade de falar de seus objetivos pessoais na empresa.

Estudo e Proposta

Embora as duas fases, estudo e proposta, sejam separadas, muitas vezes é preciso combiná-las quando se lida com diretores. Eles são muito ocupados e não gostam de fazer muitas reuniões. Gostam de ouvir os fatos e tomar decisões rápidas. Quando precisar fazer perguntas, é essencial que sejam muito precisas. Elas têm que ser objetivas e ir diretamente ao cerne da questão. Faça a lição de casa e peça apenas informações que não estejam disponíveis em nenhum outro lugar.

Além de ocupados, os diretores são impacientes. Mantenha o interesse do estudo alternando as perguntas com informações. Faça-o de maneira lógica: eles precisam enxergar o objetivo da reunião e o que você pretende com suas perguntas.

A apresentação, seja ou não combinada ao estudo, tem que se ajustar às prioridades do diretor: economizar tempo, ganhar dinheiro e tornar a vida mais eficiente e mais fácil. Ele também é motivado a fazer coisas que

208 A VENDA NÃO-MANIPULATIVA

incrementem seu sucesso. Apresente os benefícios de modo rápido e sucinto, concentrando-se na relação custo-benefício.

Por falta de tempo, os diretores não conseguem refletir e avaliar as idéias: querem que você lhes traga a análise pronta — para aprovarem ou não. Gostam de análises rápidas e concisas das necessidades e soluções. Ofereça opções com justificativas e deixe a decisão final para eles. "Na minha opinião, você pode usar a opção A [diga os prós e contras], a opção B [diga os prós e contras] ou a opção C [mais prós e contras]." Como os diretores não abrem mão da autonomia, *deixe que tomem a decisão*.

Confirmação

Para um diretor, você pode perguntar diretamente se ele está interessado. No estágio da confirmação, diga por exemplo: "Com base no que já discutimos, você está interessado em implantar nosso serviço ou produto?" Ele lhe dirá "sim" ou "não", sem indefinições.

Às vezes parece que os diretores não sabem tomar decisões. Eles protelam e recorrem a evasivas como se estivessem indecisos mas, na verdade, não estão nem pensando no assunto. De tão ocupados, não têm *tempo* para avaliar suas idéias, sobretudo quando as informações não são suficientes. Sua função como vendedor é fornecer o máximo de informações e tomar a iniciativa das reuniões. Telefone e diga mais ou menos o seguinte: "Pensei em algumas maneiras de trabalharmos juntos: X, Y e Z. Podemos discuti-las quando eu lhe telefonar daqui a duas semanas?" Plantando a semente, você aumenta o nível de interesse dele e a importância de seu próximo telefonema — a menos, é claro, que ele não esteja interessado.

Quando escrever a carta-compromisso, tenha em mente que o diretor pode nem se importar com ela. Explique que seu interesse é garantir os resultados e que a carta serve para vocês dois.

Pós-Venda

Deixe bem claro para o *prospect* que você pretende zelar pelo produto ou serviço. Ao mesmo tempo, deixe claro que vai fazer esse acompanhamento sem lhe tomar muito tempo. "O propósito de sua compra é economizar tempo e aumentar sua eficiência. Eu quero ter a certeza de que vai ser assim. Então, vou lhe telefonar periodicamente para saber se está tudo bem, mas não quero desperdiçar seu tempo com telefonemas desnecessários. Se você me disser que está tudo bem, eu volto a telefonar no mês seguinte. Mas, se nem tudo estiver perfeito, quero que me telefone imediatamente. Eu venho correndo e trago alguém para resolver o problema". Outra possibilidade é

VENDA POR ESTILO

garantir a devolução do dinheiro: "Se você não ficar satisfeito, eu venho buscar a mercadoria pessoalmente e faço um cheque para você".

O *PROSPECT* PENSADOR

Os pensadores gostam de precisão. São especialistas em eficiência que se propõem a trabalhar da maneira "correta" e querem ser reconhecidos por isso. Eles fazem tudo devagar e não gostam que alguém os apresse. Para gerar credibilidade, use o verbo *pensar* em vez de *sentir*. Apresente dados que impressionem e que venham de fontes confiáveis. Concentre-se no intelecto e não nas emoções.

Primeiro Contato

Quando escrever, telefonar ou se reunir com uma pensadora, apele para seu lado lógico. Os pensadores gostam de sistemas, detalhes, fatos e provas tangíveis. As cartas têm que incluir resultados de pesquisas e descrições de características. Quando telefonar para uma pensadora, seja breve mas vá devagar. Explique com cuidado a razão do telefonema e procure marcar uma visita. "Alô, Sra. Johnson, aqui é Salvatore Botticelli, da Italiano Pasta Company. A Betty Bryant disse que falou de mim para a senhora... que bom, fico feliz que a senhora se lembre. Eu gostaria de ir até o seu restaurante e conversar sobre preparo de massas. Talvez a senhora se interesse pela nossa máquina totalmente integrada e computadorizada. É um sistema completo: controla o estoque e produz trinta e dois tipos de massa dentro de suas especificações. A senhora tem interesse em conversar comigo para saber mais?"

Estudo

Os pensadores adoram responder perguntas: para uma entrevista, são o tipo ideal. Se suas perguntas forem lógicas e pautadas por fatos, eles vão gostar de falar com você. Formule-as com precisão e peça respostas precisas. Em geral, eles dão respostas curtas e incisivas, mesmo para perguntas abertas. Peça o número *exato* das coisas e não o aproximado. Por exemplo: "Vamos entrar na concorrência para o serviço de lavagem de janelas do Empire State Building. Por quantas janelas vamos ser responsáveis?" Eles vão lhe dar o número exato de janelas. Você pode até mesmo perguntar: "E qual é o número total de metros quadrados de vidro?" — e vai ficar sabendo.

Proposta

Mostre aos pensadores que seu produto vai provar à empresa que eles estão trabalhando do jeito certo. Eles se orgulham da precisão de suas análises. Apresente seu produto ou serviço de maneira a lhes mostrar que vão acertar ao fazer a compra. Baseie o que você diz em fatos, especificações e dados relacionados aos vazios de necessidade que detectou. Saliente, por exemplo, análises da relação custo-benefício, despesas de manutenção, índices de confiabilidade, vantagens fiscais, estatísticas de aumento de eficiência e assim por diante. Ao falar dos preços, relacione-os a benefícios específicos. Os pensadores pensam muito no custo. Por isso, aumente o valor percebido com fatos incontestáveis.

Confirmação

Os pensadores são indecisos por natureza. Por isso, antes da confirmação, é preciso lhes dar tempo para analisar suas opções. Mas fique atento: às vezes, os pensadores dizem que precisam de mais informação quando, na verdade, estão adiando sua decisão. Forneça a eles o máximo de informações, de modo que não precisem de mais nada para tomar a decisão.

Se lhe pedirem mais informações, seja firme sem deixar de ser delicado. Pergunte qual é exatamente a informação necessária e se vão confirmar a venda depois que você fornecê-la. Fale mais ou menos assim: "Não tem problema, eu consigo essa informação. Ela basta para você tomar uma decisão?" Se a resposta for sim, proponha uma hipótese e veja qual é a resposta. "Suponhamos que eu consiga a informação. Se for X, qual vai ser a sua decisão? E se for Y?" Com isso, o comprometimento do cliente depende de algo concreto que você vai fornecer.

Mas se ele disser que a informação não vai ser suficiente, pergunte: "De que outra informação você precisaria?" Um outro método é adotar o Balancete Ben Franklin apresentado no capítulo sobre a confirmação. Ao discutir a carta-compromisso, explique exatamente como os critérios de sucesso serão medidos. Os pensadores sabem criar meios realistas, específicos e mensuráveis para monitorar resultados.

Pós-Venda

Na pós-venda, estabeleça um cronograma que indique exatamente quando você vai telefonar ou fazer visitas para avaliar os critérios de sucesso. Diga ao cliente que sempre vai telefonar um dia antes para confirmar as reuniões. Tenha em mente que os resultados da monitoração são *muito* importantes para um pensador.

O *PROSPECT* RELACIONADOR

Os relacionadores adoram gente. A relação vem sempre em primeiro lugar: afinal, quem não tem família nem amigos não tem nada. São pessoas vagarosas, abertas e que valorizam o interesse dos outros. Use o verbo "sentir" em vez de "pensar". Como ficam mais à vontade com coisas conhecidas, explique as idéias novas em contextos ou analogias familiares. Para vender a um relacionador, você precisa antes fazer amizade com ele. Faça o possível para gerar confiança e credibilidade.

Primeiro Contato

No caso dos relacionadores, as cartas têm que ser calorosas e falar de pessoas, não de coisas. Fale do impacto que seu produto ou serviço tem sobre as pessoas e as relações. Ao telefonar para um relacionador, pergunte com sinceridade como ele vai. Melhor ainda é mencionar o nome de quem fez a indicação. "Alô, Sr. Newhouse, aqui é Sheldon Doolittle, da Clínica de Acupuntura Pinpoint. A Mary Walsh disse que o senhor gostaria de conhecer a minha clínica... Ah, ela ligou para o senhor? Que bom! Se quiser, posso ir até aí para bater um papo e lhe explicar como os nossos tratamentos tratam a alergia". Lembre-se: você pode ter o melhor produto ou serviço do mundo mas, se o relacionador não gostar de você, ele vai se decidir pelo produto ou serviço de um vendedor de quem goste.

Quando se encontrarem, cumprimente-o com um aperto de mão leve, um sorriso acolhedor e um bom contato visual. Fale com suavidade e trabalhe, antes de mais nada, para gerar confiança. Estimule-o a se abrir e fale também de si mesmo. Dê à reunião um clima lento e informal.

Estudo

Os relacionadores, como os pensadores, são fáceis de entrevistar. Pergunte a eles qualquer coisa sobre o lado pessoal do trabalho mas, para obter fatos, procure outra pessoa. Mesmo que não gostem do seu produto, da sua empresa, ou mesmo de você, eles não vão lhe dizer para não ferir seus sentimentos. Como não gostam de agredir, às vezes eles lhe dizem o que você quer ouvir e não o que estão pensando.

Da mesma forma, eles podem ser reticentes na hora de dizer que estão insatisfeitos com seus concorrentes. É exatamente isso que você quer ouvir, mas o relacionador pensa: "Eu sei que não está funcionando bem, mas são pessoas tão boas. Não vou fazer um comentário negativo".

Proposta

Os relacionadores querem saber se o seu produto ou serviço aproxima as pessoas ou torna a vida mais fácil. Fale dos benefícios ligados a esses aspectos e não perca muito tempo com as características, a menos que elas facilitem a vida. Envolva o relacionador na apresentação, pedindo-lhe para lhe dar *feedback* e responder perguntas.

Confirmação

Os relacionadores também são lentos para tomar decisões, mas não pelos mesmos motivos dos pensadores. Um dos motivos é que gostam de fazer consultas antes de tomar uma decisão — ou seja, antes de decidir gostam de pedir a opinião dos outros, a que dão muito valor.

O segundo motivo é que muitas vezes lhes faltam as informações apropriadas. Infelizmente, eles tendem a dizer o que os outros querem ouvir e não o que precisam saber. Na fase de estudo, ele lhe diz X e você trabalha com X. Mas, quando propõe uma solução para X, o *prospect* continua dizendo que precisa pensar no assunto e você fica frustrado e confuso. O problema começou na troca de informações durante a fase de estudo: você recebeu informações erradas.

Na fase da confirmação, os relacionadores são tímidos demais para dizer que precisam de mais informações porque acham que não é isso que você quer ouvir. Então, contornam a questão da falta de informações dizendo que precisam pensar. A solução é retornar à fase de estudo, colher informações corretas e começar tudo de novo.

Outra opção é conduzir o relacionador. Depois de determinar o que é melhor para ele, uma recomendação pode levá-lo a confirmar a venda. Mostre seu interesse dizendo, por exemplo: "Jean, falamos de uma porção de coisas e acredito firmemente que essa é a melhor solução para você. Eu não a recomendaria se não estivesse 100 por cento convencido de que vai funcionar no seu caso". Se chegarem a um acordo, conduza delicadamente o relacionador à etapa seguinte. "Se você concorda com tudo o que acabamos de discutir, acho que o próximo passo é preencher o contrato e fazer o depósito."

Isso não é manipulação nem insistência. Você estudou as necessidades do cliente e recomendou uma solução que honestamente acredita ser a melhor. É uma situação ganhar-ou-ganhar.

Pós-Venda

Para manter a satisfação do relacionador, adote o procedimento de sempre, mas vá mais longe. Deixe claro para ele que agora há uma relação

VENDA POR ESTILO

213

entre vocês. "Não se esqueça de que você é primeiro meu cliente e depois cliente da minha empresa. Se alguma coisa der errado ou se você tiver algum problema, por menor que seja, telefone primeiro para mim, a qualquer hora do dia ou da noite." Você vai dar a ele o número do telefone da sua casa, é claro. Mas fique tranqüilo: um relacionador não ousaria "incomodá-lo" em casa. De um diretor, por outro lado, você pode esperar um telefonema... a qualquer hora do dia ou da noite.

ESPAÇO PARA MELHORAR

Esse conhecimento das pessoas e das melhores estratégias para trabalhar com elas suaviza os solavancos que freqüentemente acompanham o processo de vendas. Há uma coisa que não custa repetir: *Quando duas pessoas querem fazer negócios, os detalhes não as impedem.* Vender por estilo de comportamento elimina ou reduz os conflitos pessoais. Sem as diferenças pessoais para atrapalhar, você e o cliente podem se concentrar nos aspectos importantes da venda: troca de informações, identificação de necessidades e oportunidades, planejamento das soluções e manutenção de relações duradouras e mutuamente vantajosas.

Seu conhecimento sobre estilos de comportamento permite que você se relacione melhor com os outros e lhe dá uma oportunidade de melhorar. Conhecendo seu próprio estilo de comportamento, você vai descobrir seus pontos fortes e fracos e as áreas em que precisa melhorar. A tabela 12.1 resume as fases da venda em que os diferentes tipos de pessoas se saem melhor.

Pense em seu estilo pessoal e determine se você é diretor, socializador, pensador ou relacionador. Depois, consulte a tabela 12.1 para ver se seus pontos fortes e fracos coincidem com os da maioria das pessoas de sua categoria. Se não coincidirem, lembre do que já se disse a respeito da diversidade e da complexidade do comportamento humano: as generalizações refletem o quadro geral, mas os indivíduos podem ser exceções à regra.

Tabela 12.1

Pontos Fortes e Fracos de Vendedores dos Quatro Estilos de Comportamento

Vendedor	Fase da venda em que se sai melhor	Fase da venda em que se sai pior	Para melhorar:
Diretor	Planejamento Confirmação	Estudo Pós-Venda	desacelerar, relaxar, compartilhar mais com o cliente

214 A VENDA NÃO-MANIPULATIVA

Socializador	Primeiro Contato Proposta	Planejamento Pós-Venda	organizar os detalhes, fazer listas
Pensador	Planejamento Estudo	Primeiro Contato Confirmação	trabalhar as relações, implementar idéias
Relacionador	Estudo Pós-Venda	Proposta Confirmação	concentrar-se em ajudar as pessoas a resolver problemas

A terceira coluna da tabela vai lhe dar muito em que pensar. Há uma regra que o vendedor tem que aprender: *Seja flexível com os outros, especialmente quando conhece seu estilo de comportamento*. Para alguns, é mais fácil ser flexível e para outros é mais difícil, mas essa predisposição não deve determinar a prática.

Diretores precisam se esforçar para ser mais pacientes, tolerantes e sossegados. Eles precisam se envolver com os clientes, deixar de priorizar tanto a tarefa e trabalhar suas relações.

Socializadores precisam fazer amizade com pensadores. Falando sério: eles têm que se organizar para que os detalhes do trabalho não se percam. As listas e outros documentos completam cada etapa do processo. Essa "rede de proteção" garante um pouco de ordem às pessoas descuidadas.

Pensadores precisam trabalhar as relações. Para isso, têm que deixar a frieza de lado e se interessar mais pelas pessoas. Além disso, têm que reconhecer que suas grandes idéias serão inúteis se não ajudarem os clientes a implementá-las.

Relacionadores precisam entender que, resolvendo problemas, ajudam as pessoas a melhorar seu negócio e sua vida pessoal. Mas, para resolver um problema, é preciso que o cliente se comprometa a implementar a solução.

Ao vender *por* estilo, você vende *com* estilo. Vender com estilo é saber quem você é, quem é o seu cliente e usar sua capacidade de comunicação para criar uma boa química e não um conflito. Isso é vender com inteligência e, a longo prazo, vai lhe render a reputação de ser alguém que negocia com profissionalismo.

13

A Imagem da Excelência

NOS NEGÓCIOS E NA VIDA PARTICULAR, as pessoas "dão notas" umas às outras. Não dá para evitar. É uma forma de cada um decidir se vai ou não aceitar o outro. Ao entrar em um novo ambiente, você é avaliado e recebe uma "nota" baseada nas características que os seus avaliadores consideram importantes. Você faz a mesma coisa: usa um sistema para avaliar e excluir pessoas que considera indignas de seu tempo ou energia.

Quando desenvolviam o conceito de venda não-manipulativa, os autores fizeram, a um grande número de participantes de seminários, a seguinte pergunta: "Entre todos os vendedores que você já conheceu — desde o que vende aspiradores de pó de porta em porta até o vendedor de computadores *mainframes* de vários milhões de dólares — quantos classificaria como 'profissionais'?" Em outras palavras: imagine que você está almoçando com um amigo e um vendedor que você conheceu naquele mesmo dia entra no restaurante. Se esse vendedor tivesse se mostrado excepcional, você se sentiria motivado a apontá-lo para seu amigo, dizendo-lhe que ele foi muito profissional. Quantos vendedores com quem você já negociou mereceriam esse reconhecimento?

Quando se faz essa pergunta, a resposta mais comum é: "Menos de 5 por cento." Cinco por cento dos vendedores se destacam: são excepcionais. Esses 5 por cento podem ser considerados *excelentes* e os 95 por cento restantes podem ser considerados *medíocres*.

Quais as características que distinguem a excelência da mediocridade? E, entre elas, quais são as que podem ser aprendidas e postas em prática?

216   A VENDA NÃO-MANIPULATIVA

Imagine que algumas pessoas com quem você já trabalhou estão falando de você. Que palavras elas usariam para descrever o que há de melhor em você? E que palavras você gostaria que elas usassem? Quando os autores fizeram essas perguntas aos participantes, eles usaram as seguintes palavras em suas respostas:

completo	amistoso	competente
profissional	preparado	tranqüilo
confiante	seguro	sincero
inteligente	polido	elegante
honesto	criativo	atencioso

O interessante é que, em geral, suas listas de palavras descreviam um vendedor não-manipulativo com boas notas.

Em vendas, uma nota alta (sete a dez, numa escala arbitrária de um a dez) com base nas características da excelência corresponde a uma venda *automática* (uma situação em que o cliente puxa a sua manga e pergunta: "Posso comprar agora?"). Uma nota mais ou menos (cinco a seis) significa que o cliente está dizendo: "Convença-me. Não vá embora, preciso de mais informações". Uma nota baixa (inferior a quatro) significa que o cliente não vai comprar de modo algum. A resposta final é *não* e vocês dois sabem disso. Assunto encerrado.

TUDO conta no processo de avaliação. Quantos pontos, por exemplo, vale uma caneta? Poucos, talvez — mas importantes.

No livro *Dress for Success* [*Vista-se para o Sucesso*], John Molloy afirma que um excelente homem de negócios deve ter uma caneta de ouro. Talvez a caneta valha apenas um ou dois pontos, mas se você quer ganhar um ponto ela é importante. Quando a nota é muito alta ou muito baixa, a caneta não importa, mas importa quando a nota é apertada. Imagine que o cliente está pronto para comprar e a vendedora (com uma nota de sete a dez) lhe passa o contrato com uma caneta de plástico toda mascada em que ainda se lê: "Funilaria do Joe". Talvez ela perca só dois pontos, mas isso pode bastar para fazê-la cair de uma venda automática para algo como "Puxa, Susan, eu gostei de tudo o que você me disse, mas..." A caneta fez a pontuação cair para cinco ou seis. Nada de venda.

Vale a pena ter uma caneta de ouro? É claro que sim! *Todas* as impressões contam. Em geral são as *pequenas* coisas que põem a perder o nosso esforço.

Na vida, há coisas que dá para controlar e coisas que não dá para controlar.

Phil: Um artigo que li em uma revista falava de um estudo que fez a seguinte constatação: homens com mais de um metro e oitenta de altura tendem a ter mais sucesso financeiro do que homens com menos de um metro e oitenta. Por mais que me estique, eu não passo de um metro e setenta. Saber que há uma correlação entre altura e sucesso de nada me adiantava. Essa é uma daquelas coisas da vida que foge ao nosso controle. Então, em vez de me esticar, eu trabalho mais. Infelizmente, muita gente gasta tempo, esforço e energia tentando lidar com coisas que fogem ao seu controle.

Como vendedor, você não tem controle sobre a economia. Não tem controle sobre os preços dos concorrentes. Não tem controle sobre a qualidade dos concorrentes. Mas você *tem* controle sobre o que veste de manhã! Este capítulo identifica doze qualidades próprias da excelência, que faltam à mediocridade. As doze características da excelência são atributos pessoais sobre os quais *você tem controle total*. Portanto, é muito importante desenvolver essas qualidades para ganhar o máximo de pontos nessas áreas. Cada ponto ganho nessas áreas é um ponto a mais de folga nas áreas de preço, produto e apresentação. A excelência lhe dá uma certa margem de ação porque você constrói relações mais fortes com base em suas qualidades pessoais.

Phil: Sempre que ouço um vendedor dizer que não fez a venda por causa do preço, imagino qual foi sua nota nas características da excelência: como estava vestido, se foi pontual, se foi sincero, como se preparou e assim por diante.

As características a seguir vão ajudá-lo a atingir a "imagem da excelência" e entrar na elite dos 5 por cento!

A PRIMEIRA IMPRESSÃO

Quando você conhece alguém, não consegue deixar de ter uma primeira impressão. Você repara na aparência física da pessoa e identifica sinais sutis, verbais e não-verbais, do comportamento. Inconscientemente, você colhe informações para determinar como ela é. Muitas vezes, os primeiros minutos garantem o sucesso ou o fracasso da venda. Uma impressão favorável aumenta a possibilidade de suas idéias serem aceitas. Os elementos a seguir ajudam a criar uma boa impressão:

Roupa

Hoje em dia, há no mercado uma infinidade de livros que tratam de roupas para situações de trabalho. Se você vai fazer a venda em um ambiente profissional, há algumas regras padrão que não podem ser esquecidas.

Os homens têm que usar ternos de corte conservador (não paletós esporte) nas cores azul, cinza ou preta. Trabalhar em mangas de camisa é um tabu. Use um tecido adequado para a estação. O padrão, se houver, tem que ser sutil: risca-de-giz ou xadrez miúdo. A camisa tem que ser de manga longa, nas cores branco ou azul-claro. A gravata é um símbolo importante de *status*: de cetim ou seda, com um leve brilho, é o ideal. Sapatos com cadarço ou mocassins conservadores são os melhores. Não use jóias, com exceção do relógio, que tem que ser pequeno e de ouro e não esportivo e volumoso.

A consultora de imagem Yvonne Kay recomenda às mulheres *tailleurs* de tecido natural, de preferência nas cores cinza ou azul-marinho (preto é severo demais). Algodão e linho são bons para o verão. Apesar do movimento feminista, calças ainda são consideradas casuais demais para o trabalho. A saia deve ter uma prega embutida, para dar mobilidade. A blusa tem que ser creme, branca ou em tons pastéis. Um laço ou echarpe no pescoço dá credibilidade, como a gravata para um homem. Quanto aos sapatos, escarpins de couro, combinando com o *tailleur*, são os melhores: sapatos de tiras e sandálias devem ser evitados. Antes de uma reunião, é bom verificar se as meias, sempre em cor natural, não estão desfiadas. As jóias têm que ser discretas e elegantes.

Dependendo do produto, há situações em que o homem pode usar camisa de manga curta ou paletó esporte. Alguns produtos exigem até que o vendedor use macacão. Tenha em mente que a roupa tem que ser adequada às circunstâncias — mas sempre limpa e bem passada. A pergunta é: Suas roupas reforçam ou prejudicam a impressão que você quer passar?

Em certos momentos, suas roupas podem ajudá-lo a firmar a relação com o cliente. Por exemplo: um cliente relacionador que se veste de maneira conservadora vai se sentir melhor se você não se vestir tão bem quanto ele — e não usar as mesmas cores. Um terno marrom passa uma impressão amistosa e prática. Se possível, evite as cores do poder — cinza, azul-marinho e preto — ao se reunir com relacionadores. É claro que, para as reuniões com diretores ou socializadores, vale o oposto.

Contato Visual

Um bom contato visual é definido culturalmente. Os americanos preferem a técnica "desviar o olhar". Perceba o que acontece quando um grupo de

A Imagem da Excelência

pessoas entra em um elevador. Em vez de fazer contato visual, todo mundo fica olhando os números dos andares. Se você ficar olhando para os outros ou puxar conversa, todos vão achar seu comportamento impróprio. As pessoas não gostam de ser olhadas de frente. Um vendedor que não tira os olhos do cliente vai deixá-lo muito pouco à vontade. É melhor deixar os olhos vagar de vez em quando para aliviar a tensão.

Postura e Porte

Como você anda? A passos largos? Passeando? Quando está parado ou sentado, você fica ereto, com os ombros para trás e a barriga encolhida, ou fica curvado em cima do material da apresentação, com o corpo largado e a mão no quadril? Uma boa postura transmite confiança.

Aperto de Mão

O aperto de mão tem que ser forte e firme, mas não demais. Há uma pergunta muito comum: "Quando um homem deve apertar a mão de uma mulher?" Segundo a regra tradicional, quando ela lhe estende a mão. Hoje, em apresentações pessoais ou de negócios, você tem que apertar a mão de uma mulher nas circunstâncias em que caberia apertar a mão de um homem.

Imagine-se sendo apresentado a um grupo de pessoas. Você troca apertos de mão com os homens. Depois, volta-se para as mulheres com a mão às costas, sorri, inclina-se para a frente e diz "olá". Elas ficariam ofendidas.

Sorriso

O sorriso contagia e pode ser um instrumento poderoso. Imagine-se entrando em uma sala com um grande sorriso no rosto e se deparando com quatro pessoas de cara fechada. Como o sorriso é mais poderoso do que uma cara feia e requer um número menor de músculos, continue sorrindo: em questão de segundos haverá mais quatro sorrisos na sala!

Higiene

Não é preciso explicar para adultos a importância de tomar banho, escovar os dentes e lavar os cabelos com xampu. Há, porém, dois tópicos que vale a pena mencionar: fumar e beber no trabalho.

Tradicionalmente, era aceitável fumar se o cliente fumasse ou desse permissão para fumar. Mas, na verdade, fumar *nunca* é aceitável; além da possibilidade do cigarro incomodar o cliente, não existe fumante asseado. Como diz Phil: "Quando eu fumava, meu guarda-roupa vivia cheio de ter-

220 A VENDA NÃO-MANIPULATIVA

nos com furos de cigarro". Os cigarros podem estragar as roupas e cair do cinzeiro, nas mesas e carpetes. Além disso, fumar é uma distração desnecessária, que tende a reduzir bastante sua nota.

Houve uma época em que beber no trabalho era uma exigência em alguns setores, como, por exemplo, relações públicas e propaganda. Hoje, quase nenhuma empresa ou atividade estimula a bebida, pouquíssimas a consideram aceitável e muitas a consideram inaceitável. Beber é uma má idéia, por dois motivos. Primeiro: o cheiro de álcool dura pelo menos três horas. Quem o acompanhou no almoço sabe que você bebeu só uma taça de vinho — mas o que vai pensar o cliente das três? Segundo: mesmo uma pequena quantidade de álcool pode prejudicar seu desempenho. Para que render menos de cem por cento?

Às vezes, você vai almoçar ou jantar com um *prospect,* ele pede uma bebida e insiste com você para acompanhá-lo. Numa situação assim, peça uma água mineral com uma lasca de limão. Outra opção é pedir um drinque e não beber. Brinque com ele, mas não beba. Hoje, já expandimos as idéias de modo a incluir a sobriedade na definição de sociabilidade e diversão.

Qualidade da Voz

A qualidade vocal de uma pessoa comunica uma mensagem que independe das palavras ditas. Cada frase que você pronuncia é formada por sons que dizem tanto quanto as próprias palavras. O melhor exemplo é a palavra "ah". Ela não tem significado algum sem a inflexão de voz que a acompanha. Dependendo da inflexão, a palavra "ah" pode comunicar surpresa, compreensão, sarcasmo, dúvida, expectativa ou medo.

Tendo consciência da emoção por detrás da sua voz, você comunica com precisão o que pretende dizer. A dúvida, o medo, o tédio e o cansaço influenciam o que você diz ao cliente. Conhecendo sua qualidade vocal, você consegue comunicar o entusiasmo, a confiança e a sinceridade que caracterizam o vendedor não-manipulativo. Fique atento à sua voz, tendo em mente o seguinte:

1. Uma voz forte e sonora projeta confiança.

2. Falar com clareza indica inteligência.

3. Aumentar o volume e a velocidade, além de usar um tom mais alto, comunica entusiasmo.

4. Mudanças na voz enfatizam as partes importantes da sua mensagem. Falando mais devagar e diminuindo o volume ao dizer algo importante, você consegue passar sua mensagem.

A Imagem da Excelência

5. Variar a característica vocal para que a fala não fique monótona é uma forma de deixar o ouvinte interessado e você mais interessante.

6. Deixe a voz fluir naturalmente. Relaxe. Seja você mesmo: assim fica mais fácil gerar confiança e reduzir a tensão. O uso de técnicas vocais tem que ser natural e espontâneo para você não passar uma impressão artificial e desconfortável.

7. Preste atenção às características vocais do cliente. Assim como a sua voz transmite informações, você pode inferir as mensagens ocultas na fala dele: use sua capacidade de ouvir e fazer perguntas para descobrir a raiz das alterações que captar.

Boa Educação e Pontualidade

Seja educado! Todas as regras mais comuns da boa educação que nos ensinaram durante a vida inteira, como dizer "por favor" e "obrigado", se aplicam aos negócios. A cortesia manda usar o nome do cliente corretamente e com freqüência. Não o chame pelo primeiro nome se ele não lhe der permissão. Se ele se apresenta como John Jones, use John. Se ele se apresenta como Sr. Jones, use Sr. Jones.

Faz parte da boa educação ser pontual. Não importa se o cliente é pontual ou não: você tem que chegar na hora. Quando um cliente marca uma reunião com você, sua obrigação é respeitar e aproveitar bem o tempo dele.

Todos essas facetas se juntam para criar uma primeira impressão forte e positiva. Afinal, você só tem uma chance de passar a primeira impressão. E o profissionalismo exige que você passe uma boa impressão todas as vezes.

PROFUNDIDADE DE CONHECIMENTO

A segunda característica da excelência, a profundidade do conhecimento, se refere ao grau de conhecimento que você tem da sua área. Quanto mais souber sobre o assunto, mais profissional você será. É essencial, portanto, aprender o máximo possível sobre o seu ramo de atividade, a sua empresa e os pontos fortes e fracos dos concorrentes.

Aprenda a política e os procedimentos da sua empresa e das concorrentes. Procure conhecer todos os departamentos e produtos da sua empresa e não só aqueles com os quais está envolvido.

Phil: Quando comecei a trabalhar com alarmes contra roubo, meu gerente de vendas dizia que eu só precisava saber vender nossos produtos — mais nada. Ele dizia: "Não precisa saber como funciona, não precisa conhecer as especificações técnicas — basta aprender a aplicação". Em geral, os outros vendedores lhe davam ouvidos. Mas, eu não; vivia batendo papo com o pessoal da instalação e da manutenção e ia sempre ao departamento de peças. Aprendi tudo o que pude. E acabei me tornando vice-presidente de *marketing* enquanto meu antigo chefe continua sendo gerente de vendas.

Aprenda o máximo que puder. Estude as necessidades do ramo de atividade. Leia jornais de economia e determine qual é a posição da sua empresa nesse ramo. Aproveite todos os programas de treinamento que a sua empresa oferecer. Qualquer que seja a sua área, torne-se um especialista.

AMPLITUDE DE CONHECIMENTO

Amplitude de conhecimento se refere à capacidade de conversar sobre uma vasta gama de assuntos. Se sua conversa é limitada, o número de pessoas com quem você consegue se relacionar é limitado. Para um vendedor, isso é uma séria desvantagem.

As pesquisas revelam que os clientes compram de quem gostam e de quem os deixa à vontade. Um dos principais fatores para determinar o quanto você gosta de alguém é o interesse *percebido* que vocês têm em comum.

Imagine que você começa a conversar sobre um assunto que o interessa com alguém que acabou de conhecer. Como a pessoa entende um pouco do assunto, vocês conversam por algum tempo. Alguns minutos depois, você introduz um outro tópico, que ela também conhece, e vocês continuam a conversar. Se os interesses em comum forem vários, você vai ficar à vontade e isso vai ser o começo de uma relação com aquela pessoa.

O vendedor para quem os clientes têm sempre um tempo é o que domina a arte de conversar. Seja qual for o assunto, ele sabe conversar a respeito. Essa habilidade ajuda a outra pessoa a relaxar. No outro extremo, pessoas mal informadas tendem a ser repetitivas e chatas. A preocupação com um único tópico mostra o quanto são superficiais.

A *profundidade* de conhecimento é uma responsabilidade que você divide com sua empresa, que deve ajudá-lo a se educar nesse sentido. Mas a *amplitude* de conhecimento é uma responsabilidade exclusivamente sua. Ler é essencial para expandir a amplitude do conhecimento. Você tem que ler um número razoável de livros por ano. Como disse o famoso conferencista Jim Rohn: "Começar a ficar para trás [nas leituras] é um problema. Se alguém lê dois livros por semana, depois de dez anos essa pessoa vai estar mil livros à

A IMAGEM DA EXCELÊNCIA 223

sua frente se você não tiver lido nenhum". Você gostaria de entrar no mercado mil livros atrás dos concorrentes? E mais importante: Você não gostaria de entrar no mercado mil livros *à frente* dos concorrentes?

Se você não lê regularmente, comece a ler. Se ninguém incutiu em você o amor pela leitura, atenção ao conselho de Maxwell Maltz, no livro *Psychocybernetics* [*Psicocibernética*]. São necessários vinte e um dias de disciplina para criar ou perder um hábito. Se os seus hábitos de leitura são precários, faça *workshops* ou cursos que o ajudem a corrigi-los. Esse pode ser o melhor presente que você já deu a si mesmo.

Crie o hábito de ler para crescer. Todas as noites, durante uma hora, leia por ler — não para saber os resultados do jogo, mas por puro prazer. Em pouco tempo você vai começar a ler espontaneamente porque vai perceber que é divertido. Se você já lê regularmente, diversifique as leituras para desenvolver uma gama de assuntos que o interessam e sobre os quais você é capaz de falar.

Expandir o conhecimento exige a leitura *diária* de um grande jornal da cidade. Leia-o da primeira à última página. Até mesmo os classificados e obituários podem ser relevantes. Se ocorrer um falecimento na família de um dos seus clientes e você tomar conhecimento do fato pelo jornal, vai saber o que dizer e como se comportar na visita seguinte. Você pode até mesmo enviar um cartão de condolências.

Leia também um jornal de negócios de circulação local. É essencial saber como vão os negócios na sua área geográfica.

Descubra o que está acontecendo no mundo. Leia regularmente o *USA Today*, a *Time*, a *Newsweek* ou o *U.S. News and World Report*. São publicações que resumem o que acontece em cada faceta da vida, do entretenimento à política, e oferecem um repertório interessante para uma semana inteira de conversa bem informada.

Essa ênfase na leitura pode dar a entender que a televisão não tem utilidade. Não é verdade. Como fonte de conhecimento, nada é tão poderoso quanto a televisão — desde Gutenberg, que tornou a palavra impressa acessível a todos. Assistir a uma peça importante, como o *Rei Lear* com Lawrence Olivier e Diana Rigg, não era possível para todo mundo antes da invenção da televisão. Hoje, a História é acompanhada ao vivo por milhões de pessoas e é registrada para as futuras gerações graças ao cinema e à televisão. Os programas de qualidade *estão lá*: é só procurar. Com o advento da TV a cabo, há sempre um programa de qualidade, em qualquer horário e em qualquer dia. A televisão não substitui a leitura como fonte de conhecimento, mas é seu complemento. A TV é como qualquer instrumento: quando você a usa bem, ela traz recompensas.

Outra maneira de expandir o conhecimento é usar produtivamente o tempo livre. Os vendedores querem sempre que o dia tenha 25 horas. Pois *é possível* expandir o uso do tempo. Muitas atividades, como dirigir, pedalar na bicicleta ergométrica ou correr na esteira, não exigem a parte do cérebro que ouve e absorve informações. Durante essas atividades, você pode ouvir fitas de auto-ajuda sobre uma grande variedade de assuntos. Essa forma "passiva" de aprendizado já se mostrou bastante eficaz e é altamente recomendada pelos autores. Participe de eventos culturais e esportivos. Se você nunca foi a um concerto ou a um jogo de beisebol, tenha essas experiências. Além de expandir seus horizontes, você poderá descobrir uma nova fonte de prazer ao entrar em contato com um círculo de pessoas inteiramente novo.

Todas essas coisas — ler, fazer, ver, ouvir — aumentam a área de interesses que você tem em comum com os outros, tornando-o uma pessoa com quem todos gostam de estar. Os que fazem parte dos 5 por cento — ou seja, da excelência — têm notas altas em amplitude de conhecimento.

FLEXIBILIDADE

Flexibilidade é a disposição e a capacidade de adaptar seu estilo de comportamento ao estilo da pessoa que acabou de conhecer.

David Merrill fez um estudo sobre o efeito da flexibilidade no sucesso de uma pessoa. Ele partiu da hipótese de que a falta de flexibilidade corresponde a um mau desempenho em profissões que exigem uma boa comunicação, como vendas e administração. O pressuposto era o seguinte: quanto maior a flexibilidade de alguém, maior seu sucesso em trabalhos que envolvem outras pessoas.

Como era de se esperar, pessoas inflexíveis se revelaram más administradoras. Mas, surpreendentemente, pessoas com flexibilidade muito alta também se revelaram más administradoras e más vendedoras. Dois personagens muito conhecidos ilustram esse padrão: Archie e Edith Bunker, do seriado de TV "Tudo em Família". Archie Bunker personifica a falta de flexibilidade. É cabeça-dura, teimoso, dogmático e obstinado. Muita gente acharia difícil trabalhar com alguém assim. Edith Bunker é o oposto: é flexível, imprevisível e franca demais. Pouca gente gostaria de trabalhar com ela ou de lidar com um vendedor igual a ela.

A flexibilidade discutida aqui é vital para o conceito de estratégias de relacionamento apresentado no Capítulo 2.

SENSIBILIDADE

A sensibilidade — a capacidade de ser emocionalmente e intelectualmente afetado — é outra característica em que os excelentes recebem nota alta. Infelizmente, a sensibilidade não é ensinada na escola com outros requisitos básicos para a sobrevivência, como ler e escrever. Aprendemos a sensibilidade através de nossos pais e da sociedade.

Até certo ponto, todos nós somos dessensibilizados pela mídia. O telejornal de todas as noites nos faz desligar os sentimentos que normalmente teríamos por pessoas que atravessam dificuldades. Com isso, nós nos protegemos de um curto-circuito emocional. Além disso, a sociedade americana tem como padrão ensinar os homens a serem "durões". Embora tenha sua utilidade no mundo dos negócios, essa característica é destrutiva nos relacionamentos pessoais. Não é à toa que temos tanta dificuldade para entrar em contato com nossos sentimentos. Mas temos que saber o que sentimos para ter compaixão pelos outros: é um pré-requisito.

O vendedor não-manipulativo tem que ser sensível. A característica de troca da relação profissional exige conhecimento das necessidades e sentimentos da outra pessoa. Para cultivar essa habilidade, pratique! Ponha-se no lugar dos outros e tente imaginar o que estão sentindo. Preste atenção no que os outros sentem, assim como presta atenção no que dizem.

ENTUSIASMO

Phil: Sammy Davis Jr. é um *entertainer* completo. Minha mulher e eu fomos vê-lo em Los Angeles, muitos anos atrás. Não me lembro quanto pagamos, mais foi caro: qualquer coisa como 100 dólares as entradas e 10 cada coquetel, totalizando um investimento de 140 dólares. O que você acha que esperávamos em troca desse investimento considerável? Uma grande performance!

E se Sammy entrasse no palco, fosse até o microfone com as mãos às costas, cantasse quatorze músicas, dissesse "obrigado" para a platéia e se mandasse? Ficaríamos ultrajados — porque teríamos sido enganados! O que estaria faltando no espetáculo? O entusiasmo!

Neste caso, que diferença faria para a platéia saber que Sammy estava doente ou tinha discutido com a mulher? Desculpas de nada valeriam para quem pretendia passar uma noite com Sammy Davis Jr. Pois naquela noite ele estava com pneumonia. Contra as ordens do médico, tinha saído do hospital para fazer o espetáculo. E passou mais entusiasmo do que muitos *entertainers* com saúde. Qual o segredo dele? Ele é um profissional. Ele sabe passar o nível de energia e entusiasmo que recompensa a platéia pelo investimento em tempo e dinheiro.

Ouve-se muitas desculpas nos departamentos de vendas. Que chances de fazer uma venda tem um vendedor que arranja desculpas? Desprezíveis.

Se você estiver com o entusiasmo realmente em baixa, fique em casa! É possível que perca mais oportunidades pela falta de entusiasmo do que ficando um dia em casa.

Todo mundo tem um dia ruim de vez em quando. Mas você tem que ser capaz de arranjar entusiasmo para enfrentar esse dia. Com a exceção de, no máximo, uma ou duas vezes por ano. Se ficar crônica a falta de entusiasmo, é sinal de que está na hora de reexaminar o emprego, a vida pessoal ou a saúde e fazer algumas mudanças.

O vendedor não-manipulativo sabe como ficar acima dos problemas. Quando entra no escritório ou fala com os clientes, seus problemas pessoais ficam de lado. Zig Ziglar, conferencista e escritor, diz que todo dia é extraordinário ou semi-extraordinário! Se o dia não começar ótimo, faça com que ele fique ótimo — é *você* quem comanda.

O pastor Norman Vincent Peale contava uma história sobre o trajeto que fazia todos os dias, de casa até a igreja. Todos os dias ele cumprimentava o jornaleiro da esquina com um "alô" simpático mas o jornaleiro nunca respondia. Quando lhe perguntaram por que continuava sendo simpático, ele respondeu: "Para que deixar que ele determine a minha atitude? Se ele prefere ser infeliz, que seja. Eu gostaria que sua atitude mudasse, mas isso não é necessário. Necessário é não deixar que ele mude a *minha* atitude. Não quero que meu dia seja determinado pela grosseria dos outros". Para o vendedor profissional, essa idéia contém uma série de verdades.

Ralph Waldo Emerson disse: "Parece que as pessoas não percebem que sua opinião sobre o mundo é também uma confissão de caráter". Em outras palavras: quem acha que vive em um mundo infeliz é, provavelmente, uma pessoa infeliz. Sua atitude se reflete em tudo o que você faz. Assim como sua atitude com relação aos clientes. Se os vê como pessoas que podem ser manipuladas, você jamais será realmente um vendedor não-manipulativo. Isso é uma coisa que eles percebem — e deixam de fazer negócios com você.

Há uma atitude mais saudável: ver os clientes como parceiros nos negócios, com quem você tem muito em comum. Veja-os como pessoas que merecem respeito — nem que seja pelo simples fato de serem humanos. São eles que vão tornar o seu sucesso possível. Veja-os como portas que você tem que transpor e não como estorvos (obstáculos) que lhe impedem o progresso. Sua atitude positiva com relação a eles como pessoas garante a confiança mútua que é tão essencial aos negócios.

Em geral, os gerentes gostam de funcionários entusiasmados: parece que trabalham mais e com mais eficiência. Uma pessoa entusiasmada compartilha e espalha seu bom sentimento pelos outros membros da equipe de vendas.

Intimamente relacionada ao entusiasmo está a capacidade de motivar a si mesmo. Quem gosta do próprio trabalho e o considera importante, arranja motivação com facilidade. Em vendas, a motivação é indispensável, podendo garantir ou comprometer o sucesso do vendedor. Trabalhe no que gosta, estabeleça metas, concentre-se na realização e atue para conseguir o máximo: essa é, em poucas palavras, a fórmula da motivação e do sucesso.

AUTO-ESTIMA

Auto-estima é uma medida interior de como você se avalia com relação ao mundo e não uma medida do que os outros pensam de você. Para o vendedor, é fácil definir o próprio valor conforme as vendas que faz — ou não faz. Se faz a venda, é uma boa pessoa. Se não faz, é um fracasso. Mas isso não é verdade.

Todo vendedor já passou pela experiência de fazer uma excelente apresentação e não vender. Por outro lado, às vezes a apresentação é ruim mas a venda se confirma. Seja como for, o que importa é o seguinte: se você fez uma excelente apresentação e não vendeu, ainda assim fez uma excelente apresentação. Se você fez uma péssima apresentação e apesar disso vendeu, *ainda assim fez uma péssima apresentação.* Quando a apresentação termina, a questão não é se perguntar se a venda está garantida, mas se o trabalho foi bem-feito. Se a resposta for sempre "sim", o sucesso é praticamente certo. Se a resposta for sempre "sim" mas nenhuma venda for feita, seus critérios para avaliar as apresentações devem estar meio baixos — ou você está fazendo poucas apresentações.

Jamais julgue seu valor como pessoa pelo resultado de um contato de venda. O vendedor excelente compreende essa idéia. A sua auto-estima deve sempre se basear em padrões mais elevados — conhecimento, justiça, bondade e regularidade. Quem faz parte dos 5 por cento melhores tem sempre uma boa auto-estima, seja qual for o resultado da apresentação. Os outros admiram essa confiança — e reagem de acordo com ela.

FOCO *GESTALT*

Foco é mais uma característica da excelência em que os vendedores não-manipulativos alcançam boas notas. Os vendedores excelentes sabem com clareza para onde estão indo. Seus objetivos são específicos, escritos, mensuráveis e divididos em segmentos fáceis de atingir. Eles concentram a energia nesses objetivos, não se distraem facilmente e chegam a uma resolução. Além de se concentrar no específico, os excelentes enxergam também o todo. Essa capacidade de se concentrar ao mesmo tempo nos detalhes e no todo é o "foco *gestalt*".

Muita gente de talento oscila de um grande projeto para outro sem concluir nenhum. Falta *foco* a essas pessoas. No outro extremo estão pessoas com um foco tão estreito que perdem a noção do todo. Um bom exemplo é o do setor ferroviário: seus trabalhadores decidiram que faziam parte do setor ferroviário e não do setor de transportes e, com isso, se recusaram a mudar e a se diversificar com o tempo. A capacidade de se concentrar ao mesmo tempo na floresta e nas árvores diferencia os excelentes dos medíocres.

SENSO DE HUMOR

"A conversa rola com muito mais facilidade quando, vez ou outra, nos soltamos numa sinfonia de risos, que poderíamos chamar de coro da conversa." Essa frase é de um ensaísta do século XVIII, *Sir* Richard Steele.

O humor é um lubrificante social. Ele nos dá algo para compartilhar e cria laços de simpatia. Nós gostamos automaticamente das pessoas que nos fazem rir.

Embora levem seus compromissos a sério, os excelentes nunca se levam demasiadamente a sério: conseguem rir de si mesmos. Todo mundo gosta de quem consegue ver o lado engraçado de qualquer situação.

O vendedor não-manipulativo tem que trazer o humor a seu estilo pessoal. Só que, para ser eficaz, esse humor tem que ser adequado. Tenha em mente as seguintes sugestões:

Mantenha o bom gosto. Conheça o seu público. Algumas pessoas são mais inibidas do que outras. Seja discreto e respeite os padrões de bom gosto dos outros.

Não exagere. Se você fez alguém rir, não presuma que pode continuar indefinidamente. Se a linguagem corporal do cliente indicar que está na hora de voltar ao trabalho, volte ao trabalho! As pessoas gostam de digressões, desde que sejam curtas e agradáveis. Você não pode ficar conhecido como "aquele palhaço que não sabe a hora de parar".

Humor não é apenas contar boas piadas. Requentando piadas que circulam há anos, você corre o risco de ser visto como um idiota e não como uma pessoa com grande senso de humor. O melhor humor é feito de comentários originais e espontâneos que fluem com a conversa ou as idéias em discussão.

Procure o humor na vida cotidiana. Essa é a melhor maneira de aperfeiçoar o senso de humor. Há quem acredite que o senso do cômico é um dom de nascença, mas ele pode ser cultivado. Há inúmeras oportunidades para você aumentar o repertório de casos e comentários engraçados. Se cometer um erro embaraçoso, lembre-se: não se leve a sério demais.

A estrela de televisão Lucille Ball é um exemplo perfeito: ela aprendeu a levar a sério suas obrigações sem se levar muito a sério. Uma vez, ela fez um teste para o papel de Scarlett O'Hara, em *...E o Vento Levou*. No meio daquele texto dramático, ela deixou cair o roteiro no chão. Ajoelhou-se para juntá-lo e, muito nervosa, continuou a ler, ainda catando as folhas. O diretor foi astuto o bastante para perceber que, embora não servisse para o papel, ela era uma comediante talentosa, capaz de rir de si mesma e de levar a sério suas obrigações. E acabou lhe dando sua primeira chance.

Em vendas, as vantagens do humor são inúmeras. Os clientes vão ficar mais relaxados, vão gostar de você e respeitá-lo — e, acima de tudo, vão se lembrar de você.

CRIATIVIDADE E DISPOSIÇÃO PARA CORRER RISCOS

Há duas características da excelência — a criatividade e a disposição para correr riscos — que estão intimamente relacionadas.

Criatividade é pegar várias idéias ou informações isoladas e combiná-las de um jeito novo para desenvolver uma nova idéia. Nisso, a amplitude de conhecimento tem um peso importante. De quanto mais informações você dispõe, mais opções de idéias você tem. A criatividade, portanto, exige curiosidade. Como diz um provérbio iídiche: "O homem tem que viver, nem que for só para satisfazer sua curiosidade". Há tanta coisa para saber e fazer, que é um milagre que as pessoas ainda por cima trabalhem.

Nós não nascemos criativos: a criatividade é uma habilidade adquirida, que exige prática. Os excelentes não se limitam a fazer o que todo mundo faz. E também não se limitam a fazer as coisas do jeito que fizeram no dia anterior. Estão sempre explorando novos mercados, novas aplicações, novas maneiras de beneficiar seus clientes.

Parafraseando Albert Einstein, não é a qualidade das idéias que faz o gênio, mas a freqüência com que essas idéias são postas em prática. Einstein acreditava que todos nós, em algum momento da vida, temos idéias capazes de mudar o mundo. Infelizmente, minutos depois de um *brainstorm*, a maioria vira para o lado e pergunta: "O que tem para o jantar?" — e nunca mais pensa no assunto. O verdadeiro gênio pensa a idéia até o fim e se dispõe a correr o risco envolvido em sua realização.

Os excelentes não se limitam às idéias: eles têm coragem de pô-las em prática. Há centenas de vendedores com grandes idéias de *marketing* para seus produtos, mas poucos com determinação para implementá-las. O mercado recompensa com lucros extraordinários aqueles que correm riscos com sucesso.

Walt Disney fracassou várias vezes nos negócios antes de completar 27 anos. Mas, se não tivesse continuado a arriscar milhões de dólares, ele jamais teria se transformado no patriarca do vasto império que hoje leva seu nome.

SENSO DE HONESTIDADE E ÉTICA

O senso de honestidade e ética é fundamental para a excelência. Todos sabem o que honestidade significa: dizer a verdade, ser franco e sincero. A ética pode ser concebida como honestidade em ação.

No dia-a-dia, muitas vezes é tênue a linha que separa a honestidade da desonestidade. Em muitas situações, não há escolhas éticas claras. Mas ser honesto e ético abre muito mais oportunidades do que tirar vantagem dos outros. Sendo honesto e ético, você vai ganhar respeito, que é importante para o vendedor não-manipulativo, assim como a recompensa, a longo prazo, de uma reputação positiva no mercado.

Em última análise: sua consciência tem que viver com seu jeito de agir, seja ele qual for. Ser honesto e ético significa cumprir uma lei maior. Viver com honestidade e ética já é uma recompensa.

Ninguém nasce um vendedor brilhante. Os 5 por cento excelentes são bem-sucedidos porque se dispõem a se desenvolver e a aperfeiçoar continuamente suas qualidades profissionais e humanas. É trabalhoso, mas as recompensas são generosas. As doze características esboçadas são qualidades sobre as quais você tem *controle total* — é possível aprendê-las e praticá-las. Melhorando a si mesmo, você atinge a imagem de excelência própria do vendedor não-manipulativo e se torna uma pessoa de que todos gostam.

14

A Administração de Si Mesmo

UMA DAS CHAVES para uma carreira bem-sucedida, em vendas ou qualquer outro ramo de atividade, é saber se administrar com a eficiência com que se administra um negócio. Para isso, é preciso desenvolver as habilidades fundamentais da auto-administração, como por exemplo: definir metas específicas, estabelecer planos de ação para a realização dessas metas e administrar com eficácia um dos recursos mais importantes de qualquer empresa — o tempo.

FIXAÇÃO DE METAS: MIRE AS ESTRELAS

"As pessoas em geral não ambicionam nada na vida... e é exatamente isso que conseguem." Essa frase anônima é um triste comentário, mas é verdade. Lutar pelas metas e atingi-las é o que dá sentido à vida da maioria das pessoas. Quem caminha pela vida sem saber para onde está indo jamais saberá se chegou. Pegar uma estrada qualquer deixa a realização ao acaso, o que não é bom. A fixação de metas não apenas lhe diz *para onde* você está indo como também lhe mostra *como* chegar lá. Como disse Charles Kettering: "Todos nós deveríamos estar preocupados com o futuro, pois é lá que vamos passar o resto da vida".

Pense Positivo

Antes de definir suas metas e estabelecer um plano de ação, é preciso fazer uma séria avaliação de si mesmo. Sentir-se bem consigo mesmo é um passo necessário para atingir suas metas: sem isso, você desiste logo.

A Administração de Si Mesmo   233

Como preliminar, abandone os pensamentos negativos. Pensar de forma negativa é destrutivo. Muita gente se concentra nas próprias limitações e não no próprio potencial. O fato é que existem milhões de pessoas neste mundo alcançando o sucesso, todos os dias. Portanto, as chances não devem ser tão pequenas. Se tantas pessoas conseguem, *você também consegue!*

Para alcançar o sucesso, é preciso entender o que ele significa. Nos Estados Unidos, geralmente se define sucesso como a repentina conquista de uma meta, como dinheiro ou poder. Sucesso, porém, é algo mais profundo. Earl Nightingale define sucesso como "a *realização progressiva* de uma meta ou ideal que valha a pena". Em outras palavras: ao escolher uma meta e começar a ir em sua direção, você está, na verdade, alcançando o sucesso.

O modo negativo de pensar leva a suposições negativas. Você cria bloqueios internos que limitam as opções percebidas. Em vendas, uma das suposições negativas mais comuns é: "Eu nunca vou conseguir essa conta. Para que perder meu tempo?" As suposições se transformam em profecias. Nunca determine de antemão o resultado de um contato de vendas. Às vezes, não dá para prever o resultado nem mesmo durante o contato. Tony conta uma história que chama com carinho de "As Três Irmãs". Talvez, um dia, ele a transforme em uma peça em três atos.

Tony: Quando eu era jovem e vendia utensílios de cozinha de porta em porta, passei por um período de duas semanas sem fazer uma única venda. Finalmente, numa noite, fiz uma venda de 900 dólares. Eram nove horas e eu tinha mais uma visita a fazer. Bati à porta da *prospect* e uma menina de oito anos atendeu. Eu lhe disse que queria falar com a Mary e, antes que conseguisse impedi-la, a menina desceu a rua correndo, até uma outra casa. Alguns minutos depois, voltou com sua irmã, a Mary. Apresentei-me e disse que estava vendendo utensílios de cozinha. Mary ficou furiosa por ter sido arrancada da casa da amiga que estava visitando e extravasou a raiva, dizendo que aquilo tudo era ridículo. No fundo, eu concordava com ela. Mesmo achando que minhas chances de fazer a venda eram praticamente nulas, eu disse: "Já que estou aqui, você me daria alguns minutos para saber o que eu tenho a oferecer?" Ela concordou.

Entramos e perguntei se a mãe delas estava em casa, pois era preciso ter alguém maior de vinte e um anos presente na apresentação. A mãe não estava, mas a irmã de vinte e cinco anos estava. Mary a convenceu a se juntar a nós. Comecei a apresentação mas, alguns minutos depois, a irmã levou o bebê para a cozinha — e começou a dar banho nele dentro da pia!

234 A VENDA NÃO-MANIPULATIVA

Toda vez que eu fazia uma tentativa de envolvê-la na conversa, ela punha a cabeça para fora e dizia: "Estou ouvindo". Eu tinha minhas dúvidas, mas fui em frente. De repente, a irmã mais velha chegou. Tinha cerca de trinta e dois anos. Olhou para mim e, vendo que eu estava vendendo utensílios de cozinha, começou a resmungar: o marido era vendedor de utensílios de cozinha — e tinha sumido! Perguntou se os produtos eram caros, sabendo que eram, e eu lhe disse: "Sim, são caros". Chamou então a segunda irmã, a que tinha o bebê, e todas se sentaram à minha frente, enquanto eu terminava a apresentação. Elas olhavam para mim e eu ia ficando cada vez mais constrangido. Tinha dado tudo errado. Tinha pisado no copo para demonstrar que não quebrava — e o copo tinha quebrado! Eu tinha insistido por pura teimosia. Ao fim da apresentação, a de vinte e cinco anos comprou um jogo de cozinha de US$ 600 e a de trinta e dois, a que tinha resmungado, comprou um de US$ 300. Eu não conseguia acreditar: tinha feito uma venda de quase US$ 1.000!

Se Tony tivesse dito: "Você não está interessada, não é mesmo?", a moça teria respondido: "Não. Vá embora". Em vez disso, ele foi em frente e não deixou que suas dúvidas determinassem o resultado.

As suposições são uma espécie de ensaio mental. Achando-se incapaz de fazer determinada coisa, você age de maneira a garantir seu fracasso. Quem ensaia o fracasso, é fracasso que vai ter. Esse círculo vicioso vai continuar até você abandonar as vendas — ou os pensamentos negativos. Por isso, pratique o pensamento positivo!

Muitas histórias de sucesso envolvem pessoas que fracassaram no início da carreira. Frank Betcher, autor de *How I Raised Myself from Failure to Success in Selling* [*Como Evoluí do Fracasso ao Sucesso nas Vendas*], repetiu tantas vezes na escola que por pouco não foi expulso. Mas depois virou a mesa e fez fortuna vendendo seguros de vida. Abe Lincoln perdeu várias disputas por cargos públicos e fracassou três vezes nos negócios antes de se tornar um dos presidentes mais famosos da história. Henry Ford conseguiu fazer seu primeiro carro quando já estava perto dos quarenta anos. Todas essas pessoas acham que o pensamento positivo as ajudou a conquistar seus objetivos. Ford dizia: "Se você pensa que consegue, está certo — e se você pensa que não consegue, também está certo".

Embora, nos últimos anos, o conceito de pensamento positivo tenha sido supercomercializado, o fato não mudou: pensar de modo positivo funciona. Se você quer mesmo atingir o sucesso, adote e pratique o pensamento positivo. Como disse Henry David Thoreau: "Quem avança confiante em direção aos próprios sonhos e se esforça para viver a vida que

A ADMINISTRAÇÃO DE SI MESMO 235

imaginou, alcança um sucesso que normalmente não esperaria". A expressão-chave é "avançar confiante". Não desista antes de começar!

Um correlato importante do pensamento positivo é a confiança em si mesmo. A confiança em si mesmo é absolutamente indispensável à realização. Ter confiança em si mesmo significa acreditar em seu valor intrínseco como indivíduo — e cultivá-lo. Ela vem do conhecimento de si mesmo e do respeito por si mesmo — não da comparação com os outros. Um sábio disse certa vez: "Não se compare com os outros porque, se o fizer, você vai ficar arrogante ou amargurado ... e nenhuma das duas coisas presta".

Avalie criticamente seus pontos fortes e fracos à luz da situação do momento. Se conseguir expandir suas idéias de modo a aceitar um maior número de opções possíveis, você poderá fixar metas mais altas. Cada nova meta atingida o tornará capaz de outras conquistas. Desse modo, a fé em si mesmo aumenta e lhe abre mais opções. O efeito ganha impulso e, com isso, você alcança a grandeza através de pequenos passos sucessivos.

O melhor modo de aumentar a confiança em si mesmo é aumentar a *competência*. Quem sabe como agir em cada área da vida se torna confiante. Não saia de casa de manhã enquanto não se sentir bem consigo mesmo em todos os aspectos — da aparência à preparação para fazer o contato. A confiança aparece quando você sabe que é capaz e que está preparado. Agora você está pronto para fixar suas metas.

Defina suas Metas e os Passos para Alcançá-las

Em geral, quando se pergunta às pessoas quais são suas metas na vida, sua resposta é mais ou menos assim: "Ser feliz, ter saúde e ganhar muito dinheiro". Na superfície, tais metas parecem boas mas, enquanto metas que inspiram ações, são inúteis. Experimente fazer um exercício. Primeiro: faça cinco minutos de *brainstorm,* listando todas as metas que gostaria de atingir até o fim da vida. Inclua metas espirituais, sociais, pessoais, comunitárias, familiares, profissionais e financeiras. Você vai ficar surpreso: suas metas vão se esgotar em menos de cinco minutos.

Segundo: subdivida essas metas em metas de cinco anos e de um ano. Se for casado, peça ao seu companheiro ou companheira para fazer o mesmo exercício e compare os resultados. Quais são as diferenças? As metas não precisam ser idênticas para serem compatíveis, mas tem que haver áreas de sobreposição positiva quando se quer trabalhar em conjunto.

Terceiro: reduza a lista a uma série de metas mais realistas. Escolha umas três de cada vez, mais uma ou duas metas secundárias, de forma a poder se concentrar em uma só direção. Quarto: depois de reduzir suas metas, verifique se cada uma delas atende aos seguintes critérios:

A meta tem que ser pessoal. Tem que ser alguma coisa que *você* sinceramente *queira* fazer com base em convicções pessoais e não algo que você *se sinta obrigado* a fazer.

A meta tem que ser positiva. A meta positiva o motiva através de afirmações: "Vou ficar à vontade quando estiver com clientes novos" é mais eficaz do que "Vou tentar não ficar ansioso quando estiver com clientes novos".

A meta tem que ser escrita. Quando são enunciadas por escrito, as metas deixam de ser pensamentos vagos e se tornam entidades tangíveis. Escrevendo-as, você as grava no cérebro e reforça o compromisso de realizá-las. Se tiver fé em sua capacidade de atingi-las, será fácil enunciá-las por escrito. Se não, pode ser que a dificuldade venha do medo de falhar. Enfrente o medo e comprometa-se. Uma vez comprometido, você terá a força necessária para atingir suas metas.

Tenha a lista de metas sempre à sua frente: na geladeira, no espelho do banheiro, no maço de cigarros — se quiser parar de fumar —, sob o tampo de vidro da mesa ou no retrovisor do carro. Melhor ainda: grave tudo numa fita e ouça-a sempre que possível. *Com freqüência.* Afinal, o que os olhos não vêem o coração não sente.

A meta tem que ser específica e mensurável. A meta tem que ser específica e mensurável para evitar a ausência de compromisso que vem da indefinição. Não fixe metas do tipo: "Vou aumentar minhas vendas no próximo ano". "Vou aumentar minhas vendas em 10 por cento no próximo ano" é uma meta mais útil e motivadora porque define o aumento desejado. "Vou estar correndo cinco quilômetros em vez de três daqui a seis meses" é mais eficaz do que "Vou estar correndo mais daqui a seis meses". Se atingir a meta antes do esperado, você pode fixar uma meta mais alta.

A meta tem que ser um desafio. A meta tem que motivá-lo a se esforçar mais do que antes. Ele tem que empurrá-lo para a frente. Fixe metas um pouco além do seu alcance, de modo a se esforçar um pouco. Assim, você vai ser cada vez mais capaz de atingir suas metas. Como diz Zig Ziglar: você tem que ficar contente com o preço que paga para atingir suas metas. Você tem que decidir quanto esforço está disposto a fazer para atingi-las — e ficar firme nessa decisão. Lembre-se: se não se desafiar, você não vai colher recompensas mais altas.

A **meta tem que ser realista.** Em que patamar fixar a meta é decisão sua. Você tem que mirar alto — só que, se for alto demais, você pode ficar frustrado. A chance de atingir a meta deve ser de 80 por cento. Uma chance inferior a essa acaba desmotivando. Por outro lado, se a chance é de 100 por cento, você está sendo indulgente. É necessário, portanto, fixar metas viáveis que, ao mesmo tempo, sejam um desafio.

Agora que você já descobriu se suas metas atendem às exigências acima, é hora de fazer outro exercício. Use uma folha de papel para cada meta principal e secundária que pretende atingir. Para cada uma delas, faça o seguinte:

Defina a meta. Se a meta preenche todos os critérios listados acima, expresse-a, com a maior clareza possível, no topo da folha.

Examine os obstáculos que há no caminho. Este é o momento para se precaver contra suposições negativas e outros pensamentos destrutivos. Os obstáculos só lhe obstruem o caminho quando você deixa. Imagine maneiras inovadoras de superar cada obstáculo e anote-as.

É vantagem para mim? Anote os motivos que você tem para atingir a meta. Que espécie de recompensa o motiva? Depois de responder, repita a pergunta. E continue repetindo até chegar à essência psicológica de seu verdadeiro motivo. Depois de identificar tal motivo, você poderá se concentrar nesses sentimentos e necessidades sempre que as coisas ficarem difíceis.

Planeje a ação. Como disse o poeta James Russell Lowell: "Uma boa ação vale mais do que todos os belos sentimentos do mundo". Suas metas nada valem se você não concretizá-las. Para começar, a melhor maneira é criar uma "planilha do idiota", explicando, com detalhes, o que deve ser feito, como e por quem. Se qualquer um consegue ler esse plano, executá-lo e atingir a meta é porque está bem explicado. Anote cada passo que você vai dar em direção à meta. Quanto menores os avanços, mais fácil cumpri-los. Como diz um provérbio alemão: "Quem começa com muito termina com pouco".

Projete uma data limite para sua meta. Fixe datas iniciais e finais e concentre-se nelas. Trabalhe da data limite para trás para verificar se o prazo é realista, levando em conta limitações de tempo, tarefas e outras responsabilidades. Um prazo muito curto gera uma pressão desnecessária e pode ser frustrante. Um prazo longo demais pode reduzir seu ímpeto. Dê também uma certa margem para imprevistos.

Reserve um tempo para fazer revisões ao fim de cada semana, de cada mês e de cada ano. Como nada acontece exatamente conforme o planejado, você vai precisar fazer ajustes na "planilha do idiota" para não se perder. Modifique o plano para atingir a meta — mas *não mude a meta!* Num jogo de futebol, se o tempo está acabando e o seu time ainda não fez um gol, você não muda as traves de lugar. Você encontra um jeito de fazer o gol assim mesmo, levando em conta seus pontos fortes e as limitações de tempo.

Não se disperse. Não vá dormir enquanto não tiver atingido os objetivos do dia. Lembre-se: os vencedores fazem as tarefas que os perdedores não gostam de fazer. Faça antes o que você mais odeia.

Rick: O que eu mais odiava, quando comecei em vendas, era cobrar. Eu queria que comprassem o meu produto, mas tinha medo de cobrar. Eu não me achava digno de falar em dinheiro ou me sentia como se estivesse fazendo alguma coisa suja ou baixa. A minha carreira só decolou quando aprendi a cobrar com rapidez e confiança, sabendo que o cliente estava ganhando o mesmo ou mais do que eu.

Recompense-se. Ao usar suas folhas, vá riscando o que já concluiu. Assim, você vai visualizar seu progresso e ter orgulho de suas realizações. É importante prometer a si mesmo uma recompensa por cada passo que avançar em direção à meta, sem pensar no custo em tempo ou dinheiro. Se quebrar essas promessas, você vai se impedir de atingir suas metas.

ADMINISTRAÇÃO DO TEMPO

Tempo é como dinheiro. A menos que tenha mais do que consegue usar, você precisa controlar suas posses. Para o vendedor não-manipulativo, a administração do tempo é uma das chaves para o sucesso. A administração eficiente e eficaz do tempo exige prática e disciplina, mas vale a pena.

Conheça seu Ritmo Circadiano

O ritmo circadiano se refere ao nosso ciclo da energia ao longo do dia. Algumas pessoas são matutinas, outras são corujas noturnas. Em geral,

A ADMINISTRAÇÃO DE SI MESMO

todo mundo tem uma noção de seus períodos de "alta" e de "baixa". É importante que você identifique seus melhores momentos para organizar os contatos de venda de acordo com eles: assim, você vai tirar proveito de seus picos de energia. Você vende mais pela manhã? Ou fica dentro de uma nuvem até o meio-dia?

Além dos picos diários, há momentos, no ciclo de vendas, em que você é mais eficiente do que em outros. Logo que concluir uma venda, procure fazer outra imediatamente. Nesse momento, você já pegou o ritmo, está entusiasmado, está confiante e se acha incapaz de errar — e não erra mesmo. Quando você *não* estiver eficiente, quando o seu ritmo circadiano estiver em "baixa", use o tempo para planejar, cuidar da papelada, relaxar, escrever cartas ou marcar reuniões. Venda durante o período de alta.

Rick: Conheço um vendedor que vendeu oitenta e oito apólices de seguro em um dia. Eu lhe perguntei como tinha conseguido manter o pique depois de trinta ou quarenta vendas e ele disse: "Quando a gente está no embalo, só pára de vender quando a coisa esfria". O seu melhor momento é imediatamente depois de uma venda.

Faça uma Tabela de Horários

Para aprender a administrar o tempo, você precisa ter uma noção clara de como costuma usá-lo. Experimente o seguinte exercício durante duas semanas: faça uma tabela de horários dividindo seu dia em intervalos de quinze minutos. Registre as atividades de cada dia. Com isso, você vai ter clareza para eliminar fatores de desperdício e para fixar metas relativas à administração do tempo.

Elimine os Fatores de Desperdício

Você não é o único responsável pelo desperdício de tempo; há outros fatores que contribuem para isso. Segue-se uma lista de fatores de desperdício de tempo tirada de um estudo de Leo Moore, do MIT. Esses fatores estão no topo da lista da maioria das pessoas:

telefone	delegação	atrasos
reuniões	procrastinação	leitura
relatórios	"apagar incêndios"	emergências
visitantes	o chefe	solicitações especiais

Use uma Lista de Coisas a Fazer

Uma lista diária de coisas a fazer é um valioso instrumento na administração do tempo. Uma lista dessas organiza o pensamento e prioriza as atividades, permitindo que você seja mais eficiente. Com ela, você trabalha mais sem aumentar o *stress*.

Como desenvolvemos hábitos com facilidade, é uma boa idéia fazer a lista todos os dias no mesmo horário — na noite do dia anterior ou pela manhã, antes de qualquer outra coisa. A rotina faz com que você se mantenha *comprometido*.

Organize a lista em ordem de prioridade, com as mais altas em primeiro lugar. Escreva o resultado pretendido e também o processo. Por exemplo: "Ir ao almoço dos representantes dos manufatureiros *e conseguir pelo menos três cartões de prospects*". Isso aumenta suas chances de realizar tais atividades com sucesso.

Terminada a lista, determine o tempo que cada atividade requer. Somando tudo, você saberá se é ou não viável cumprir aquelas metas em um só dia.

À medida que for dando conta das atividades, risque-as e anote as vendas e contatos que conseguiu fazer, de modo a poder acompanhar seu desempenho diário. A lista do dia seguinte tem que incluir todas as atividades que você não conseguiu concluir no dia. Guarde as listas para referência futura e documentação de suas atividades para fins tributários.

"Quatro Verbos" que o Ajudam a Estabelecer Prioridades

John Lee, palestrante profissional e colega dos autores, sugere o uso de quatro verbos para priorizar a programação. Pense na tarefa e pergunte a si mesmo: posso *eliminá-la*? Se não for essencial, livre-se dela. Se não puder eliminá-la, pergunte: posso *adiá-la*? Se o adiamento tem conseqüências, compare-as às conseqüências de adiar outras tarefas e faça uma escolha. Se não puder adiá-la, tente *delegá-la*. Alguma outra pessoa pode cumpri-la por você? Se for impossível, *realize-a* você mesmo. Acrescente-a à lista e conclua-a o quanto antes.

Delegar trabalho a subordinados é essencial para administrar o tempo com eficiência. Delegando, você amplia sua capacidade: não se trata mais do que você pode *fazer* mas do que pode *controlar*. Além disso, essa prática desenvolve os conhecimentos e a competência do subordinado. E, acima de tudo, lhe dá tempo livre para atividades mais importantes.

Como delegar economiza muito tempo, o valor de um assistente é inestimável. Em quase qualquer tipo de trabalho, é fácil justificar o pagamento

A ADMINISTRAÇÃO DE SI MESMO   241

de um assistente, do seu próprio bolso, para aumentar a produtividade. Pode ser uma secretária que trabalhe meio-período, um serviço de secretariado, um estudante universitário ou um estagiário. Eles podem organizar os papéis, fazer pesquisas e cuidar de inúmeras outras obrigações para que você possa usar sua energia em tarefas de alta prioridade.

Se for o caso, fale com seu gerente de vendas sobre a possibilidade de contratar um assistente. Depois de contratá-lo, você vai se perguntar como conseguiu sobreviver sem ele. Se houver um secretário do departamento, descubra como trabalhar com ele.

Uma secretária não é a única pessoa a quem você pode delegar trabalho. Um vendedor de San Diego, Sam Kephart, da Westec, contratou um assistente para marcar reuniões para ele por telefone. Ele lhe pagava 5 dólares por hora mais 10 por cento das vendas que fizesse a partir desses telefonemas. Com isso, Sam conseguiu encaixar pelo menos mais uma reunião por dia em sua agenda. As cinco reuniões a mais por semana rendiam em média duas ou três vendas a mais por semana — e as comissões compensavam de longe os gastos com o assistente.

Administre a Papelada com Eficiência

O primeiro passo para administrar a papelada é delegar o máximo possível à secretária ou a outros subordinados. Estabeleça um horário para abrir a correspondência, numa hora de baixa produtividade. Selecione a correspondência com a secretária: jogue fora o que não interessa e mostre a ela o que deve fazer com cada carta, para que ela possa lidar com qualquer desdobramento. Priorize a correspondência para tratar primeiro do que é mais importante.

Procure responder à correspondência de imediato. Assim que terminar de ler uma carta, dite ou escreva a resposta no verso — e deixe o resto com a secretária.

Não é só a correspondência que se acumula em sua mesa. Você deve adotar a prática de pegar cada papel uma única vez. Não se limite a dar uma olhada e devolvê-lo ao lugar onde estava. Decida o que fazer com ele e passe à etapa seguinte em direção à conclusão.

Evite a Procrastinação

A procrastinação é como um vírus. Ela vai se insinuando lentamente e drenando sua energia — e é difícil livrar-se dela quando a resistência está baixa. É possível vencer a procrastinação mas, em primeiro lugar, é preciso assumir a responsabilidade por ela. Não use a preguiça como desculpa. Ter

242 A VENDA NÃO-MANIPULATIVA

preguiça é não ter interesse suficiente para agir. As sugestões abaixo vão ajudá-lo a derrotar as "táticas de protelação":

Escolha uma área em que a procrastinação o incomoda e vença-a. Por exemplo: se você enrola para telefonar, fixe uma meta diária de telefonemas. Quando enviar cartas de prospecção, obrigue-se a dar um telefonema depois. Isso é o que se chama de *tarefa condutora*: ela o leva a realizar outra tarefa que você considera difícil ou desagradável.

Estabeleça prazos para si mesmo. Sem tensão não há ação; sem ação não há produtividade. A pressão, quando é moderada, aumenta a motivação. Marque compromissos e anote suas metas por escrito. Não se force demais — descubra sua zona de conforto.

Não evite as tarefas difíceis. Todos os dias nos trazem tarefas difíceis e fáceis. Enfrente as difíceis primeiro, ficando com a expectativa das mais fáceis. Se fizer as fáceis primeiro, você pode enrolar para fugir das difíceis. Realize as tarefas difíceis no período de alta do seu ritmo circadiano. Se não conseguir reunir motivação para começar, aqueça-se com as tarefas mais fáceis — mas *limite o tempo* dedicado a elas.

Não deixe que o perfeccionismo o paralise. Não se prenda a uma tarefa a ponto de fugir às outras responsabilidades. Seja prolífico nos seus esforços, deixe o acabamento para depois. Melhor ainda: delegue o acabamento a alguma outra pessoa.

Todo mundo é suscetível à procrastinação. A ação eficaz é a melhor prevenção contra ela. Recompense a si mesmo na medida em que for abandonando esse hábito. Diga o tempo todo: "Eu faço as coisas na hora".

Controle o Telefone

Há duas maneiras de controlar a intromissão dos telefonemas: uma secretária competente ou uma secretária eletrônica. A sua secretária tem que ter uma lista para saber quais as ligações que pode passar, quais as que não pode e quando tem que perguntar para você. Ela não tem obrigação de adivinhar. A secretária eletrônica só joga o problema para depois. Uma secretária competente é mais eficaz porque pode ajudá-lo a criar um procedimento-padrão para lidar com os telefonemas.

Não se sinta culpado por não atender todos os telefonemas. Ninguém espera que um juiz atenda ao telefone quando está em audiência. Os professores não saem da aula para atender a ligações. Por que, então, um executivo ou vendedor ocupado deveria estar disponível para atender ao telefone a qualquer momento em seu horário de trabalho?

É possível também retornar as ligações com mais eficiência. Determine o melhor horário do dia para retornar ligações. Se você fixar um horário, a sua secretária poderá dizer às pessoas que telefonarem quando você poderá ligar.

Se você escolher um horário no final da manhã ou no final da tarde, é mais provável que pegue a pessoa saindo para almoçar ou saindo do trabalho. Assim, é mais provável que ela se atenha ao assunto em questão, não tomando muito do seu tempo. Mas você não precisa ser ríspido nem antipático. O importante é construir uma boa relação com os clientes, o que pode levar dois minutos ou duas horas.

Mas você não pode criar fama de falador. Se isso acontecer, as pessoas não vão atender suas ligações. Isso parece óbvio — mas como evitar ser cansativo? Um método eficaz é ficar de pé para falar ao telefone — como o conforto é menor, é menos provável que você fale além do necessário.

Fique atento à maneira de começar o telefonema. Em vez de dizer "Oi, Tom, como vai?", especifique o assunto. Experimente dizer: "Oi, Tom. Preciso lhe fazer três perguntas rápidas. Você teria dez minutos agora?" Organize-se tendo uma lista de perguntas ou tópicos à sua frente. E parta imediatamente para as perguntas. Não há nada pior do que dizer: "Ah, eu me esqueci da outra pergunta que ia fazer..." É importante também ser capaz de terminar os telefonemas prontamente. Seja resoluto e diga: "Acho que já é suficiente, Tom. Obrigado pelo seu tempo. Falarei com você em breve. Até logo". Se você for sucinto, as pessoas vão respeitar sua capacidade de agir e não vão desperdiçar seu tempo quando telefonarem. Com os relacionadores e socializadores, você pode ser um pouco mais flexível — se *eles* não estiverem com pressa.

Para retornar as ligações, agrupe-as por tipo — venda, atendimento, contato introdutório, agendamento de reuniões —, já que cada um exige um modo de pensar específico. Sem precisar "mudar de marcha" a cada telefonema, seu pique se mantém em alta.

Procure fazer todas as ligações no mesmo dia e espere que lhe retornem. Há vendedores que brincam de esconde-esconde com o telefone: fazem uma ligação e depois saem da sala. Fixando um horário semanal para os telefonemas, você economiza tempo. Pense nisso. Se fizer cinqüenta telefonemas, é provável que não consiga falar na hora com quarenta dessas pessoas. Mas você pode dizer: "Vou ficar aqui o dia inteiro" — e continuar fazendo telefonemas enquanto espera que as ligações sejam retornadas.

Controle as Visitas

Visitas tomam tanto tempo quanto telefonemas: o efeito é o mesmo. O ideal é que a secretária administre essas interferências, de modo não-manipulativo e diplomático. Deixe que ela cuide dos compromissos e peneire os visitantes.

No caso de reuniões, peça à secretária para bloquear todas as interrupções, inclusive os telefonemas, e também para monitorar o tempo da reunião: se demorar muito, ela pode ligar ou entrar na sala para lembrá-lo de uma obrigação já marcada. Esse é um jeito fácil de encerrar a reunião, caso seja necessário.

Encerre as visitas levantando-se: um sinal óbvio de que está na hora de terminar a conversa. Acompanhe o visitante até a porta e se despeça — sem ficar papeando na porta ou perto do elevador, a menos que *você* queira.

O vendedor não-manipulativo se orgulha do que faz porque sabe que é importante, que tem valor e que é capaz de realizar o próprio potencial. Esse conhecimento de si mesmo pode ser obtido através de procedimentos de auto-administração, como fixar metas e agir no sentido de atingi-las. Fixando metas, você se concentra no que pretende realizar na vida. A administração do tempo o ajuda a atingir essas metas dentro do prazo. Em última análise, só você pode controlar com eficiência a sua carreira. Em vendas, a administração de si mesmo é essencial para o sucesso.

Além de atingir suas metas, há outras razões importantes para fixá-las. Em primeiro lugar, você se sente melhor consigo mesmo no instante em que fixa uma meta. Em segundo lugar, como já dissemos, você se torna um sucesso pelo simples fato de fixar uma meta. Em terceiro lugar, você cresce e se desenvolve como ser humano no processo de atingi-las. Isso é mais importante do que o fato de atingir ou não a meta — porque você se torna capaz de atingi-la. Com isso, você pode fixar metas cada vez mais altas, desafiando-se a se tornar um ser humano e um vendedor melhor.

Thoreau disse uma vez: "Se você construiu castelos no ar, o trabalho não foi em vão. É lá o lugar deles. Agora, construa alicerces sob eles". Não tenha medo de fazer com que os sonhos se tornem realidade. É para isso que serve a administração do tempo e a fixação de metas.

15

Três Chaves
para o Sucesso

O profissional se define não pela área de atuação, mas pelo modo como atua. O profissionalismo assume várias formas e tem que existir em todas as áreas.

Rick: Eu estava em Atlanta e chamei um táxi para me levar até o aeroporto. Percebi imediatamente que não era um táxi comum: era novo em folha, tinha bancos aveludados e estava imaculadamente limpo. E o chofer me cumprimentou: "Bom dia, senhor. Para onde gostaria de ir?" Eu disse que estava indo para o aeroporto e ele continuou a conversa com uma exposição do benefício inicial: "Vou levá-lo com eficiência e conforto. A que horas o senhor precisa estar lá?" Dei a ele o horário. "Não haverá problema, senhor. Na verdade, o senhor tem tempo de sobra."

No caminho, o motorista me ofereceu revistas e jornais: as últimas edições do *Wall Street Journal*, do *USA Today*, da *Forbes*, da *Fortune* e da *Newsweek*. Fiquei muito impressionado e perguntei se aquele táxi era comum ou se era mais sofisticado do que o normal. Ele respondeu: "É um táxi comum. Notei que a maior parte dos meus clientes são executivos, indo e voltando do aeroporto, e que gostam de um banco mais confortável do que os bancos de plástico da maioria dos táxis. Eu sei que eles são ocupados e não têm muito tempo livre para ler, de modo que o táxi é um bom lugar para que se informem sobre o que está acontecendo".

Mais ou menos a essa altura, o celular dele tocou. Quando desligou, perguntei-lhe se era um cliente. Ele respondeu: "Claro! Eu sempre dou aos clientes o número do meu celular para que eles possam me localizar diretamente. Quando ligam para a central, demora alguns minutos até que me passem a mensagem. Além disso, se tiverem alguma instrução complicada para me passar, é muito mais fácil falar diretamente comigo. Quando eu prometo que vou chegar em determinado horário, eu cumpro a promessa. Às vezes os clientes me telefonam para pedir que compre ingressos de teatro para eles. Assim, quando vou buscá-los eles não precisam mais se preocupar com os ingressos e têm tempo para jantar. O telefone me permite fazer isso".

A atitude dele era de serviço total ao cliente. Fiquei muito impressionado. Perguntou-me se eu queria ouvir música, dizendo que tinha fitas de clássicos de que os executivos, segundo ele constatara, pareciam gostar. Acrescentou que as fitas eram relaxantes e ajudavam a reduzir o nível de *stress* no caminho do aeroporto. Ele pôs a fita que escolhi e eu fiquei mesmo mais relaxado.

Eu disse a ele que achava pouco comum uma empresa permitir a um motorista trabalhar com um carro tão caro e lhe perguntei como conseguira. "Ah, sou dono da empresa", respondeu. "Comecei como motorista, mas sempre gostei de cuidar dos meus clientes da melhor forma possível. Em pouco tempo, eu já não conseguia atender tantos chamados. Então, com as minhas economias, comprei um táxi usado e comecei a trabalhar por conta própria. Depois de um tempo, contratei mais alguns motoristas para trabalhar comigo e hoje tenho a minha própria empresa e uma frota de táxis."

Quando cheguei ao aeroporto, ele me deu seu cartão e me disse para lhe telefonar caso precisasse de alguma coisa quando voltasse a Atlanta. Ele me deu também um recibo e mostrou um número de telefone no verso, caso eu tivesse alguma reclamação a fazer do táxi dele ou de qualquer táxi da cidade. Ele me incentivou a telefonar para aquele número porque as empresas de táxi de Atlanta queriam saber o que fazer para aperfeiçoar seus serviços.

A mensagem é clara. Qualquer negócio pode lucrar com o aumento do nível de profissionalismo. E o que é profissionalismo, afinal? É serviço ao cliente. Você deve tratar seus clientes, do início ao fim, como se o mundo girasse em torno deles — porque é verdade.

Há três coisas que garantem o sucesso em qualquer empreitada: *conhecimento, coragem* e *prática*. O primeiro lhe dá o que você precisa saber para fazer o que quer fazer. A segunda lhe permite correr os riscos necessários para fazer o que quer fazer. A terceira transforma o medo em familiaridade, afia as habilidades e aumenta o conhecimento e a coragem.

Este livro lhe dá conhecimento para mudar a sua vida. Ele é, na verdade, um plano para o sucesso. A melhor maneira de trabalhar com as informações deste livro é dividi-las em pequenas porções e digeri-las uma de cada vez.

O processo de aprendizado que você atravessa para implementar os princípios contidos neste livro tem que ser um esforço consciente, mantido por um período de alguns meses. Você já deu o primeiro passo: passou do estágio de "ignorância" para o estágio de "consciência". Ignorância é não saber uma determinada coisa. A palavra não tem conotação de estupidez, mas de falta de conhecimento. Todos nós somos ignorantes em muitas coisas.

Tendo lido este livro, você já conhece as técnicas e benefícios da venda não-manipulativa. Agora, você pode desenvolver um plano de ação para chegar aonde quiser. Desenvolva uma visão de sua meta para aumentar significativamente as chances de conquistá-la. Imagine-se montando um quebra-cabeça sem ter visto uma imagem do produto final: levaria uma eternidade. A imagem da meta é a mesma coisa: permite que você encontre um sentido para as inúmeras peças do quebra-cabeça.

Durante a fase de aprendizado, ao pôr em prática os métodos que aprendeu neste livro, você estará consciente de tudo o que faz. A consciência de si mesmo que acompanha uma nova atividade é inevitável. Use-a para se desenvolver, identificar erros e ter *feedback* de seu progresso. Não resista a ela se a sensação for estranha: continue praticando e saiba que é por uma causa que vale a pena — VOCÊ. Fique tranqüilo, pois com a prática tudo melhora.

Para melhorar, pratique com um parceiro. Pode ser que o seu gerente de vendas ou algum colega queiram aprender a venda não-manipulativa junto com você. Seria o ideal. Não há nada mais valioso do que um grupo de apoio quando se embarca em um novo desafio. Aprender a venda não-manipulativa com seus colegas vai ajudá-los na dramatização, nas vendas em equipe, na divisão do trabalho de pesquisa, na criação de sistemas e listas e assim por diante.

Quando você estiver modificando seu comportamento e suas atitudes, do método tradicional para a venda não-manipulativa, pode ser que sua produtividade caia um pouco. Isso é comum porque o foco muda; você deixa de se concentrar no "fechamento" e passa a se concentrar nas fases iniciais da VNM — planejamento, primeiro contato, construção da relação, estudo e proposta. Fique tranqüilo, pois essa queda é temporária. Com o tempo, você vai conquistar uma sólida base de relações e de boa vontade, além de clientes mais lucrativos e duradouros.

Depois de passar pelo estágio da consciência de si mesmo, você entra no nível do "desempenho habitual". É nesse ponto que tudo se torna natural para você. É como andar de bicicleta sem usar as mãos. Você vai ligar o piloto automático no comando de uma carreira que é muito mais gratificante agora do que antes de você adotar a VNM.

Roy: Se eu fosse lhe dar um conselho sobre o sucesso em vendas, eu lhe diria para analisar todas as pessoas que você mais admira e determinar se são manipuladoras ou não. Estou convencido de que você vai constatar que as pessoas que ocupam as melhores posições no mundo dos negócios não são manipulativas, mesmo que não saibam disso. Elas são assim naturalmente.

A venda não-manipulativa não é apenas uma coisa que você pratica no trato com os clientes: é um modo de tratar empregados, patrões, empregados potenciais e patrões potenciais. Para usar um clichê, é quase um estilo de vida.

Os autores esperam sinceramente que você use este livro como um catalisador para ser ainda melhor — e temos certeza de que seus clientes também sairão ganhando.